»Sollte ich mit zwei Namen andeuten, was ich als Deutschtum in unserem Jahrhundert verstehe, dann antwortete ich, ohne zu zögern: Deutschland – das sind in meinen Augen Adolf Hitler und Thomas Mann.« Kindheit und Jugend im Nationalsozialismus, Deportation und Warschauer Getto – Deutschlands wohl berühmtestem Literaturkritiker und seiner Familie haben Deutsche Schreckliches angetan. Marcel Reich-Ranicki überlebte den Holocaust. Und mit ihm überlebte seine unerschütterliche Liebe zur deutschen Literatur, zum Theater, zur Musik. »Dieses Buch gehört zu den großen Geschichtserzählungen unseres Jahrhunderts«, schreibt Peter von Becker im »Tagesspiegel«. Der vorliegende Band umfasst die wichtigsten Kapitel aus Marcel Reich-Ranickis Autobiografie »Mein Leben« über die Jahre 1933 bis 1945.

Marcel Reich-Ranicki, Professor, Dr. h. c. mult., geboren 1920 in Włocławek an der Weichsel, ist in Berlin aufgewachsen. Er war u. a. Literaturkritiker der »Zeit«, leitete in der »Frankfurter Allgemeinen Zeitung« die Redaktion für Literatur und literarisches Leben und von 1988 bis 2001 das »Literarische Quartett«. Von dem von Marcel Reich-Ranicki herausgegebenen umfangreichen »Kanon der deutschen Literatur« sind erschienen: Romane (20 Bände), Erzählungen (10 Bände), Dramen (8 Bände); es folgen: Lyrik und Essayistisches.

Volker Hage, 1949 in Hamburg geboren, ist Redakteur im Kulturressort des »Spiegel«. Zuvor arbeitete er bei der »Frankfurter Allgemeinen Zeitung« und als leitender Literaturredakteur der »Zeit«. Er ist Autor mehrerer Bücher, u. a. der ersten Biografie Reich-Ranickis (dtv 12426), der Porträtsammlung »Alles erfunden« (dtv 19032) und des Essaybands »Propheten im eigenen Land« (dtv 12692).

Marcel Reich-Ranicki

Mein Leben

Auswahlband für die Schule

Herausgegeben, kommentiert und
mit einer Einleitung versehen von
Volker Hage

Deutscher Taschenbuch Verlag

Redaktionelle Mitarbeit:
Jeanette Stickler

Originalausgabe
Mai 2005
Deutscher Taschenbuch Verlag GmbH & Co. KG,
München
www.dtv.de
© 2005 für den Textteil mit freundlicher Genehmigung:
Deutsche Verlags-Anstalt GmbH, München
© 2005 für Einleitung, Kommentar und Apparat:
Deutscher Taschenbuch Verlag GmbH & Co. KG,
München
Umschlagkonzept: Balk & Brumshagen
Umschlagfoto: © Bettina Strauss
Satz: Fotosatz Reinhard Amann, Aichstetten
Gesetzt aus der Aldus 10/11,5·
Druck und Bindung: Druckerei C. H. Beck, Nördlingen
Gedruckt auf säurefreiem, chlorfrei gebleichtem Papier
Printed in Germany · ISBN 3-423-13327-9

Inhalt

Einleitung

Mit einem derartigen Erfolg hatte niemand gerechnet, am allerwenigsten der Autor selbst. Im Mai 2000, nachdem »Mein Leben« schon 33 Wochen ununterbrochen den ersten Platz der »Spiegel«-Bestsellerliste besetzt hielt,[1] erklärte der Literaturkritiker Marcel Reich-Ranicki dem Magazin in einem längeren Interview: Er habe den Verlag, in dem seine Erinnerungen erscheinen sollten, davor gewarnt, mit einer höheren Erstauflage als 50 000 zu beginnen. »Die Hälfte wird liegenbleiben«, war seine feste Überzeugung. Doch kaum waren Reich-Ranickis Erinnerungen auf dem Markt, zeichnete sich rasch das große Interesse an seinem Buch und damit an seinem Leben ab.

Der Autor war seit langem der bekannteste Literaturkritiker Deutschlands. Doch zum Star, zum Prominenten, wurde er erst, nachdem von 1988 an im Zweiten Deutschen Fernsehen regelmäßig eine von ihm erdachte, konzipierte und geleitete Büchersendung lief: die höchst streitlustige Diskussionsrunde »Das Literarische Quartett«. Und es saßen damals auch solche Zuschauer gebannt vor dem Bildschirm (oder als Gäste im Studio), die nicht unbedingt zu regelmäßigen Lesern von Buchkritiken zählten. Sie vertrauten den TV-Empfehlungen Reich-Ranickis und kauften fleißig Romane und Erzählungen – so dass sich manche Auflage nach einer lobenden Erwähnung im »Quartett« gut und gern verdoppelte oder verdreifachte.

Und nun übertrumpfte Reich-Ranicki mit seinen Memoiren lässig die meisten dieser Bücher: »Mein Leben« wurde zu einem

---

[1] Auf dieser Position sollte der Titel noch Monate bleiben; erst im Februar 2001 verschwand er endgültig von der Liste der meistverkauften Hardcover-Bücher, auf der er im September 1999, einen Monat nach Erscheinen, erstmals aufgetaucht war.

regelrechten Bestseller, zu einem Welterfolg. Bis heute, Anfang 2005, sind allein in deutscher Sprache rund 1,2 Millionen Exemplare in verschiedenen Buchausgaben verkauft worden.[2] Hinzu kommen Übersetzungen in siebzehn Sprachen, darunter selbst ins Chinesische und Koreanische.

Für den Kritiker war dieser phänomenale Erfolg aus einem ganz speziellen Grund ein persönlicher Triumph: Wie oft hatte er sich anhören müssen, er könne immer nur auf fremde Bücher und Werke reagieren, sei aber nicht in der Lage, selbst etwas zu schaffen, selbst schöpferisch zu sein. Das hatten ihm vor allem jene Schriftsteller vorgehalten, die er »verrissen«, also deren Werke er abgelehnt und öffentlich kritisiert hatte. Im Stillen rechnete Reich-Ranicki damit, dass ihm vielleicht doch der eine oder andere Dichter gratulieren könnte, aber (wie er dem »Spiegel« anvertraute): »Kein Einziger von ihnen hat mich angerufen oder mir eine Postkarte geschickt – ausgenommen Siegfried Lenz, mit dem ich seit Jahrzehnten befreundet bin. Er hat mir gesagt: ›Du bist ein Erzähler.‹ Das klang wie ein Ritterschlag.«

Dabei zählt der Kritiker keineswegs zu jenen Journalisten, die sich gern als verhinderte Schriftsteller sehen. Es war nie seine Absicht, Romane, Dramen oder Gedichte zu schreiben. Dazu war der Respekt vor den Dichtern seit seinen Jugendtagen viel zu groß. So ist denn – von dem Buch »Mein Leben« abgesehen – nur ein einziger Sündenfall, ein winziger Schritt ins Erzählfach bekannt: Es gibt eine autobiografische Erzählung »Berlin 1945«, die Reich-Ranicki für den Deutschen Rundfunk schrieb, und zwar 1958, zwanzig Jahre nachdem er als Jude aus Deutschland ausgewiesen und in sein Geburtsland Polen deportiert worden war. In dieser Erzählung erinnert er

---

[2] Dazu zählen die gebundene Originalausgabe (Hardcover: mehr als 600 000 Exemplare), Buchclub-Sonderausgaben (zus. rund 100 000), die Taschenbuchausgabe (bei dtv: 450 000) und andere (so eine Hörbuch-Edition mit mehr als 50 000 Stück). Das ist selbst für Bestseller eine enorme Größenordnung.

sich an die erste Wiederbegegnung mit Berlin nach dem Zweiten Weltkrieg, mit jener Stadt, in der er 1938 noch sein Abitur gemacht hatte.[3] Warum schrieb er diese Geschichte? Der Grund war sehr einfach: Der Kritiker hatte im Juli 1958 auf eigene Faust das damals kommunistische Polen verlassen und brauchte dringend Geld. Reich-Ranicki kehrte endgültig nach Deutschland zurück, musste sich aber hier seinen Platz als Kritiker erst erobern.

Das schaffte er recht bald: dank seiner enormen Kenntnisse besonders der deutschen Literatur, mit viel Fleiß und Beharrlichkeit – und mit einer im Kritikergewerbe bis heute selten anzutreffenden deutlichen Sprache. Reich-Ranickis Kritiken fielen durch Verständlichkeit und Überzeugungskraft gleichermaßen auf: durch große Stilsicherheit und ein stets klares Urteil. So kam er 1960 zur Hamburger Wochenzeitung »Die Zeit«, wurde deren ständiger und wichtigster Literaturkritiker, bis er 1973 nach Frankfurt am Main und zu einer Tageszeitung wechselte, zur »Frankfurter Allgemeinen Zeitung« (»FAZ«). Bei diesem Blatt leitete er 15 Jahre lang den Literaturteil.

Schon in dieser Zeit gab es einige aus dem Kreis der Freunde, Kollegen und Familie (sein 1948 geborener Sohn Andrzej Alexander gehörte dazu), die ihn bedrängten, die Geschichte seines Lebens aufzuschreiben – besonders jene Phase, als er, das deutsche Abitur in der Tasche, zwangsweise nach Polen abgeschoben worden war und in Warschau den Beginn des Zweiten Weltkriegs erlebt hatte. Er war danach nur knapp der mörderischen Verfolgung durch die in Polen einmarschierten Deutschen entkommen, jener nationalsozialistischen Jagd auf die europäischen Juden, die viel später den Namen »Holocaust« erhielt.

Er und seine ebenfalls jüdische Frau Teofila (Tosia, sprich:

---

3 Nachzulesen ist diese Erzählung mitsamt einer späteren Selbstkritik des Autors im Anhang zur ersten Biografie über Marcel Reich-Ranicki (von Volker Hage und Mathias Schreiber; 1995 als Taschenbuch bei dtv, Nr. 12426).

Toscha), die er 1942 im Warschauer Getto geheiratet hatte, lebten bis September 1944, als beide vierundzwanzig Jahre alt waren, in der ständigen Furcht, doch noch von den deutschen Besatzern aufgespürt, in ein KZ gebracht oder gleich ermordet zu werden. Dann erst wurden sie von den vordringenden Sowjettruppen, den Soldaten der Roten Armee, aus ihrem Versteck und von der Todesangst befreit. Nur wenige Juden überlebten das Getto – rund eine halbe Million war von dort aus in die Todeslager transportiert worden (oder die Menschen hatten vorher durch Hunger, Seuchen oder willkürliche Erschießungen ihr Leben verloren, manche auch beim großen Aufstand Anfang 1944).

Reich-Ranicki sprach lange Zeit nicht öffentlich über seine Erlebnisse und Erfahrungen im Getto. Allenfalls im privaten Kreis war er bereit, Auskunft zu geben, aber auch dann nur, wenn er ausdrücklich gefragt wurde. Als Journalist ließ er nur hier und da eine Andeutung fallen, so etwa im Zusammenhang mit dem Bau der Berliner Mauer 1961. Der Anblick hatte offenbar Erinnerungen freigesetzt, und er deutete das in der »Zeit« indirekt an: »Wer beide Mauern gesehen hat, die Warschauer und die Berliner (und es gibt noch einige Überlebende, die hierzu Gelegenheit hatten), der mußte eine bestürzende Ähnlichkeit dieser Bauwerke feststellen – mögen sich die historische Situation und die konkrete Funktion der Grenzmauern noch so sehr voneinander unterscheiden.«

Erst viele Jahre später, Anfang 1979, trat Reich-Ranicki im deutschen Fernsehen als Überlebender des Holocaust in Erscheinung, das allerdings nachdrücklich: In den Gesprächsrunden, die der ersten Ausstrahlung der gleichnamigen amerikanischen TV-Serie folgten, fiel er als temperamentvoller Teilnehmer auf. »Es war Aufgabe der Deutschen, diesen Film zu machen«, sagte er. »Und es ist höchst bedauerlich, dass ein derartiger Film nicht in Deutschland gemacht wurde.« Wieder einige Jahre später, 1984/85, kam Reich-Ranicki dann ausführlich in der ZDF-Interviewreihe »Zeugen des Jahrhunderts« zu Wort (es gab sogar, eine Ausnahme, zwei Folgen mit ihm); dabei erzählte er, befragt von Joachim Fest, erstmals in aller Öffentlichkeit anschaulich von eigenen Erlebnissen, von den Schrecken des Gettos, der anhaltenden Gefährdung nach der Flucht, vom Vegetieren in einem Versteck und vom Glück des Überlebens.

Warum zögerte er noch so viele Jahre damit, seine Memoiren zu schreiben? Zunächst einmal war er ja ein vielbeschäftigter Mann, auch nach 1988, als er den Posten als »FAZ«-Literaturchef räumte: Er blieb Redakteur (und ist es bis heute), er leitete bis Ende 2001 sein »Literarisches Quartett«, er war weiterhin ein gefragter Kritiker, Redner und Diskutant. Doch die tieferen Gründe mögen woanders zu suchen sein: Es gab schlicht Hemmungen, Skrupel, die Angst vor einem Scheitern. Und Angst vor der Vergegenwärtigung vergangener Todesschrecken während des Schreibens. »Ich wollte nicht das Ganze noch einmal in Gedanken erleben«, erklärte er später in der Danksagung, in der er jene aufzählt, die ihm über die Jahre Mut gemacht hatten.

Die grundsätzliche Problematik der autobiografischen Erzählform war dem Literaturkritiker natürlich bekannt. In einem geplanten, später verworfenen Vorwort zu seinem Buch »Mein Leben« schrieb Reich-Ranicki: »Der Autobiograph soll aufrichtig schreiben, aber nicht exhibitionistisch, feinfühlig und empfindsam, aber nicht sentimental. Bescheiden hat er zu sein, aber nicht mit seiner Bescheidenheit zu kokettieren oder gar zu protzen. Diskretion wird erwartet, aber Geheimniskrämerei soll unbedingt vermieden werden.«[4]

Es gelang ihm meisterhaft, bravourös; wie es eben gelegentlich vorkommt, wenn einer sich zögerlich an eine Sache macht, die er sich eigentlich nicht zutraut. Von der Presse wurde »Mein Leben« auf Anhieb »zu den großen Geschichtserzählungen unseres Jahrhundert« gezählt (so im Berliner »Tagesspiegel«), ja, sogar als »ein Roman, der Roman seines Lebens« gefeiert (»Die

---

4 Diese Überlegungen sind in einem Buch abgedruckt, das als Materialsammlung zu »Mein Leben« viele weiterführende Informationen enthält (»Welch ein Leben«, herausgegeben von Hubert Spiegel; 2000 bei dtv, Nr. 30807).

Zeit«). Als besonders eindringlich und erschütternd wurden immer wieder jene Kapitel hervorgehoben, die von der Schulzeit im nationalsozialistischen Deutschland, von den Schreckensjahren im Warschauer Getto und dem Ende des Zweiten Weltkriegs handeln, die also die Zeit von 1933 bis 1945 betreffen.

Über diese zwölf Jahre ist jede Menge gesprochen und geschrieben worden; es gibt eine große Anzahl von Sachbüchern über den Mord an den europäischen Juden, es gibt viele bemerkenswerte persönliche Erinnerungen von Überlebenden des Holocaust, dieses im tiefsten Sinne unvorstellbaren Verbrechens. Die Darstellung von Reich-Ranicki ist einzigartig. Und zwar nicht nur weil jedes Leben einzigartig ist, jeder Blick in die Vergangenheit etwas anderes zeigt, sondern weil »Mein Leben« in ganz wunderbarer Art den Leser nicht allein lässt, weil der Autor ihn beim Schreiben stets vor Augen gehabt haben muss – so wie er es auch als Kritiker schon gehalten hat.

Das Buch ist von tiefer Melancholie und Trauer geprägt und dennoch, so eigenartig es klingt, über weite Strecken höchst unterhaltsam und tröstlich; die verschiedenen Tonfälle treffen mitunter hart und unvermittelt aufeinander, geben sich aber gegenseitig Kraft und Kontur. So kann Reich-Ranicki, wenn er etwa von seiner Berliner Gymnasialzeit spricht, liebevolle Lehrerporträts zeichnen, selbst wenn von überzeugten Nazis die Rede ist. Da gab es einen Musiklehrer namens Steineck, der sein Fach derart liebte, dass er allen Schülern, auch den jüdischen, dankbar war, wenn sie diese Liebe erwiderten. »Ja, er hatte jüdische Schüler besonders gern«, heißt es im Kapitel »Rassenkunde – nicht erfolgreich«, »weil die meisten musikalisch waren und viele von ihnen Klavier oder Violine spielten.«

Es ist in dieser Beschreibung einer Kindheit und Jugend auch von ganz unpolitischen Dingen die Rede, von der frühen Begeisterung für Literatur natürlich, aber ebenso vom ersten Interesse an der Sexualität – und davon, wie beides, die Bücher und die Neugier, sich auf das Schönste ergänzten. In dem Kapitel »Ein Leiden, das uns beglückt« erinnert sich Reich-Ranicki, wie er im Brockhaus und in Romanen nach Begriffen und Stellen suchte, die ihm halfen, sich ein Bild von der Liebe zu machen. Er begriff damals, dass man in der Literatur auf sich selber stoßen konnte: auf »seine eigenen Gefühle und Gedanken, Hoffnungen und Hemmungen.«

Wie anders klingen diese Themen, die Liebe und die Musik, dann wenige Kapitel später an, als aus der düsteren Todeswelt des Warschauer Gettos berichtet wird: sachlich und spürbar um (sprachliche) Haltung bemüht. Als der junge Marcel Reich, wie er damals hieß, das Mädchen heiratete, dessen Vater sich aus Verzweiflung umgebracht hatte und für das er sich nun verantwortlich fühlte, jene Tosia, mit der er bis heute verheiratet ist, gab es keine Chance für unbeschwertes Liebesglück: »Eine Hochzeitsreise haben wir nicht gemacht, sie blieb uns, Tosia und mir, erspart – sie hätte ja nur ein einziges Ziel haben können: die Gaskammer.« Und die Musik, sie spielte zwar im Getto eine große Rolle, es gab sogar Orchesterkonzerte – doch wenn plötzlich deutsche Soldaten den Raum betraten, wussten die Zuhörer aus dem Getto nicht, wie das ausgehen würde (in diesem einen Fall waren es nur zwei oder drei, die gern Musik hörten und sich wieder entfernten, ohne jemandem ein Haar gekrümmt zu haben).

»Mein Leben« ist voll von kleinen Geschichten, die helfen, die große Geschichte besser zu verstehen, sich überhaupt ein Bild von ihr zu machen, was allem Verstehen vorausgehen muss. Ihm, Reich-Ranicki, kann sich jeder anvertrauen, der durch diese Schreckensjahre geführt werden möchte. Dass sein Buch gerade in Deutschland so viele dankbare Leser gefunden hat, das ist für den Autor vielleicht doch der größte Triumph, das größte Glück.

Zu dieser Ausgabe

»Dieses geniale Buch eines Schriftstellers sollte in den Schulen gelesen werden«, schrieb einmal der Verleger Siegfried Unseld, der viele Jahr den Suhrkamp-Verlag leitete, über »Mein Leben«.

13

Und im Geiste dieses Wunsches ist auch die hier vorliegende Auswahl entstanden, die für die Schule gedacht ist und nahezu vollständig jene Kapitel umfasst, in denen die Zeit von 1933 bis 1945 geschildert wird. Wenige kürzere Auslassungen innerhalb der Kapitel sind mit […] gekennzeichnet. Verzichtet wurde hier auf die drei ersten Kapitel der Autobiografie, in denen Reich-Ranicki zunächst in seiner Lebensgeschichte vorgreift und über seine Erfahrungen zur Zeit der Rückkehr nach Deutschland, also im Jahr 1958, schreibt, dann aber auch Auskunft über seine Eltern und Vorfahren gibt.[5]

Die vorliegende Auswahl endet mit dem 9. Mai 1945, dem Tag nach der bedingungslosen Kapitulation Deutschlands, mit dem Ende des Zweiten Weltkriegs. Reich-Ranickis Geschichte nach 1945 – die Autobiografie reicht bis ins Jahr 1999 – ist hier nicht enthalten.

Nach dem Zweiten Weltkrieg, als Reich-Ranicki für viele Jahre seinem Wunsch entsagen musste, sich beruflich mit Literatur zu beschäftigen (statt dessen strebte er durchaus mit Erfolg eine Diplomatenlaufbahn an), blieb er vorerst in Polen, abgesehen von einer Zeit in London (1948/49 als polnischer Konsul), und verdiente sein Geld als Verlagslektor und später freier Autor. Erst 1956 kam er – erstmals seit jener Visite in Berlin kurz nach dem Krieg – wieder nach Deutschland: zu einer literarischen Konferenz in der DDR; ein Jahr später besuchte er zum ersten Mal die Bundesrepublik, in der dann später seine phantastische Karriere als Literaturkritiker begann.

---

5 Im dritten – hier fehlenden – Kapitel geht es um den Schriftsteller Erich Kästner, zu dessen Büchern der Junge Marcel früh Neigung fasste (besonders gefiel ihm »Emil und die Detektive«) und den der Kritiker Reich-Ranicki Jahrzehnte später traf, um davon zu erzählen, wie seine spätere Frau Tosia ihm im Warschauer Getto zum 21. Geburtstag eine mit eigenen Zeichnungen versehene Abschrift des Gedichtbands »Doktor Erich Kästners Lyrische Hausapotheke« geschenkt hatte (das handgeschriebene Exemplar hat übrigens die Wirren der Zeit überstanden und ist inzwischen als Faksimile-Nachdruck publiziert worden).

Die Einteilung dieser Auswahl in zwei Hauptteile (die Berliner Jahre von 1933 bis 1938, die polnische Zeit von 1938 bis 1945) weicht von der Einteilung in der Autobiografie, die sich in fünf große Teile gliedert, ab: Jenes Kapitel, das hier den Abschluss bildet (»Der erste Schuss, der letzte Schuss«), ist dort das Eröffnungskapitel des dritten Teils (der die Jahre 1944 bis 1958 umfasst). Einen vollständigen Überblick über das Leben Reich-Ranickis gibt die Zeittafel im Anhang dieses Buches.

So anschaulich und lesbar »Mein Leben« auch geschrieben ist, der Autor setzt bei seinen Lesern mehr Kenntnisse von Geschichte, Literatur und Musik voraus, als auf den ersten Blick ersichtlich ist. Zudem liebt er versteckte Zitate und Anspielungen auf Gedichtzeilen oder Dramenverse. Die Anmerkungen versuchen, in diesen Fällen behutsam Hilfestellung zu geben; es war nicht immer ganz leicht zu entscheiden, wo vielleicht des Guten zuviel getan wurde oder umgekehrt ein Fremdwort unerklärt geblieben ist. Die Fußnoten sollten den eigentlichen Text nicht erdrücken. Über Hinweise aus der Praxis sind Verlag und Herausgeber dankbar.

Schweren Herzens ist der Entschluss gefallen, den Anforderungen der Schulen entsprechend, diese Auswahl nach den Regeln der neuen Rechtschreibung zu drucken, obgleich die Autobiografie in ihrer ursprünglichen Fassung denen der bewährten Rechtschreibung folgte. Weder Autor noch Herausgeber noch der Verlag fügen sich dieser Praxis gern.

Wenigstens drei Nachschlagewerke müssen schließlich noch hervorgehoben werden, denen die Kommentierung viel verdankt und gelegentlich auch in einzelnen Formulierungen gefolgt ist: Es handelt sich um 1. das biografische Lexikon »Wer war wer im Dritten Reich?« von Robert Wistrich, 2. das »Lexikon Nationalsozialismus« von Hilde Kammer und Elisabet Bartsch, 3. die »Enzyklopädie des Nationalsozialismus«, herausgegeben von Wolfgang Benz, Hermann Graml und Hermann Weiß.[6]

Diese Bücher laden zu näherer Beschäftigung mit den Zeithintergründen ein. Wer mehr über das Leben Reich-Ranickis erfahren möchte, sollte zu der vollständigen Autobiografie greifen. Mittlerweile gibt es auch schon drei Biografien über den Kritiker.[7]

Außerdem hat Marcel Reich-Ranicki, wie aus der Bibliografie im Anhang ersichtlich, eine große Zahl von literaturkritischen Büchern veröffentlicht, über einzelne Autoren wie Max Frisch, Günter Grass, Thomas Mann oder Martin Walser ebenso wie über verschiedene Zeitabschnitte und Epochen – am bekanntesten immer noch der Titel »Lauter Verrisse«, der 1970 erschien. Für denjenigen Leser, der damit liebäugelt, vielleicht selbst einmal Literaturkritiker zu werden, ist vor allem der Band »Die Anwälte der Literatur« (1994) empfehlenswert, in dem Marcel Reich-Ranicki über seine großen Vorbilder spricht und damit indirekt auch sehr viel von sich selbst verrät.

Hamburg, Februar 2005   *V. H.*

---

[6] Zwei der drei Bücher sind in Taschenbuchausgaben erhältlich (2. bei Rowohlt, Nr. 60795, 3. bei dtv, Nr. 33007).

[7] Im Deutschen Taschenbuch Verlag ist neben der ersten Biografie von Volker Hage und Mathias Schreiber eine Lebensdarstellung in der Reihe »Porträt« von Thomas Anz erschienen (dtv, Nr. 31072); rechtzeitig zum 85. Geburtstag von Reich-Ranicki im Juni 2005 erscheint Uwe Wittstocks Biografie (im Karl Blessing Verlag).

ERSTER TEIL

Von 1933 bis 1938

Verneigung vor der Schrift

Die nationalsozialistische Herrschaft haben wir, Schüler des Werner von Siemens-Realgymnasiums in Berlin-Schöneberg, sofort gemerkt, sofort zu spüren bekommen – wenn auch auf sonderbare Weise. Am Morgen des 28. Februar 1933 waren wir Quartaner[1] in der großen Pause gegen zehn Uhr, wie üblich, mit einem Spiel beschäftigt, das wir »Schlagball« nannten, das aber mit dem richtigen Schlagballspiel nur wenig gemein hatte. Denn wir waren auf kunstvoll aus Butterbrotpapier gedrehte »Pillen« angewiesen. Dass die älteren Schüler auf dem Hof in Gruppen zusammenstanden und sich aufgeregt unterhielten, fiel uns kaum auf.

Erst nach der Pause, als vor der Klassentür einer unserer Lehrer stand und uns mit rüden Worten in die Aula trieb, ahnten wir, dass Ungewöhnliches geschehen war oder bevorstand. Der Direktor der Schule, ein ruhiger Mensch, sprach zu uns, klar und sachlich, ganz ohne Eifer. Der Reichstag[2], informierte er die versammelten Schüler, habe in dieser Nacht gebrannt und brenne wohl immer noch.[3] Neu war dies für mich nicht.

[1] Schüler der »Quarta« (lateinische Zählung) im Gymnasium, entspricht der siebten Klasse.

[2] Nach der Gründung des Deutschen Reiches 1871 forderte das Parlament ein repräsentatives Gebäude, dessen Grundsteinlegung 1884 stattfand und das 1894 fertiggestellt wurde: als Tagungsstätte der Abgeordneten.

[3] Der Brand des Deutschen Reichstags in der Nacht vom 27./28.2.1933 führte zur »Notverordnung« des Reichspräsidenten; damit wurden die bürgerlichen Grundrechte praktisch außer Kraft gesetzt und der Weg für die Verfolgung und Verhaftung politischer Gegner der NSDAP (der Nationalsozialistischen Deutschen Arbeiterpartei) geebnet. Die Verordnung diente auch als »Rechtsgrundlage« für die Er-

Denn um fünf oder sechs Uhr morgens hatte in unserer Wohnung das Telefon geklingelt und uns alle aufgeweckt – was noch nie passiert war. Mein Onkel Max, der Patentanwalt[4], ein heiterer und jovialer und dabei leicht erregbarer Mensch, der immer ungeduldig auf Neuigkeiten wartete, vor allem auf solche, die Hitler[5] und die Nazis[6] betrafen, konnte sich kaum beherrschen. Er hatte das dringende Bedürfnis, uns sogleich eine sensationelle Nachricht mitzuteilen. Sie lautete nicht etwa »Der Reichstag brennt«, sondern »Die Nazis haben den Reichstag angesteckt«.[7]

In der kurzen Rede des Schuldirektors fand sich, allerdings indirekt, der gleiche Hinweis: »Ich verbiete allen Schülern« – sagte er – »zu behaupten, die Nationalsozialisten hätten den Reichstag angezündet.« Viele Schüler horchten auf: Erst dieses

richtung von Konzentrationslagern (KZ); diese Lager waren das wichtigste Instrument des Staatsterrors gegenüber Gegnern des Nationalsozialismus oder Menschen, die zu Gegnern erklärt und verfolgt wurden: Juden, Zigeuner und später Kriegsgefangene – sie wurden inhaftiert und anfangs vereinzelt, dann zu Hunderttausenden ermordet.

4 Patent: Berechtigung zur alleinigen Nutzung und geschäftlichen Verwertung einer Erfindung; Patentanwalt: Rechtsanwalt, der zur Vertretung von Patentsachen vor dem Patentamt und vor Gerichten zugelassen ist.

5 Adolf Hitler (1889–1945): in Österreich (Braunau) geborener Politiker, der in Deutschland zunächst Führer der 1920 aus der Deutschen Arbeiterpartei hervorgegangenen NSDAP war und mit ihr 1933 als Reichskanzler (und »Führer«) an die Macht kam. Von Berlin aus errichtete er eine verbrecherische Diktatur und ließ 1939 die deutsche Wehrmacht in Polen einmarschieren, was den Zweiten Weltkrieg auslöste; in den letzten Tagen dieses Krieges endete er durch Selbstmord.

6 Kurzform für Mitglieder der NSDAP bzw. Anhänger der nationalsozialistischen Ideologie (Weltanschauung).

7 Das Feuer entstand durch Brandstiftung. Als Täter wurde ein holländischer Kommunist, Marinus van der Lubbe, verhaftet und verurteilt. Dennoch kursierte bereits im »Dritten Reich« (siehe Fußnote 11) die Ansicht, dass die Nazis selbst den Brand gelegt hätten; der wahre Sachverhalt ist bis heute nicht vollständig geklärt.

Verbot brachte sie auf einen Gedanken, auf den sie sonst wahrscheinlich gar nicht gekommen wären. Warum hatte unser Direktor das gesagt? War er einfältig und dümmlich, oder wollte er gar provozieren? Jedenfalls haben wir ihn nicht mehr oft gesehen: Bald verschwand er von der Schule – aus politischen Gründen, hieß es. So simpel ging das bisweilen zu.

Im Unterricht machte sich der Geist der neuen Machthaber nicht so rasch bemerkbar. Aber gelegentlich gab es schon Vorfälle, die man vor 1933 nicht gekannt hatte. Beim Handballspiel glaubte der Schüler R., er sei vom Schüler L. angerempelt worden. Es waren zwei tüchtige Spieler, doch der eine ein HJ-Führer[8], der andere ein Jude. In der Hitze des Gefechts brüllte R. den L. an: »Du Dreckjude!« Solche Beschimpfungen waren in dieser Schule damals, 1934, noch nicht üblich. So wuchs sich der Vorfall zu einem kleinen Skandal aus.

Von der Sache erfuhr unser Klassenlehrer, Dr. Reinhold Knick. In seiner nächsten Unterrichtsstunde hielt er eine ernste, etwas feierliche Ansprache, seine Stimme, so schien mir, zitterte ein wenig: »Ich als Christ kann es nicht billigen, dass ..., vergessen wir es nie: Auch unser Heiland war Jude ...« Alle lauschten wir stumm, auch der HJ-Führer R. Aber außerhalb der Schule hörte er auf zu schweigen. Nach wenigen Tagen wurde Knick in die HJ-Gebietsführung (oder eine ähnliche Dienststelle) vorgeladen und kurz darauf auch von der Gestapo[9] vernommen. Er berief sich auf sein christliches Gewissen. Das half ihm nicht viel: Man warnte ihn, ja man drohte ihm. Die Folgen ließen nicht lange auf sich warten: Mit Ende des

---

[8] HJ: Abkürzung für »Hitler-Jugend«; die Jugendorganisation der Nationalsozialisten wurde 1926 auf dem Parteitag der NSDAP gegründet.

[9] Abkürzung für »Geheime Staatspolizei« und Bezeichnung für die politische Polizei im nationalsozialistischen Deutschland, die von 1936 an das Recht hatte, ohne richterlichen Beschluss Durchsuchungen und Verhaftungen durchzuführen sowie Personen in Konzentrationslager zu schicken.

Schuljahres wurde er versetzt – ans Hohenzollern-Gymnasium, ebenfalls in Berlin-Schöneberg.

[…]

Während des Krieges habe ich oft an Knick gedacht, an seine Empfehlungen und Warnungen. Als ich Anfang 1946 zum ersten Mal wieder in Berlin war, fuhr ich sofort nach Steglitz. Natürlich fragte er mich, wie ich überlebt hätte und wie es meiner Familie ergangen sei. Schweigend hörte er sich meinen kargen Bericht an. Darüber, was die Nazis ihm und den Seinigen angetan hatten, wollte er dann nicht mehr sprechen. Nach Kriegsschluss hatte man ihn befördert: Er war nun Gymnasialdirektor.

Ganz beiläufig bemerkte er, dass er jetzt oft Besuch bekomme. Die Gäste trügen meist amerikanische oder englische Uniformen. Es seien seine früheren jüdischen Schüler. Sie alle – sagte er – redeten viel von Dankbarkeit. Doch letztlich wisse er nicht, wofür sie ihm denn dankbar seien. Ich kann es mir schon denken, aber ich will hier nur für mich sprechen: Er, Reinhold Knick, war der Erste in meinem Leben, der repräsentierte und verkörperte, was ich bis dahin nur aus der Literatur kannte – die Ideale der deutschen Klassik. Oder auch: den deutschen Idealismus[10].

Dass die Realität im »Dritten Reich«[11] die Begriffe und Vorstellungen, das Gedankengut der deutschen Klassik auf so bru-

---

[10] Philosophische und künstlerische Richtung, die davon ausgeht, dass die Welt nicht restlos mit dem Verstand zu erfassen ist, sondern dass Gefühl und Phantasie ebenfalls als wichtige Elemente der Erkenntnis anzusehen sind; dabei kommt der Kunst eine bedeutende Rolle zu. In der deutschen Literatur fällt die Phase des Idealismus weitgehend mit der Zeit der Klassik zusammen, d. h. in die zweite Hälfte des 18. Jahrhunderts. Die deutsche Klassik war von dem Versuch geprägt, einen eigenen Stil in kenntnisreicher Auseinandersetzung mit der griechischen Antike und deren Werken zu finden.

[11] Bezeichnung für Deutschland unter der Herrschaft des Nationalsozialismus von 1933 bis 1945.

tale, auf barbarische Weise in Frage stellte und widerlegte, versteht sich von selbst. Niemand hat dies, wenn man von den Kommunisten[12] absieht, so schnell und so schmerzhaft zu spüren bekommen wie die Juden. Sie wurden unentwegt verunglimpft und diskriminiert: Keine Woche, kein Tag verging ohne neue Anordnungen und Verfügungen, und das heißt: ohne neue Schikanen[13] und neue Demütigungen der unterschiedlichsten Art. Die Juden wurden aus dem deutschen Volk – man sprach jetzt immer häufiger von der »Volksgemeinschaft« – systematisch ausgeschlossen.

Damals, in den ersten Jahren nach der nationalsozialistischen Machtübernahme, suchten nicht wenige der Erniedrigten und Verfolgten Schutz und Zuflucht beim Judentum: Was ihnen schon gleichgültig geworden war, wovon sie sich sogar entschieden abgewandt hatten, gewann jetzt für sie eine neue Bedeutung. So fanden sich zum Gottesdienst in den Synagogen[14] nun ungleich mehr Menschen ein – und es waren offensichtlich nicht nur Gläubige. Jüdische Organisationen hatten unverkennbar Zulauf. Das galt ganz besonders für die junge Generation, für die Halbwüchsigen. Aber traf es auch auf mich zu?

Mein Großvater, jener Rabbiner[15] aus der Provinz, mit dem wir zusammenwohnten, war jetzt schon über achtzig Jahre alt, gebrechlich und blind. Zu meinen Pflichten gehörte es, ihm täglich etwa eine Viertelstunde Gesellschaft zu leisten. Er erzählte mir allerlei Geschichten und Anekdoten über seine ge-

---

[12] Anhänger des Kommunismus, der die Schaffung einer idealen klassenlosen Gesellschaft anstrebt, in der die Produktionsmittel Gemeinbesitz darstellen und die soziale Gleichstellung aller Menschen verwirklicht sein soll; die bekanntesten Theoretiker dieser Staatsform sind Karl Marx (1818–1883) und Friedrich Engels (1820–1895).

[13] Schikane: in böswilliger Absicht bereitete Schwierigkeit oder Qual.

[14] Synagoge: Gebäude, in dem sich die jüdische Gemeinde zum Gebet versammelt; jüdisches Gotteshaus.

[15] Jüdischer Gesetzes- und Religionslehrer, Prediger.

lehrten Vorfahren. Ergiebig oder gar sonderlich interessant waren diese Gespräche für mich nicht, zumal er sich oft wiederholte und die Umwelt überhaupt nicht mehr wahrnahm.

Doch eines Tages überraschte er mich mit der Frage, was ich denn werden wolle. Der Wahrheit gemäß antwortete ich, dass ich dies noch nicht wisse. Da gab er mir einen überraschenden Rat: Die Unterhaltungen mit mir hätten ihn überzeugt, dass ich mich für den Rabbinerberuf gut eigne, ebendiesen Beruf solle ich, an die Familientradition anknüpfend, unbedingt ergreifen. Als ich davon nichts hören wollte, versuchte er mir die Sache mit dem Hinweis schmackhaft zu machen, man könne als Rabbiner viel faulenzen. Wie man sieht, war er ein nüchterner Mann, nicht ohne Humor. Da aber ein Rabbiner in erster Linie als Lehrer zu fungieren hat, mag es sein, dass ich von meinem Großvater gar nicht so falsch beurteilt wurde. Denn in dem Beruf, für den ich mich nach einigem Hin und Her entschieden habe, im Beruf des Kritikers[16] also, dominiert das Pädagogische – oder sollte es wenigstens.

Der Lebensunterhalt des Großvaters wurde von seinen Söhnen finanziert – und da sie nicht geizig waren, reichten deren Zuwendungen auch für unser (freilich kärgliches) Auskommen. Während meiner ganzen Gymnasialzeit habe ich nie einen Mantel bekommen, ich musste bis über das Abitur hinaus die Mäntel meines älteren Bruders auftragen. Aber ich habe nie darunter gelitten, nie dagegen protestiert. Dass meine Mitschüler besser gekleidet waren, hat mich nicht gestört. Als meine Schwester von einem Bekannten in ein Spielkasino mitgenommen wurde und dort fünfzig oder hundert Mark gewonnen hatte, schenkte sie mir ein schönes Jackett (in Berlin sagte man »Sakko«) – es war ein Ereignis, das ich, wie man sieht, bis heute nicht vergessen kann.

---

[16] Hier: Mitarbeiter einer Zeitung oder Zeitschrift, der sein Urteil über (in der Regel neue) Bücher, Theater- und Opernaufführungen, Konzerte, Filme usw. veröffentlicht.

Derjenige, der für unseren Lebensunterhalt hätte sorgen sollen, mein Vater also, war in meiner Schulzeit nicht älter als Anfang oder Mitte Fünfzig. Aber schon damals machte er auf mich den Eindruck eines müden und resignierten Mannes. Alle seine Bemühungen, in Berlin beruflich Fuß zu fassen, scheiterten kläglich. Wenn in der Schule nach dem Beruf des Vaters gefragt wurde, beneidete ich meine Mitschüler, meist Söhne gut situierter Akademiker. Während sie sagen konnten: »Chemiker«, »Rechtsanwalt«, »Architekt« oder, was besonders imponierte, »Generaldirektor«[17], wurde ich, damals noch ein Kind, verlegen und schwieg hilflos. Schließlich sagte ich leise: »Kaufmann«, was aber nicht genügte. Der Lehrer wünschte eine genauere Auskunft, die ich nicht geben konnte.

In die Synagoge ging mein Vater regelmäßig und wohl noch häufiger als einst in Polen, vermutlich deshalb, weil er in Berlin einsam und isoliert war. Er wünschte, dass ich, damals elf oder zwölf Jahre alt, ihn begleitete. Während des Gottesdiensts langweilte ich mich, weil ich von den hebräischen[18] Gebeten nur ein einziges Wort verstand: »Israel«[19]. So las ich die deutsche Übersetzung dieser Texte, die mich ärgerten, weil in ihnen, so schien es mir jedenfalls, ein einziger Satz wiederholt und eventuell variiert wurde: »Gepriesen sei der Herr, unser Gott.« Ich konnte nicht begreifen, dass erwachsene Menschen mehr oder weniger stumpfsinnige Texte murmelten und dies auch noch für ein persönliches Gespräch mit Gott hielten. Nachdem ich einige Male mit meinem Vater in der Synagoge

---

[17] Berufsbezeichnung für jemanden, der an der Spitze eines großen Unternehmens steht.

[18] Hebräisch: eine der ältesten Sprachen, aus der das heute in Israel gesprochene Neuhebräisch (Iwrith) abgeleitet ist.

[19] Heute Staat der Juden; vor dessen Gründung 1948 ein Begriff der Hoffnung und Verheißung für viele Juden überall in der Welt; ursprünglich Beiname des biblischen Erzvaters Jakob und Volksname von dessen Nachkommen (Israeliten), unter deren Führung um 1000 v. Chr. in Palästina das »Erste Reich Israel« gegründet wurde.

gewesen war, verweigerte ich ihm kurzerhand den Gehorsam –
ganz undramatisch übrigens, nur mit der schlichten Begründung, dass mich der Gottesdienst überhaupt nicht interessiere
und schrecklich einschläfere. Schwach und gütig, wie mein
Vater war, fand er sich damit gleich ab. Zu einem heftigeren
Wortwechsel mit ihm, geschweige denn zu einem Streit, ist es
nie gekommen.

Auch später, als wir im Warschauer Getto[20] lebten, blieb
mein gutmütiger, mein gütiger Vater ein Versager. Ich wollte
ihm helfen. Als die Verwaltung des Gettos, der »Judenrat«[21],
für eine kurze Zeit zusätzliche Büroangestellte brauchte, versuchte ich meinen arbeitslosen Vater für diese Aushilfstätig-
keit zu protegieren. Es gab Schlimmeres im Getto, gewiss, aber
ich habe doch darunter gelitten und mich vor den Kollegen ge-
schämt, dass ich mich, damals zwanzig Jahre alt, für meinen
Vater, sechzig Jahre alt, um eine kümmerliche Beschäftigung
bemühen musste – übrigens ohne Erfolg. Den beinahe tradi-
tionellen Konflikt zwischen Vater und Sohn habe ich also nie
kennen gelernt. Wie hätte auch ein solcher Konflikt entstehen
können, da ich meinen Vater niemals gehasst und leider auch
niemals geachtet, sondern immer bloß bemitleidet habe.

Gemäß einem noch aus dem Altertum stammenden Brauch
wird ein jüdischer Knabe, sobald er dreizehn Jahre alt ist, feierlich in die Gemeinschaft der Gläubigen aufgenommen. Auch

20   Vor dem Einmarsch der deutschen Truppen 1939 lebten in Warschau,
der polnischen Hauptstadt, rund 350 000 Juden. Im März 1940 rie-
gelten die deutschen Besatzer, unter dem Vorwand der Seuchenge-
fahr, das jüdische Viertel vom Rest der Stadt ab und errichteten hinter
Mauern und Stacheldraht das Getto, in dem die Bewohner unter
menschenunwürdigen Bedingungen leben mussten. Im Juli 1942
wurde mit der Verschleppung in Vernichtungslager begonnen.
21   Die »Judenräte«, die auf Anweisung deutscher Behörden hauptsächlich in den Gettos gebildet wurden, waren für die innere Verwaltung
der Gettos und die Durchführung der Anweisungen deutscher Behörden verantwortlich (auch für die Vorbereitung von Deportationen
und deren Abwicklung).

ich sollte diese Feier, die Bar-Mizwa heißt und ungefähr der protestantischen Konfirmation entspricht, über mich ergehen lassen. Warum ich mich nicht widersetzt habe, obwohl ich schon damals mit der mosaischen Religion[22] nichts zu tun haben wollte, weiß ich nicht mehr: vielleicht deshalb, weil dies alle jüdischen Mitschüler ohne Widerspruch mitmachten, vielleicht aber, weil ich mir die Gelegenheit nicht entgehen lassen wollte, einmal im Mittelpunkt zu stehen und Geschenke zu erhalten. Ich weiß auch nicht, warum das Ganze mit einjähriger Verspätung erfolgte. Die Feier fand in der (längst nicht mehr existierenden) Synagoge am Lützowplatz statt.

Einer jüdischen Maxime[23] zufolge kann ein Jude nur mit oder gegen, doch nicht ohne Gott leben. Um es ganz klar zu sagen: Ich habe nie mit oder gegen Gott gelebt. Ich kann mich an keinen einzigen Augenblick in meinem Leben erinnern, an dem ich an Gott geglaubt hätte. Die Rebellion des goetheschen Prometheus – »Ich dich ehren? Wofür?«[24] – ist mir vollkommen fremd. In meiner Schulzeit habe ich mich gelegentlich und vergeblich bemüht, den Sinn des Wortes »Gott« zu verstehen, bis ich eines Tages einen Aphorismus Lichtenbergs[25] fand, der mich geradezu erleuchtete – die knappe Bemerkung, Gott habe den Menschen nach seinem Ebenbild geschaffen, bedeute in Wirklichkeit, der Mensch habe Gott nach seinem Ebenbild geschaffen.

---

[22] Bezeichnung für die jüdische Religion: nach Moses (aus dem Alten Testament), der als der Stifter gilt; durch die Bar-Mizwa wird ein jüdischer Junge nach Vollendung seines dreizehnten Lebensjahrs gebotspflichtig und damit zum vollen Mitglied der Gemeinde.

[23] Lebensregel, Leitsatz, Grundsatz.

[24] Zeile aus dem Gedicht »Prometheus« des deutschen Schriftstellers Johann Wolfgang von Goethe (1749–1832); das Gedicht entstand 1774 (Erstdruck 1785) und zeigt Prometheus, eine griechische Sagengestalt, in rebellischem Widerspruch zu den herrschenden Göttern.

[25] Georg Christoph Lichtenberg (1742–1799): deutscher Naturwissenschaftler und Schriftsteller, der besonders durch seine Aphorismen bekannt wurde, d. h. durch Gedankensplitter, die sich durch Witz und Knappheit auszeichnen.

Als ich viele Jahre später einem Freund, einem gläubigen Christen, sagte, für mich sei Gott überhaupt keine Realität, sondern eher eine nicht sonderlich gelungene literarische Figur, vielleicht vergleichbar mit Odysseus oder dem König Lear,[26] antwortete er durchaus schlagfertig, es könne überhaupt keine stärkere Realität geben als Odysseus oder den König Lear. Die diplomatische Antwort gefiel mir sehr, ohne mich im Geringsten zu überzeugen. Dank Lichtenbergs effektvoll formulierter Einsicht fiel es mir noch leichter, ohne Gott zu leben.

Was ich der jüdischen Religion vor allem vorzuwerfen habe, lässt sich mit Versen aus dem »Faust«[27] andeuten:

Es erben sich Gesetz und Rechte
Wie eine ewge Krankheit fort,
Sie schleppen vom Geschlecht sich zu Geschlechte
Und rücken sacht von Ort zu Ort.
Vernunft wird Unsinn, Wohltat Plage.

Das ist es, was ich an der mosaischen Religion nicht ertragen kann: ihre Weigerung und Unfähigkeit, unzählige seit Menschengedenken existierende, aber längst sinnlos gewordene Gebote und Vorschriften abzuschaffen oder zumindest zu reformieren. In den zehn Geboten heißt es: »Sechs Tage sollst du arbeiten und alle deine Werke tun. Aber am siebenten Tage ist der Sabbat[28] des HERRN, deines Gottes. Da sollst du keine Arbeit tun ...« Eine Folge dieses Gebots habe ich schon als Kind

---

[26] Odysseus: Held im Epos »Odyssee« des griechischen Dichters Homer (entstanden ca. 800 v. Chr.); König Lear: tragische Figur in Shakespeares Drama »König Lear« (Uraufführung [UA] 1606).

[27] Goethes Drama in zwei Teilen (UA 1829 [erster Teil], 1854 [zweiter Teil]) gilt als das berühmteste deutsche Theaterstück, wobei der zweite Teil lange als unspielbar galt und auch heute nur selten aufgeführt wird.

[28] Nach jüdischem Glauben geheiligter, von Freitagabend bis Samstagabend dauernder Ruhetag, der mit streng festgelegten Ritualen begangen wird.

erfahren. Da gab es in unserer Klasse zwei Schüler aus frommen jüdischen Familien. Zwar nahmen sie auch am Sonnabend am Unterricht teil, denn im Sinne der Vorschriften für die Einhaltung und die Heiligung des Sabbats ist es den Juden erlaubt, ja es wird ihnen sogar empfohlen, sich am siebten Tag der Woche der Wissenschaft zu widmen. Vom Schreiben jedoch, das als Arbeit gilt, waren diese beiden Schüler befreit.

Wie also, fragte ich mich, soll man sich mit der Wissenschaft befassen, ohne zu schreiben? Niemand konnte mir das erklären. Und da es den gesetzestreuen Juden verboten ist, am Sabbat Gegenstände, welcher Art auch immer, zu tragen, konnten diese beiden Schüler am Sonnabend weder ihre Hefte noch ihre Schulbücher mitbringen, ja, sie durften nicht einmal eine Geldmünze oder einen Schlüsselbund in der Tasche haben. Wer nicht in der unmittelbaren Nähe der Schule wohnte, kam mit der Straßenbahn oder mit einem Fahrrad. Das durften die frommen Schüler ebenfalls nicht, denn es ist den Juden untersagt, am Sabbat zu fahren, auf welche Weise auch immer. Diese Vorschriften empörten mich, am meisten jene, die den Juden untersagten, am Sabbat zu schreiben. Schon sehr früh, ich muss es unmissverständlich sagen, habe ich am Verstand jener gezweifelt, die derartige Gebote streng erfüllten.

Auch ein anderes Gebot der mosaischen Religion kam mir schon früh höchst fragwürdig vor. Am Sonnabend pflegte mich mein Großvater, der selbstverständlich alle Vorschriften beachtete, in sein Zimmer zu rufen. Er sagte mir: »Hier ist es so dunkel« – und nichts mehr. Meine Eltern erklärten mir, dass der fromme Jude am Sabbat kein Feuer anzünden dürfe, was auch für das Einschalten des elektrischen Lichts gelte. Der Großvater könne mich aber nicht bitten, das Licht einzuschalten, weil dies einer Anstiftung zur Sünde gleichkäme. Deshalb eben beschränke er sich auf die Feststellung, im Zimmer sei es jetzt dunkel. Als ich mir die Bemerkung erlaubte, dies sei doch bare Heuchelei, da er mich in Wirklichkeit doch zu der angeblichen Sünde auffordere, bekam ich zu hören, dass ich mich damit abfinden solle. Nein, ich habe mich nie damit abgefunden, dass Gebote, die in grauer Vorzeit ihren Sinn gehabt haben mochten, weiterhin beachtet wurden. Ich hielt mich an Goethes Wort: »Vernunft wird Unsinn, Wohltat Plage.«[29]

Aber ich weiß zugleich und vergesse es nicht: Die Juden haben keine Schlösser und Paläste erbaut, keine Türme und Dome errichtet, keine Reiche gegründet. Sie haben nur Worte aneinander gereiht. Es gibt keine Religion auf Erden, die das Wort und die Schrift höher schätzen würde als die mosaische. Über sechzig Jahre ist es nun her, dass ich in der Synagoge am Lützowplatz erwartungsvoll und etwas ängstlich neben dem Schrein stand, in dem die Thorarolle aufbewahrt wird.[30] Doch kann ich den Augenblick nicht vergessen, da der Vorbeter sie vorsichtig hervorholte und dann die Pergamentrolle mit den fünf Büchern Mose vor der Gemeinde hochhielt. Die Gläubigen erstarrten in Ehrfurcht und verneigten sich vor der Schrift. Ich war ergriffen, ich hielt den Atem an. Und wann immer ich mich in späteren Jahren an diesen Augenblick erinnerte, dachte ich mir: Es ist schon gut und richtig, dass dies das Kind tief beeindruckt und sich für immer im Gedächtnis eingeprägt hat. Derartiges kann einem Literaten nicht gleichgültig sein, ein Leben lang.

Gleichwohl habe ich damals, Ende Juni 1934, zum letzten Mal an einem Gottesdienst teilgenommen. Nein, das stimmt nicht ganz: Ich habe einen jüdischen Gottesdienst auch noch Ende Juni 1990 erlebt – in der Alten Synagoge in Prag. Dort indes war ich als Tourist. Übrigens verdanke ich, was ich in meiner Jugend über das Judentum erfahren habe, paradoxerweise vor allem dem preußischen[31] Gymnasium in den Jahren des »Dritten Reichs«.

---

[29] Aus dem ersten Teil von Goethes »Faust« (siehe Fußnote 27).

[30] Schrein: Truhe; Thora-Rolle: die fünf Bücher Mose, das mosaische Gesetz.

[31] Preußen war das größte Land innerhalb des Deutschen Reiches mit (1939) mehr als 40 Millionen Einwohnern; die Hauptstadt Berlin lag auf preußischem Gebiet. Das Land Preußen wurde nach dem

Wie lange es jüdischen Religionsunterricht an Berliner Schulen gab, weiß ich nicht mehr, aber bestimmt noch 1936, vielleicht auch 1937. Zweimal wöchentlich kam ein Rabbiner, stets einer der bekannten Rabbiner aus den westlichen Teilen von Berlin. Ich glaube, er durfte das Lehrerzimmer nicht betreten, aber wir, also die paar jüdischen Schüler, die es noch gab, hatten einen Klassenraum zur Verfügung, und es konnte ein ganz normaler jüdischer Religionsunterricht stattfinden.

An einen dieser Religionslehrer kann ich mich noch genau erinnern: Es war Max Nußbaum, sehr elegant und ungewöhnlich jung – 26 Jahre alt, doch schon seit drei Jahren promoviert[32] –, ein beliebter Kanzelredner und ein geistreicher Lehrer. Er emigrierte[33] 1940 in die Vereinigten Staaten, war Rabbiner in Hollywood und stieg zu einer der wichtigsten Persönlichkeiten der Juden in Nordamerika auf. In manchen Publikationen wird ihm besonders hoch angerechnet, dass er drei berühmte Schauspieler ins Judentum aufgenommen habe: Marilyn Monroe, Elizabeth Taylor und Sammy Davis jr.[34]

Am Abend des Tages meiner Bar-Mizwa folgte in unserer Wohnung, wie es üblich ist, ein Abendessen für die ganze Familie; es waren etwa fünfzehn Personen geladen. Doch wurde ich enttäuscht. Denn ich stand durchaus nicht im Mittelpunkt,

Zweiten Weltkrieg aufgelöst. Als »preußisch« gilt bis heute ein besonderes Verhältnis zu (militärischer) Disziplin und Ordnung, zu den historischen preußischen Tugenden zählt aber auch – besonders im 18. Jahrhundert – die Bereitschaft, sich mit den geistigen Strömungen der Zeit auseinander zu setzen (viele in ihrem Land verfolgte Philosophen und Künstler wurden am preußischen Hof willkommen geheißen).

[32] Die Promotion erlaubt das Tragen eines Doktortitels.
[33] Emigrieren: auswandern aus politischen, wirtschaftlichen oder religiösen Gründen.
[34] Monroe: amerikanische Schauspielerin (1926–1962); Taylor: britische Schauspielerin (1932 in London geboren); Davis jr.: amerikanischer Schauspieler und Sänger (1925–1990).

schlimmer noch, niemand kümmerte sich um mich. Die Gespräche am Tisch waren ziemlich erregt, betrafen jedoch ein anderes Thema: Der Reichsrundfunk hatte gemeldet, dass von der SS[35] und der Gestapo und unter Teilnahme von Adolf Hitler eine gegen ihn gerichtete Verschwörung, an deren Spitze der Stabschef der SA[36], Ernst Röhm[37], gestanden habe, blutig niedergeschlagen worden sei. Noch wusste man nicht, wie viele Menschen ermordet worden waren, noch kannte man die Bezeichnung »Röhmputsch« nicht.

Viele Juden hatten das Reich bereits 1933 verlassen. Diejenigen, die besonders gefährdet waren – neben Sozialdemokraten und Kommunisten vor allem zahlreiche Schriftsteller und Journalisten, die sich in der Weimarer Republik[38] gegen die Nationalsozialisten engagiert hatten –, flüchteten zum Teil schon in den ersten Tagen oder Wochen nach dem Reichstagsbrand. An-

35 Abkürzung für »Schutzstaffel«: Die SS wurde 1925 zum persönlichen Schutz Adolf Hitlers gegründet und unterstand zunächst der SA (siehe folgende Fußnote), entwickelte sich später zu einer Elitetruppe mit besonderen Aufträgen, zuständig für das gesamte Konzentrationslagersystem; die SS war die gefürchtetste Organisation während der Dauer der nationalsozialistischen Herrschaft.

36 Abkürzung für »Sturmabteilung«: uniformierte und bewaffnete Kampf-, Schutz- und Propagandatruppe der NSDAP, 1920 als »Saalschutz«, d. h. als Ordnertruppe, für politische Veranstaltungen der Nationalsozialisten gegründet, rekrutiert vor allem aus ehemaligen Soldaten (1933 ca. 700 000 Mitglieder).

37 Ernst Röhm (1887–1934), Stabschef der SA, war einer der frühen Wegbereiter Hitlers, fiel aber 1934 bei ihm in Ungnade, nachdem Gegner Röhms gezielt Gerüchte über einen angeblichen Putschversuch (»Röhmputsch«) in Umlauf gebracht hatten und die Behauptung aufstellten, er wolle Hitler entmachten. Am 30. Juni 1934 wurde die SA-Führung verhaftet, Röhm einen Tag später im Gefängnis erschossen.

38 Bezeichnung für die 1919 gegründete Republik in Deutschland, die ihren Namen nach der in Weimar ausgearbeiteten Verfassung trug und als Demokratie bis zur Machtübernahme durch Hitler 1933 existierte.

dere konnten ihre Ausreise vorbereiten und ihr Hab und Gut wenigstens teilweise mitnehmen.

Sogleich zeichneten sich unter den Juden zwei gegensätzliche Standpunkte ab. Der erste: Nach dem, was geschehen ist, haben wir in diesem Land nichts mehr zu suchen, wir sollten uns keine Illusionen machen, sondern so schnell wie möglich emigrieren. Der zweite: Man sollte nicht den Kopf verlieren, vielmehr abwarten und durchhalten, denn nichts wird so heiß gegessen wie gekocht. Nicht wenige versuchten sich einzureden, die antisemitische[39] Hetze sei im Grunde gegen die Ostjuden gerichtet, nicht aber gegen die seit Jahrhunderten in Deutschland lebenden Juden. Jene zumal, die im Ersten Weltkrieg[40] Soldaten gewesen waren und auch noch Orden erhalten hatten, glaubten, ihnen könne nichts passieren. Oft waren es gerade die nichtjüdischen Freunde und Bekannten, die die Juden, in bester Absicht, zu beruhigen suchten: Ein unmenschliches Regime wie das nationalsozialistische sei doch in Deutschland auf die Dauer undenkbar. Nach zwei oder spätestens drei Jahren werde der Spuk vorbei sein. Da habe es doch keinen Sinn, die Wohnung zu liquidieren[41] und die Zelte abzubrechen.

Bei dem feierlichen Abendessen in unserer Wohnung waren beide Ansichten zu hören. Auch wenn die Brutalität und die offensichtliche Rechtlosigkeit der debattierten Vorgänge alle entsetzten, wurden die neuesten Nachrichten keineswegs nur pessimistisch kommentiert – also nicht nur als Zeichen der Grausamkeit des Regimes, sondern auch seiner Schwäche: Wer es für richtig und möglich hielt, ungeachtet aller Diskriminierungen doch in Deutschland zu bleiben, wer also hoffte, es ließe sich das »Dritte Reich« an Ort und Stelle überleben, der sah in der barbarischen Auseinandersetzung Hitlers mit der

---

39 Gegen Juden gerichtet, judenfeindlich.
40 Den Ersten Weltkrieg (1914–1918) hatte Deutschland verloren.
41 Hier: auflösen, aufgeben (auch im Sinn von: auslöschen, vernichten, ermorden).

Opposition[42] in den eigenen Reihen eher die Bestätigung seines Optimismus[43].

Von heute her gesehen ist es zumindest verwunderlich, dass die Zahl der Juden, die Deutschland verließen, mit den Jahren trotz der systematischen Verfolgung, trotz einer so ungeheuerlichen Maßnahme, wie es die Nürnberger Gesetze[44] im September 1935 waren, keineswegs zunahm: Während 1933 etwa 37000 emigrierten, waren es in den Jahren 1934, 1935, 1936 und 1937 jeweils nur 20000 bis 25000. Was die überwiegende Mehrheit der Juden jahrelang davon abhielt, auszuwandern, lässt sich kurz sagen: Es war nichts anderes als der Glaube an Deutschland. Erst durch die »Kristallnacht«, die »Reichspogromnacht«[45] im November 1938, geriet dieser Glaube ins

42 Allgemein: Widerspruch, Widerstand, Gegensatz; im politischen Bereich: Gegnerschaft bzw. Parteien, die der Regierung kritisch gegenüberstehen und andere Meinungen vertreten (speziell im Parlament).

43 Bejahende Lebenshaltung, grundsätzliche Zuversichtlichkeit, Bereitschaft, die guten und angenehmen Seiten des Lebens anzuerkennen.

44 Auf dem Nürnberger Parteitag der NSDAP wurde 1935 das »Gesetz zum Schutze des deutschen Blutes und der deutschen Ehre« beschlossen, das Eheschließungen zwischen Nichtjuden und Juden verbot; Zuwiderhandlungen wurden mit Gefängnis oder Zuchthaus geahndet. Mit dem »Reichsbürgergesetz« wurden alle deutschen Staatsbürger jüdischen Glaubens oder mit zwei Großeltern jüdischen Glaubens als Menschen mit eingeschränkten Rechten eingestuft, Juden durften keine öffentlichen Ämter mehr bekleiden. Die Judenverfolgung erhielt so eine gesetzliche Grundlage.

45 Der Anschlag eines jungen deutsch-polnischen Juden auf den deutschen Legationssekretär Ernst vom Rath am 7.11.1938 in Paris wurde zwei Tage später (nach dem Tod des Opfers) von den Nazis als Vorwand für antisemitische Hetzreden genommen, in deren Folge SA-Trupps in der Nacht vom 9./10.11. Brände in Synagogen legten, jüdische Geschäfte zerstörten und jüdische Bürger misshandelten (mehr als 1000 Synagogen brannten ab, rund 8000 jüdische Geschäfte sowie zahllose Wohnungen jüdischer Bürger wurden zerstört); der Begriff »Kristallnacht« soll vom Berliner Volksmund wegen der scherbenübersäten Straßen geprägt worden sein.

Wanken – und auch dann keineswegs bei allen noch in Deutschland lebenden Juden.

Meine Eltern hatten weder Geld noch Kontakte, es mangelte ihnen ebenso an Initiative wie an Energie und an Tüchtigkeit. Sie haben an Auswanderung nicht einmal gedacht. Mein Bruder, neun Jahre älter als ich, ein ruhiger und zurückhaltender Mensch, hatte noch in Polen das Abitur gemacht und dann an der Berliner Universität Zahnmedizin studiert. Weil er die polnische Staatsangehörigkeit hatte, konnte er das Studium trotz des »Dritten Reichs« fortsetzen und abschließen. Er wurde 1935 promoviert – mit einer nur neunzehn Druckseiten umfassenden und mit »summa cum laude« ausgezeichneten Dissertation[46].

Und ich? Private Kontakte oder gar Freundschaften zwischen jüdischen und nichtjüdischen Schülern, die bis dahin gang und gäbe waren, hörten 1934 und 1935 allmählich auf. Von Schulfeiern, Ausflügen und Sportwettkämpfen waren wir ausgeschlossen. Diese Absonderung versuchte jeder der bald nur noch wenigen jüdischen Schüler auf seine Weise auszugleichen oder zu überwinden. Damit hatte es wohl zu tun, dass ich, der ich mich ohnehin einsam fühlte, Anschluss suchte und ihn bei einer zionistischen[47] Jugendorganisation zu finden glaubte, beim Jüdischen Pfadfinderbund Deutschlands. Das war ein Missverständnis, wenn auch kein bedauerliches.

Die regelmäßigen Ausflüge, die man »Fahrten« nannte, dauerten bisweilen einige Tage und wurden, wenn Ferien waren, auch am Sonnabend gemacht – denn um Religiöses kümmerte man sich in diesem jüdischen Bund nicht. Man übernachtete in Scheunen oder Zelten. Ich lernte damals jenen Teil Deutschlands kennen, den ich immer noch ganz gern habe: die Mark Brandenburg.[48]

---

46 Doktorarbeit; die lateinische Benotung bedeutet »mit höchstem Lob«, also »sehr gut«.
47 Zionismus: jüdische Bewegung, entstanden Ende des 19. Jahrhunderts, mit dem Ziel, einen nationalen Staat für Juden in Palästina zu schaffen.
48 Landschaft im Norden Berlins.

Natürlich sangen wir Lieder, doch nicht etwa jüdische Wanderlieder – denn die gab es nicht. Wir sangen also »Prinz Eugen, der edle Ritter« und »Vom Barette schwankt die Feder«, »Görg von Frundsberg führt uns an« und »Dem Frundsberg seind wir nachgerannt, der Fahne haben wirs geschworen«. Wir sangen »Wildgänse rauschen durch die Nacht«, ohne zu wissen, dass diese Verse von Walter Flex[49] stammten, und uns gefielen solche Lieder wie »Die Glocken stürmten vom Bernwardsturm« und »Jenseits des Tales standen ihre Zelte«, ohne uns darum zu kümmern, dass ihr Autor, Börries von Münchhausen[50], nun ein Anhänger, ja sogar Bewunderer der Nazis war. Kurz: Wir übernahmen bewusst und unbewusst die Lieder der Wandervogelbewegung[51] und auch solche, die von der Hitlerjugend[52] gesungen wurden, wo übrigens »Jenseits des Tales« nach dem Röhmputsch untersagt war, wohl wegen der homoerotischen Anklänge. So habe ich auf überraschende Weise auch diesen Zweig der deutschen Tradition kennen gelernt.

Die Heimabende des Jüdischen Pfadfinderbunds haben indes mein Interesse auf ganz andere Themen gelenkt, vor allem auf einen originellen Intellektuellen[53], dessen Schriften und Tagebücher ich sogleich las und für den ich noch heute, ganz unabhängig vom Ideologischen und Politischen, sehr viel Sympathie habe. Ich meine jenen österreichischen Juden, dem et-

---

49 Deutscher Schriftsteller (1887–1917).
50 Deutscher Schriftsteller (1874–1945).
51 Wandervogel: zur Förderung des Wanderns 1901 gegründete Ursprungsgruppe einer besonders die Jugend ansprechenden Massenbewegung.
52 Die Teilnahme an den Veranstaltungen der Hitlerjugend (HJ), der Jugendorganisation der NSDAP, war von 1939 an für alle 10- bis 18-jährigen Jungen und Mädchen gesetzliche Pflicht. Schon 1936 war die HJ per Gesetz zur zentralen Organisation für die deutsche Jugend geworden; sie sollte der politischen Schulung im Sinne des Nationalsozialismus und der körperlichen Ertüchtigung dienen.
53 Jemand, der seinen Verstand (Intellekt) gebraucht, Verstandesmensch, Geistesarbeiter, Wissenschaftler.

was Unerhörtes gelungen ist – nämlich mit einem Roman zur Weltveränderung beizutragen.

Er, Theodor Herzl[54], war zunächst nichts anderes als ein typischer, wenn auch ungewöhnlich intelligenter Wiener Kaffeehausliterat[55], ein guter Feuilletonist[56] und ein Autor mäßiger Lustspiele[57], die aber immerhin vom Burgtheater[58] aufgeführt wurden. Mit dem Judentum hatte er wenig, mit der jüdischen Religion nichts gemein. Erst der Pariser Dreyfus-Prozess[59] im Jahre 1894, an dem er als Berichterstatter teilnahm, hatte seinen Wandel bewirkt: Herzl wurde ein Staatsmann, wenn auch ohne Staat, und ein Prophet, dessen Utopie Wirklichkeit geworden ist. Literat, der er war, wählte er für seine Vision des Staates Israel die Form eines Romans: Er erschien 1902 unter dem Titel »Altneuland«.

Geradezu paradox mutet das an: Der neuzeitliche Staat der Juden – das war erst einmal ein Stück deutscher Literatur, ein zwar künstlerisch unerheblicher, doch wahrlich folgenreicher Roman. Natürlich habe ich das damals nicht gewusst und auch

54 Österreichischer Schriftsteller und Journalist (1860–1904), der mit seinem 1896 erschienenen Buch »Der Judenstaat« wesentlich die spätere Gründung des Staates Israel (1948) beeinflusste.

55 Bisweilen abschätzig gebrauchte Bezeichnung für einen Schriftsteller, der viel Zeit in Cafés verbringt, seine Beobachtungen anstellt und dort, d. h. unter Menschen und dem Alltag verbunden, auch schreibt, zumeist kürzere Texte.

56 Mitarbeiter im Feuilleton (Kulturteil) einer Zeitung, Zeitschrift oder des Rundfunks, Verfasser von unterhaltsamen und lehrreichen Texten.

57 Lustiges Theaterstück, Komödie.

58 Berühmtes Theater in Wien, die bis heute wichtigste Bühne Österreichs.

59 Der jüdische Artilleriehauptmann Alfred Dreyfus (1859–1935) wurde 1894 in Paris aufgrund gefälschter Dokumente wegen Landesverrats verurteilt; die antisemitisch geprägte »Dreyfus-Affäre« entwickelte sich zu einer großen öffentlichen Debatte, in die auch der französische Schriftsteller Émile Zola mit seinem berühmten offenen Brief »J'accuse« (»Ich klage an«; 1898) eingriff. Dreyfus wurde 1906 rehabilitiert.

nicht geahnt. Imponiert hat mir wohl vor allem der Literat mit der großartigen Phantasie, der assimilierte[60] deutschsprachige Jude mit seiner ungewöhnlichen Kühnheit und mit seinem grandiosen Organisationstalent.

Aber weder die Mark Brandenburg noch die Lieder der Wandervogelbewegung, weder Theodor Herzl noch die Vision des Staates Israel konnten bewirken, dass ich mich in diesem Jugendbund heimisch fühlte. Meine große Leidenschaft, die Literatur, schien hier nicht gefragt. Gleichwohl gab es in jener Zeit einen Abend, der mich begeisterte und aufrüttelte und darüber nachdenken ließ, ob mein Platz denn nicht doch in dieser Organisation sei.

Einer unserer Führer, wohl knapp über zwanzig, schaltete die Deckenbeleuchtung ab und rückte ein an der Seite stehendes Pult in die Mitte. Dann zog er sich zu unserer Verwunderung in ein Nebenzimmer zurück. Nach einigen Minuten betrat er, von uns schweigend erwartet, langsam und etwas feierlich den beinahe dunklen Versammlungsraum. Er trug einen langen Militärmantel aus dem Ersten Weltkrieg, in der einen Hand hielt er eine Taschenlampe, in der anderen ein dünnes Buch. Es war ein grüner, weiß geschmückter Band der Insel-Bücherei. Der junge Mann begann zu lesen: »Reiten, reiten, reiten, durch den Tag, durch die Nacht, durch den Tag. Reiten, reiten, reiten. Und der Mut ist so müde geworden und die Sehnsucht so groß.«[61]

Ich kannte sie damals noch nicht, diese »Weise von Liebe und Tod des Cornets Christoph Rilke«. Die theatralischen Umstände, unter denen die Dichtung des jungen Rilke von dem kostümierten Amateur im halbdunklen Raum vorgetragen wurde, haben wohl dazu beigetragen, dass ich mich sehr bald in sie

---

[60] Angepasst, angeglichen; hier: in Abkehr von jüdischen Traditionen und Ritualen angepasst an die Gepflogenheiten und Gebräuche des jeweiligen Landes.

[61] Anfang des lyrischen Prosastücks »Die Weise von Liebe und Tod des Cornets Christoph Rilke« (1904) des in Prag geborenen deutschsprachigen Schriftstellers Rainer Maria Rilke (1875–1926).

beinahe verliebt habe. »Als Mahl beganns. Und ist ein Fest geworden, kaum weiß man wie« – für mich haben diese Worte ihren Charme nie eingebüßt. Nicht erloschen ist der Zauber der Rhythmen: Es war »ein Sich-Begegnen und ein Sich-Erwählen, ein Abschiednehmen und ein Wiederfinden«. Und immer noch höre ich die letzte Zeile: »Dort hat er eine alte Frau weinen gesehn.«

Ich weiß schon: Dieses Poem[62] gehört bestimmt nicht zu den bedeutenden Arbeiten Rilkes, es ist so erfolgreich wie fragwürdig, so berühmt wie berüchtigt. An Süßlichem und Sentimentalem, an Preziösem und Prätentiösem fehlt es hier nicht.[63] Gar kein Zweifel: Was Rilke in seinen frühen Jahren geschrieben hat, lässt sich leicht verspotten; wollte ich eine vernichtende Kritik des »Cornet« verfassen – es fiele mir mit Sicherheit nicht schwer.

Dennoch habe ich immer noch eine Vorliebe für diese poetische Prosa, ich gebe es zu, ohne mich zu schämen. Im »Don Carlos«[64] bittet der Marquis Posa die Königin, seinem Freund, dem Infanten[65], zu sagen,

> *dass er für die Träume seiner Jugend*
> *Soll Achtung tragen, wenn er Mann sein wird,*
> *(...) dass er nicht*
> *Soll irre werden, wenn des Staubes Weisheit*
> *Begeisterung, die Himmelstochter, lästert.*

Zu den Träumen der Jugend gehören auch literarische Werke, die uns einst überwältigen konnten, weil sie uns im richtigen Augenblick erreichten – und die daher unvergesslich geblieben

---

62 Längeres Gedicht.
63 Preziös: geziert, geschraubt; prätentiös: anspruchsvoll, anmaßend, selbstgefällig.
64 Drama (UA 1787) des deutschen Schriftstellers Friedrich von Schiller (1759–1805).
65 In Spanien und Portugal der Titel des königlichen Prinzen.

sind. Wenn man die Pubertät durchmacht oder sie gerade hinter sich hat, ist man für die Emphase[66], für den hochgestimmten, oft freilich exaltierten[67] Ton des »Cornet« besonders empfänglich. So gehört diese Dichtung zu jenen literarischen Arbeiten, über die man im Laufe des Lebens allerlei Missbilligendes gelesen und bisweilen auch selber geschrieben hat und denen man dennoch die Treue hält – weil man Achtung hat vor den Träumen seiner Jugend und wohl auch deshalb, weil man mit Wehmut an die Zeit denkt, da uns die Begeisterung, die Himmelstochter, beseelte und beglückte.

Übrigens habe ich den jungen Mann, der damals Rilkes rhythmische Prosa im Militärmantel vortrug, nie wieder gesehen. Denn kurz nach jenem Abend, so wurde mir erzählt, verließ er Deutschland und emigrierte nach Palästina[68]. Erst in den sechziger Jahren, als ich schon in Hamburg lebte, erfuhr ich, dass er zur israelischen Armee gegangen und Pilot geworden sei, einer der besten Piloten in der Luftwaffe des jungen Staates. Er hat das Flugzeug gesteuert, in dem Adolf Eichmann[69] 1960 nach Israel gebracht wurde. Rainer Maria Rilke also und Adolf Eichmann.

Nach dem Cornet-Abend kam ich auf eine Idee, die als etwas

---

[66] Eindringlichkeit, leidenschaftlicher Tonfall beim Vortrag.

[67] Überspannt.

[68] Gebiet in Vorderasien, im Ersten Weltkrieg von britischen Truppen besetzt, zwischen 1920 und 1948 Ziel jüdischer Einwanderung. Nachdem Palästina 1947 in einen arabischen und jüdischen Staat aufgeteilt worden war und die britische Verwaltung sich 1948 zurückgezogen hatte, entstand der Staat Israel.

[69] Adolf Eichmann (1906–1962) trug als SS-Obersturmbannführer im Zweiten Weltkrieg Verantwortung für die Durchführung der »Endlösung«, deren Ziel die Ausrottung des europäischen Judentums war, und floh nach dem Krieg aus einem amerikanischen Lager nach Argentinien. 1960 spürte ihn dort der israelische Geheimdienst auf und entführte ihn nach Israel, wo er für seine Verbrechen gegen das jüdische Volk und gegen die Menschlichkeit zum Tode verurteilt und 1962 hingerichtet wurde.

wunderlich empfunden wurde. Ich schlug vor, innerhalb dieses Pfadfinderbundes einen literarischen Zirkel zu gründen. Er sollte sich mit deutscher Dichtung befassen, zumal mit jener, die mich damals am meisten interessierte – mit der klassischen. Nicht viele der Halbwüchsigen zeigten sich an der Literatur sonderlich interessiert. Wir waren nur fünf, aber gerade genug, um Goethes »Iphigenie auf Tauris«[70] mit verteilten Rollen zu lesen. Meine Wahl fiel auf dieses Stück, weil es mich kurz davor im Rundfunk beeindruckt hatte. Seitdem bin ich überzeugt, dass die »Iphigenie« nicht ein Schauspiel, sondern ein Hörspiel ist, also für den Rundfunk geschrieben wurde. Ernster ausgedrückt: Dieses Drama bedarf nicht der visuellen[71] Darbietung.

Doch konnte auch die Existenz des literarischen Zirkels nichts an meinem Entschluss ändern: Ich wollte den Jüdischen Pfadfinderbund rasch wieder verlassen. Allerlei habe ich in dieser Organisation gelernt, aber letztlich war ich dort fehl am Platz.

[70] Drama von Goethe (UA 1800).
[71] Auf das Sehen und Betrachten zielend, in Bilder umgesetzt.

Rassenkunde – nicht erfolgreich

#2

»Mein Sohn ist Jude und Pole. Wie wird er in Ihrer Schule behandelt werden?«[1] – fragte meine Mutter den Direktor des Fichte-Gymnasiums in Berlin-Wilmersdorf. Es war im Winter 1935. Übrigens hatte sie ein wenig übertrieben; denn ich hielt mich keineswegs für einen Polen, eher schon für einen Berliner. Allerdings war ich nach wie vor polnischer Staatsangehöriger. Meine Eltern hatten zwar die deutsche Staatsangehörigkeit beantragt, man hatte ihnen auch, da meine Mutter bis zu ihrer Eheschließung Reichsdeutsche war, eine positive und rasche Erledigung versprochen. Das war 1932, doch daraus konnte nach 1933[2] natürlich nichts mehr werden.

Indes hatte meine Mutter mit ihrer ein wenig provozierenden Frage genau das erreicht, was sie erreichen wollte und auch erwartete: Der Herr Direktor versicherte überaus höflich, ihre Befürchtungen seien ihm schlechthin unbegreiflich. Dies sei schließlich eine deutsche, eine preußische Schule, und in einer solchen sei Gerechtigkeit oberstes und selbstverständliches Prinzip. Dass ein Schüler seiner Herkunft wegen benachteiligt oder gar schikaniert werde – nein, das sei am Fichte-Gymnasium undenkbar. Die Schule habe ihre Tradition.

---

[1] Marcel Reich, Sohn aus polnisch jüdischem Elternhaus (Ranicki nannte er sich erst von 1948 an, als er in polnischen Diplomatendiensten nach London ging, Reich-Ranicki nennt er sich seit der Übersiedlung in die Bundesrepublik 1958), war 1929 im Alter von neun Jahren aus Polen nach Deutschland gekommen, woher seine Mutter stammte, und hatte in Berlin zunächst weiter die Volksschule besucht, bis er 1930 auf das Realgymnasium wechselte (siehe auch Zeittafel im Anhang).

[2] Nach der Machtübernahme durch die Nationalsozialisten.

Über dieses Gespräch berichtete meine Mutter an unserem Mittagstisch mit unverkennbarer Genugtuung: Es hatte sich wieder einmal erwiesen, woran sie trotz aller Vorkommnisse zu glauben entschlossen war – dass es in Deutschland immer noch wackere Männer gab, die für Recht und Ordnung sorgten.

Als ich nach den Osterferien, inzwischen Untersekundaner[3], zum ersten Mal das Gebäude des Fichte-Gymnasiums in der Emser Straße betrat, war jener Direktor, der meiner Mutter so gefallen hatte, nicht mehr zu sehen. Warum nicht? Derartiges teilte man Schülern nicht mit. Aber man munkelte von Zwangspensionierung. Sein Nachfolger hieß Heiniger. An nationalen Feiertagen erschien er in einer eleganten braunen Uniform mit allerlei goldenem Behang. Er war nämlich ein »Goldfasan« – so nannte man die höheren Funktionäre[4] der Nationalsozialistischen Deutschen Arbeiterpartei.

Ein besonderer Umstand hatte meine Umschulung nötig gemacht: Meine bisherige Schule, das Werner von Siemens-Realgymnasium, wurde 1935 aufgelöst. Das war eine ungewöhnliche Maßnahme: Noch unlängst, in den Jahren der nun so geschmähten Weimarer Republik, pflegte man Schulen zu gründen und nicht zu liquidieren. Die Auflösung hatte, wie man sich denken kann, einen zeitbedingten Grund: In Schöneberg, zumal in den Vierteln um den Bayerischen und den Viktoria-Luise-Platz, wohnten verhältnismäßig viele Juden. Manche von ihnen waren schon emigriert, andere konnten es sich nicht mehr leisten, ihre Kinder weiterhin auf die höhere Schule zu schicken, nicht zuletzt deshalb, weil den Juden die Schulgeld-Befreiung oder die Schulgeld-Ermäßigung entzogen wurde. So war schon bald nach der nationalsozialistischen Machtübernahme die Zahl der Schüler des Werner von Siemens-Real-

---

3 Schüler der »Untersekunda«, der zehnten Klasse eines Gymnasiums.
4 Beauftragter, Träger einer Funktion bei einer politischen Partei, einem Verband oder der Gewerkschaft.

gymnasiums kräftig zurückgegangen. Überdies soll es bei den neuen Behörden einen besonders schlechten Ruf gehabt haben: Es galt als liberal, wenn nicht gar als »links«.[5]

Ich hatte, wie sich in den nächsten Jahren herausstellte, viel Glück. Denn auch am Fichte-Gymnasium verhielten sich die Lehrer, ob sie Nazis waren oder nicht, den Juden gegenüber alles in allem anständig und korrekt. Da jede Unterrichtsstunde mit den Worten »Heil Hitler« zu beginnen hatte, wussten wir sofort, kaum dass ein neuer Lehrer die Klasse betreten hatte, wes Geistes Kind er war.

Der Gruß verriet es. Denn die einen grüßten stramm und zackig, die anderen eher leise und nachlässig. Wenn man aber beinahe alle Lehrer, mit denen ich zu tun hatte, in zwei große Gruppen einteilen kann, so meine ich damit nicht etwa die Nazis und die Nicht-Nazis. Nein, die Trennungslinie ist auf einer anderen Ebene zu suchen. Die einen waren ordentliche, pflichtbewusste Beamte – nicht mehr und nicht weniger. Ob sie Latein unterrichteten oder Mathematik, Deutsch oder Geschichte, es war ohne Bedeutung. Sie kamen in der Regel gut präpariert in die Stunde und erledigten das vorgeschriebene Pensum. Wenn sie uns Schüler nicht ärgerten oder überforderten, benahmen auch wir uns korrekt. Auf beiden Seiten dominierte eher Gleichgültigkeit.

Die anderen Lehrer waren ebenfalls nicht unbedingt passionierte Pädagogen.[6] Trotzdem fühlte man bei ihnen eine starke Leidenschaft. In ihrer Jugend hatten sie wohl von einem ganz anderen Beruf geträumt: Sie wollten Wissenschaftler oder Schriftsteller werden, Musiker oder Maler. Es war nichts da-

---

5 »Liberal« und »links« markieren hier politische Anschauungen und Positionen, denen – verkürzt gesagt – zum einen die Freiheit (auch des Andersdenkenden), zum anderen das Soziale besonders am Herzen liegt, die jedenfalls beide schon von der grundsätzlichen Haltung her Distanz zum herrschenden Nationalsozialismus vertraten.
6 Passioniert: leidenschaftlich, mit Eifer bei der Sache; Pädagoge: Erzieher, Lehrer.

raus geworden, aus welchen Gründen auch immer. So waren sie schließlich im Schuldienst gelandet oder stecken geblieben. Aber sie hörten nicht auf, die Musik oder die Literatur zu lieben, sie sehnten sich nach der Kunst oder der Wissenschaft, sie bewunderten den französischen Geist oder die englische Mentalität[7].

Daraus eben, aus dieser Liebe, aus dieser Sehnsucht und Bewunderung, schöpften sie, die sich täglich mit Kindern und Halbwüchsigen mühen mussten, die Kraft, ihre Bitterkeit zu verdrängen und ihre Resignation zu überwinden. Gewiss, sie waren nicht immer sorgfältig vorbereitet, und sie hatten auch keine Bedenken, gelegentlich vom offiziell vorgeschriebenen Lehrstoff abzuweichen. Meist waren wir ihnen dafür dankbar. Denn was sie uns gleichsam am Rande des Unterrichts erzählten, war nicht langweilig und regte unsere Phantasie an.

Da gab es einen nicht mehr jungen Lehrer, der uns ausführlich erklärte, alle bisherigen Deutungen des »Hamlet«[8] seien unzulänglich, wenn nicht gar falsch. Von ihm werde demnächst ein Buch veröffentlicht, das eine neue, eine den Fall ein für allemal abschließende Interpretation bringe. Das Buch erschien in der Tat, ich habe es im Schaufenster einer Buchhandlung unweit unserer Schule gesehen. Ein Wort über das angeblich bahnbrechende Werk war freilich in keiner Zeitung zu finden. Den Namen dieses Lehrers habe ich längst vergessen. Aber seine engagierten Darlegungen haben, auch wenn sie häufig auf Abwege führten, mein Interesse für Shakespeare gesteigert und meine eigenen Gedanken ausgelöst.

Manchen Lehrern gelang es, scheinbar mühelos, uns in Begeisterung zu versetzen. Ein solch enthusiastischer Lehrer war Fritz Steineck. Nur eine Leidenschaft kannte er: die Musik. Ob er uns ein Haydn-Oratorium, ein Schubert-Lied oder eine

---

7 Denk- und Anschauungsweise.
8 Drama von Shakespeare (UA 1602).

Wagner-Oper[9] erklärte, er sprach immer mit größtem Engagement. Es war für ihn – jedenfalls glaubten wir dies – unerhört wichtig, uns davon zu überzeugen, dass und warum eine Passage von Mozart oder Beethoven so herrlich sei.[10] Er war, so schien es mir, ausnahmslos allen, die sich für die Musik ernsthaft interessierten, dafür persönlich dankbar – auch den Juden. Ja, er hatte jüdische Schüler besonders gern, weil die meisten musikalisch waren und viele von ihnen Klavier oder Violine spielten. An Nazi-Lieder in seinem Unterricht kann ich mich nicht erinnern.

Als er uns mit leuchtenden Augen vom »Tannhäuser« sprach und uns die wichtigsten Szenen vorspielte und vorsang, machte er uns auf eine seiner Ansicht nach häufig unterschätzte Situation aufmerksam. Am Anfang des zweiten Aktes, gleich nach dem, wenn man so sagen darf, Auftrittslied der Elisabeth, heißt es: »Tannhäuser, von Wolfram geleitet, tritt mit diesem aus der Treppe im Hintergrunde auf.« Nachdem Elisabeth Tannhäuser erblickt hat, singt Wolfram: »Dort ist sie; nahe dich ihr ungestört.« Es folgt die Bühnenanweisung: »Er bleibt, an der Mauerbrüstung gelehnt, im Hintergrunde.« Dies, so Steineck, sei ein ergreifender Augenblick. Denn Wolfram liebe diese Elisabeth, verzichte jedoch – und das werde schon hier deutlich – zugunsten des Tannhäuser. Von edler Entsagung war die Rede. Wann immer ihr den »Tannhäuser« sehen werdet, prophezeite uns Steineck, werdet ihr bei dieser Stelle an mich denken. Er hat recht behalten – jedenfalls wenn es um mich geht.

9 Joseph Haydn (1732–1809), Franz Schubert (1797–1828), Richard Wagner (1813–1883): deutsche und österreichische Komponisten. Ein Oratorium unterscheidet sich von einer Oper vor allem dadurch, dass die Handlung nicht auf der Bühne (szenisch) gezeigt, sondern von einem Erzähler (oder von einem Chor) berichtet wird; ursprünglich wurden in Oratorien vornehmlich Stoffe aus der Bibel verarbeitet. Wagners Oper »Tannhäuser«, von der im folgenden Absatz die Rede ist, wurde 1845 uraufgeführt.

10 Wolfgang Amadeus Mozart: österreichischer Komponist (1756–1791); Ludwig van Beethoven: deutscher Komponist (1770–1827).

Als die Schüler, die ein Instrument beherrschten, etwas zum Besten geben sollten und einer – und zwar ein Jude – im Unterschied zu den anderen, die mit klassischen Stücken aufwarteten, einen miserablen Schlager klimperte, befürchteten wir, Steineck werde ihn streng zurechtweisen. Doch was vorgefallen war, hatte ihn nicht empört, sondern nur betrübt. Er sagte ganz leise: »Dies war schlechte Musik. Aber auch schlechte Musik kann man anständig spielen.« Er ließ sich die Noten geben, die er angewidert mit spitzen Fingern anfasste, und setzte sich ans Klavier: Es war nicht unter seiner Würde, uns den Schlager vorzuspielen. Er war schon ein glänzender Pädagoge, ein liebenswerter Mensch. Ich verdanke ihm nicht wenig.

Nachzutragen bleibt, was ich erst viele Jahre später, 1982, erfahren habe: Dieser Musiklehrer Steineck war langjähriges Mitglied der NSDAP und nicht nur ein Mitläufer. Er gehörte schon Ende der zwanziger Jahre zu Hitlers begeisterten Anhängern. Und noch etwas habe ich über ihn erfahren. Im Fichte-Gymnasium war es üblich, die Abiturienten alljährlich mit dem vom Schülerchor gesungenen Lied »Nun zu guter Letzt« zu verabschieden. Dieses um 1848 entstandene Lied, dessen Verse von Hoffmann von Fallersleben stammen, hatte jetzt einen fatalen Schönheitsfehler, der früher allen entgangen war: Ein Jude hatte es komponiert, und zwar Felix Mendelssohn-Bartholdy.[11]

Steineck fand einen Ausweg aus der heiklen Situation: Zu dem alten Text schrieb er kurzerhand eine neue Melodie. Er, der sich jahrelang und wahrlich nicht ohne Erfolg bemüht hatte, uns beizubringen, dass es nichts Schöneres und Edleres auf Erden gebe als die Musik, kannte also keine Hemmungen, er schämte sich also nicht, das Lied zu »entjuden«, zu »arisieren«. Warum hat er sich zu dieser doch schändlichen Tat hergegeben, was stand dahinter? Mit Sicherheit weder Ah-

---

[11] Hoffmann von Fallersleben: deutscher Schriftsteller (1798–1874); Felix Mendelssohn-Bartholdy: deutscher Komponist (1809–1847).

nungslosigkeit noch Musikliebe, eher schon Ehrgeiz und Eitelkeit. Oder wollte er dem mächtigen Direktor, dem »Goldfasan« Heiniger, gefallen?

Dieser Heiniger war unter allen unseren Lehrern, wenn ich mich recht entsinne, der Einzige, der sich im Unterricht wiederholt als eifriger, ja fanatischer Nationalsozialist zu erkennen gab. Aber auf keinen Fall sollten wir ihn mit den oft vulgären SA-Leuten von der Straße verwechseln. Im Habitus[12] dieses wohl fünfzig Jahre alten, schon etwas rundlichen Mannes mit Glatze war nichts Zackiges. Er benahm sich nicht wie ein Offizier, der vor seiner Kompanie oder seinem Bataillon[13] steht. Vielmehr war ihm daran gelegen, den Schülern die Lässigkeit eines Generals zu demonstrieren. Mitunter ließ er durchblicken, dass er ungleich mehr über den neuen Staat wisse, als man in den Zeitungen zu lesen bekam. Kein kleiner Nazi also, sondern einer aus der Elite der Mächtigen und Eingeweihten – so sollten wir ihn sehen.

In unserer Klasse unterrichtete er Geschichte. Er redete viel und prüfte selten. Als Dozent wollte er gelten, nicht als Pauker. So behandelte er uns besonders verbindlich, als seien wir schon Studenten. Auch die jüdischen Schüler konnten sich nicht beklagen – und ich am allerwenigsten: Er war zu mir freundlich, nie fragte er mich (wofür ich ihm dankbar war) nach historischen Fakten und Daten. Er meinte, ich sei vor allem für die Deutung der Geschichte zuständig. Bisweilen unterhielt er sich mit mir im Unterricht wie mit einem erwachsenen, einem ebenbürtigen Gesprächspartner. Das war freilich nur Taktik: Er wollte meine Ansichten hören, um sie vom nationalsozialistischen Standpunkt umso effektvoller widerlegen zu können – was ihm, kein Wunder, mühelos gelang.

Eines Tages teilte er der Klasse überraschend mit, dass die jüdischen Schüler von der nächsten Geschichtsstunde »be-

---

[12] Erscheinungsbild, (körperliche) Haltung eines Menschen.
[13] Kompanie: kleinste Truppeneinheit (100 bis 250 Mann); Bataillon: größere Truppeneinheit (in der Regel vier Kompanien).

freit« seien: Die Stunde war, wie sich später herausstellte, der Auseinandersetzung mit dem »Weltjudentum«[14] gewidmet. Dies sollte, immerhin, den jüdischen Schülern erspart bleiben. Auf die Zensuren, die er erteilte, hatten seine Anschauungen über die Juden keinen Einfluss. Ich bekam von ihm stets »gut«, auch im Abiturzeugnis. Eine bessere Note hat es in unserer Klasse in Geschichte nicht gegeben.

Gerecht war er, dieser Heiniger. Wenn aber die vorgesetzten Behörden angeordnet hätten, dass die Juden am Unterricht nur stehend teilnehmen oder die Schule nur barfuß betreten dürften, hätte er die Anordnung gewiss korrekt ausgeführt und bestimmt in schönen wohlgesetzten Worten als historische Notwendigkeit begründet. Nein, wir mussten nicht barfuß die Schule betreten, aber unsere Schädel hat man vermessen – und auch die einiger nichtjüdischer Schüler. Es geschah im Rassenkunde-Unterricht[15], einem im »Dritten Reich« eingeführten Fach, das im Grunde nur einen Zweck hatte: Die Schüler von der Minderwertigkeit der Juden und der Überlegenheit der »Arier«[16] zu überzeugen. Dieses Fach wurde von den Biologielehrern übernommen, bei uns von einem älteren, vernünftigen Mann, einem gewissen Thom, dessen Name die Schüler alljährlich zu demselben Wortspiel verführte: An der Tür der Klasse, die er betreute, wurde stets nach Beginn des neuen Schuljahrs die Aufschrift »Onkel Thoms Hütte«[17] angebracht.

---

[14] Mit dem Begriff »Weltjudentum« sollte den Juden unterstellt werden, sie hätten eine weltumspannende Verschwörung, gar die Weltherrschaft im Sinn – eine Behauptung, die in Europa eine lange Geschichte hat und auf die die Nationalsozialisten gern zurückgriffen.

[15] Die Rassenkunde stand im Dienst des nationalsozialistischen Ideals völkischer »Reinrassigkeit« und war Bestandteil des Bildungsziels der Schulen.

[16] Von den Nationalsozialisten im Sinne ihrer »Rassenkunde« zur Ausgrenzung der »Nichtarier« benutzter Begriff; zu den »Nichtariern« zählten vor allem Juden und »jüdische Mischlinge«.

[17] Anspielung auf den Roman »Onkel Toms Hütte« (1852) der amerikanischen Schriftstellerin Harriet Beecher Stowe (1811–1896).

Von der neuen Wissenschaft hielt dieser Lehrer offenbar nicht viel. Er langweilte uns mit besonders ausführlichen Darlegungen über den Neandertaler und andere Menschen aus der Vorzeit. Offensichtlich hatte er wenig Lust, sich mit der Frage der Juden zu befassen. Dazu mögen die überraschenden Ergebnisse der Schädelmessungen beigetragen haben. Sie wurden nach einer entsprechenden Anleitung im Lehrbuch der Rassenkunde vorgenommen und sollten wissenschaftlich einwandfrei beweisen, welcher Rasse der Vermessene angehöre.

Es zeigte sich, dass den typisch nordischen Schädel, also den in rassischer Hinsicht besten, nur ein einziger Schüler hatte – ein Jude. Herr Thom schien verlegen, aber doch nicht unglücklich. Lächelnd fragte er diesen Schüler, ob unter seinen Vorfahren vielleicht Arier seien. Seine Antwort lautete: »Nein, eher Juden.« Alle lachten. Übrigens sollte derselbe Schüler, schlank und groß, blondhaarig und blauäugig, einer der Fahnenträger bei der Eröffnungsfeier der Olympischen Spiele 1936 sein. Als man im letzten Augenblick merkte, dass er Jude war, wurde er rasch ausgetauscht. Kurz und gut: Der Rassenkunde-Unterricht war in unserer Klasse nicht eben erfolgreich.

Dass zwischen den jüdischen und den nichtjüdischen Schülern die Distanz immer größer wurde, war unvermeidlich und hatte zunächst einmal mit dem Alltag zu tun. Die Nichtjuden waren alle in der Hitler-Jugend, einige in einer angeblich vornehmeren Formation, der Marine-Hitler-Jugend, die auf der Havel übte. Einer war ein hoher Jungvolk-Führer[18]. Oft kamen sie in Uniform in die Schule, gern berichteten sie über ihre Erlebnisse und Abenteuer, taten es aber nicht gerade in Gesprächen mit den Juden. Freilich erinnere ich mich immer noch an jenen Schulkameraden, der an einem der Nürnberger Parteitage[19] teilnehmen durfte und der sich dann in der Klasse mit

---

[18] Das Jungvolk war innerhalb der Hitlerjugend die Organisation für die 10- bis 14-jährigen Jungen, die auch als »Pimpfe« bezeichnet wurden.
[19] 1933 erklärte Hitler Nürnberg zur »Stadt der Reichsparteitage«, die von 1927 bis 1938 dort alljährlich stattfanden.

erregter Stimme rühmte: »Ich stand nicht weit vom Führer. Ich habe ihn gesehen, ich werde seine blauen Augen nie vergessen.«

Von keinem dieser Mitschüler habe ich je ein Wort gegen die Juden gehört. Sicherlich haben die meisten, wenn nicht alle, an das neue Deutschland geglaubt. Sie hörten den Rundfunk, sie lasen, mehr oder weniger genau, die Zeitungen. Täglich waren sie der höchst aggressiven antisemitischen Propaganda[20] ausgesetzt, die man 1936 der Olympischen Spiele wegen merklich gemildert hatte,[21] doch nur vorübergehend – und die dann 1937 und erst recht 1938 immer heftiger wurde. Auf dem Weg zur Schule mussten wir an den roten Schaukästen vorbeigehen, in denen der »Stürmer«[22] mit den berüchtigten Karikaturen[23] ausgehängt war. Während der Olympischen Spiele waren diese Schaukästen übrigens verschwunden. Die Ausländer sollten glauben, das »Dritte Reich« sei ein zivilisierter Staat. Auch manche Juden redeten sich ein, sie hätten das Schrecklichste schon überstanden, man werde sie jetzt menschlicher behandeln.

Ein geringfügiger Vorfall scheint mir charakteristisch für die Atmosphäre in unserer Schule. Ein noch junger Lehrer, un-

---

[20] Gezielte (Fehl-)Information, die für politische Ideen oder Parteien werben soll, und zwar ohne Rücksicht auf den Wahrheitsgehalt der jeweiligen Aussage. Daher wird der Begriff zumeist im Sinne einer bewussten Täuschung verstanden (»reine Propaganda«), was speziell auf die Erfahrungen mit dem Nationalsozialismus zurückgeht. Im »Dritten Reich« wurde Propaganda positiv verstanden, es gab ein Reichsministerium für Volksaufklärung und Propaganda.

[21] Die Olympischen Spiele fanden 1936 in Deutschland, hauptsächlich in Berlin statt; zur Täuschung der ausländischen Gäste und der Presse wurden die Hetzreden und Aktionen gegen Juden im Land für einige Zeit zurückgenommen und ausgesetzt.

[22] Antisemitische Wochenzeitung, die auf höhnische und niederträchtige Weise Hetzpropaganda gegen die jüdische Bevölkerung betrieb.

[23] Karikatur: komisch-übertreibende Zeichnung, die eine Person oder eine Sache der Lächerlichkeit preisgibt.

zweifelhaft ein Nazi, betrat die Klasse nach der Pause früher als sonst. Da es dort noch ziemlich laut herging, sagte er unwillig und nicht leise: »Hier ist ja ein Lärm wie in einer Judenschule.« Sofort wurde es still – und es war eine etwas unheimliche und frostige Stille. Dann begann der Unterricht, doch schon nach wenigen Minuten unterbrach der Lehrer seine Ausführungen. Was denn los sei, fragte er. Ein Schüler stand auf und meinte knapp, das mit der Judenschule sei nicht nötig gewesen. Dem Lehrer war nicht ganz wohl: Es sei ihm unverständlich, erklärte er, warum die Klasse auf eine im Deutschen übliche Redewendung so verwundert reagiere.

Wie man sieht, waren offene antisemitische Äußerungen im Unterricht nicht üblich – jedenfalls nicht in dieser Schule oder zumindest nicht in unserer Klasse. Verdankten wir dies dem von den Juden seit ihrer Emanzipation[24] geschätzten preußischen Geist[25]? Oder kam uns jüdischen Schülern am Fichte-Gymnasium zugute, was vom Ethos[26] des Westberliner Bürgertums noch übrig geblieben war? Sicher ist, dass wir auch von den Nationalsozialisten unter unseren Lehrern gerecht behandelt wurden.

 Und unsere Mitschüler? Warum haben sie uns Juden keinen Kummer bereitet, uns niemals schikaniert? 1963 trafen wir uns in Berlin – die Überlebenden des Abiturientenjahrgangs 1938, unter ihnen vier Mediziner. Es war ein angenehmes, ein vergnügliches Beisammensein: Es verlief so, wie derartige Treffen zu verlaufen pflegen: »Weißt du noch? Erinnerst du dich?« Harmlose Anekdoten wurden erzählt, allerlei Reminiszenzen[27] ausgetauscht. Einige der Herrn berichteten, aber meist eher beiläufig, von ihren beruflichen Erfolgen, von ihren vielen und

[24] Gleichstellung innerhalb einer Gesellschaft oder Gruppe, auch: Befreiung aus Abhängigkeit und Unterdrückung.
[25] Siehe Seite 30, Fußnote 31.
[26] Moralische Gesamthaltung, sittliche Lebensgrundsätze eines Menschen oder einer Gesellschaft.
[27] Erinnerungen, die für eine Person von besonderer Bedeutung sind.

weiten Urlaubsreisen. Auch die Autos, die sie fuhren, blieben nicht unerwähnt. Die Stimmung war gut, und langweilig war es überhaupt nicht.

Nur ab und zu wurde es etwas still. Da hatte einer über ein kleines Abenteuer während eines Schulfests oder eines Ausflugs berichtet, brach aber verlegen ab, weil ja die anwesenden Juden damals nicht dabei sein durften. Erst jetzt, also mit einer Verspätung von 25 Jahren, erfuhr ich, dass es nach dem Abitur ein rauschendes Abschiedsfest mit denkwürdigen Vorfällen gegeben hatte, zumal manche Lehrer und manche Abiturienten in stark angetrunkenem Zustand Verbrüderung feierten. Das Benehmen einiger Kameraden wurde kritisiert, natürlich nur der Abwesenden, also der Gefallenen. Einige Male war die Heiterkeit ein wenig getrübt, immer dann, wenn die Herrn sich daran erinnerten, dass in der Runde auch Juden saßen. Aber davon abgesehen, war es, alles in allem, sehr gemütlich.

Beiläufig wurde ich – mit ernster Miene freilich – gefragt, wie ich denn den Krieg überstanden hätte. Es gehörte sich doch, meinten wohl meine Schulfreunde, ein gewisses Interesse zu zeigen. Eine Höflichkeitsfrage war es, nicht mehr. Ich antwortete kurz und bündig. Niemand wollte Genaueres hören. Man war mir dankbar, dass ich rasch das Thema wechselte. Alle diese Herrn, gebildete und nachdenkliche Menschen, waren Offiziere der Wehrmacht[28] gewesen, im Osten und im Westen. Man kann sicher sein: Sie haben Schreckliches und Grausames miterlebt. Hatten sie auch mit Judenverfolgungen zu tun? Ich weiß es nicht. Dass sie aber über das, was mit den Juden geschah, zumindest in groben Umrissen informiert waren, dessen bin ich ganz sicher. Haben sie sich darüber je Gedanken gemacht – in den Jahren des Krieges und danach, als die deutsche Schuld

---

[28] Die Wehrmacht ging aus der Reichswehr hervor, die von 1919 an die bewaffnete Streitmacht des Deutschen Reiches war. Mit der Ankündigung Hitlers im März 1935, die allgemeine Wehrpflicht wieder einzuführen, wurde »Wehrmacht« zur offiziellen Bezeichnung für die deutschen Streitkräfte, bestehend aus Heer, Kriegsmarine und Luftwaffe.

immer deutlicher erkennbar wurde? Nichts war meinen alten Schulkameraden während dieser zwei Tage in Berlin – so lange dauerte unser Treffen – anzumerken, auch nicht, als wir einzeln miteinander sprachen.

Dass sich keiner mitschuldig fühlte, kann ich wohl verstehen. Nichts liegt mir ferner, als ihnen eine Mitschuld zuzuschreiben. Aber eine gewisse Mitverantwortung dafür, was Deutsche getan hatten, was im deutschen Namen geschehen war? Nein, auch von Mitverantwortung war nichts zu hören, sie wollten nicht darüber reden. Meine wohlerzogenen Schulfreunde, die einst braune und schwarze Uniformen[29] getragen hatten und später jene der Wehrmacht – sie waren, glaube ich, typische Vertreter der Jahrgänge 1919 und 1920. Ich hatte nicht die Absicht, auf dem Thema zu bestehen. Wir waren ja nicht nach Berlin gekommen, um Bitteres zu hören, mochte alles weiterhin harmlos verlaufen. Aber ein wenig musste ich die Harmonie doch stören – mit einer Frage, die indes nicht die Kriegsjahre betreffen sollte, sondern unsere, wenn man so sagen darf, gemeinsame Zeit.

Ich hätte mich, sagte ich, im Laufe des vergangenen Vierteljahrhunderts oft gefragt, warum sich die Mitschüler uns Juden gegenüber damals, im »Dritten Reich«, trotz der ungeheuerlichen antisemitischen Propaganda nichts hätten zuschulden kommen lassen. Eine Weile schwiegen alle. Schließlich sagte einer der Anwesenden, eher zögernd: »Herrgott, wie sollten wir denn an die Theorie von der Minderwertigkeit der Juden glauben? Der beste Deutschschüler der Klasse war ein Jude und einer der schnellsten Hundertmeterläufer war ebenfalls ein Jude.«

Ich war verblüfft, diese Antwort enttäuschte mich, ich fand sie lächerlich. Und wenn ich nicht der beste Deutschschüler gewesen wäre und mein Freund nicht einer der besten Läufer,

---

[29] Sowohl bei der HJ als auch beim Jungvolk gehörten braunes Hemd und schwarze Hose zur Uniform (siehe Seite 50, Fußnote 18 und Seite 36, Fußnote 52).

dann hätte man uns schikanieren dürfen? War denn die Verfolgung der Juden nur deshalb verwerflich, weil man ihnen diese oder jene Leistung nachrühmen konnte? Ich glaube, ich hätte meine alten Mitschüler mühelos davon überzeugen können, dass sie mich mit einer unsinnigen Antwort abspeisen wollten. Aber ich verzichtete darauf, denn es schien mir, dass ich die Gemütlichkeit schon hinreichend gestört hatte.

Die Wahrheit sah wohl anders aus. Eine gewisse Rolle mag das Vorbild der Lehrer gespielt haben. Da sie sich uns Juden gegenüber stets manierlich und anständig verhielten, haben sich auch unsere Klassenkameraden manierlich und anständig benommen. Überdies stammten sie aus gutbürgerlichen Elternhäusern, in denen man sich wie eh und je um die Erziehung der Kinder kümmerte. Die Umgangsformen waren in unserer Klasse gesittet, Vulgärausdrücke, die heutzutage auch in der deutschen Literatur, zumal wenn es um die Sexualsphäre geht, unentwegt verwendet werden, waren bei uns nicht üblich. Es herrschte ein freundlich höflicher Umgangston.

Vor allem aber: Haben die Halbwüchsigen der offiziellen Propaganda getraut, waren sie davon überzeugt, dass die Juden tatsächlich das Unglück des deutschen Volkes und der Menschheit seien? Sehr gut möglich. Doch in den Augen dieser Schüler betraf die nationalsozialistische Propaganda, so glaube ich immer noch, letztlich ein Abstraktum (etwa »das Weltjudentum«) und wurde nicht unbedingt oder überhaupt nicht auf jene bezogen, mit denen sie auf einer Schulbank saßen, von denen sie gelegentlich Klassenarbeiten abschrieben und mit Gegenleistungen nicht sparten, die sie also seit Jahren kannten und respektierten – auf die jüdischen Mitschüler.

Dass aber immer mehr Juden von der Schule verschwanden und diejenigen, die noch verblieben waren, diskriminiert und abgesondert wurden – das haben unsere Mitschüler, diese Söhne aus guten Familien und Zöglinge[30] der Hitler-Jugend,

---

[30] Zögling: jemand, der in einem Heim oder Internat erzogen wird.

wohl für selbstverständlich gehalten, darüber haben sie mit uns nicht gesprochen, nie ein Wort der Verwunderung oder gar des Bedauerns verlauten lassen. So war es am Fichte-Gymnasium in Berlin. An anderen Berliner Schulen, zumal in den vorwiegend von Arbeitern und Kleinbürgern bewohnten nördlichen und östlichen Stadtteilen, soll es erheblich schlimmer gewesen sein. Noch schlimmer war es, wie man den Erinnerungen von Generationsgenossen, Juden und Nichtjuden, entnehmen kann, in Kleinstädten: Jüdische Schüler wurden nicht selten schrecklich, sadistisch gequält – sowohl von ihren Lehrern als auch von ihren Mitschülern.

An einen in unserer Klasse erinnere ich mich besonders gern. Er war sympathisch und verhielt sich den Juden gegenüber tadellos. Als ich ihn zum ersten Mal nach dem Krieg wiedersah – er war inzwischen als Arzt tätig –, erzählte er mir, er habe 1940 in der Nähe des Stettiner Bahnhofs in Berlin inmitten einer von der Polizei geführten und bewachten größeren Anzahl von Juden unseren alten Mitschüler T. bemerkt. Er habe einen elenden Eindruck gemacht: »Da dachte ich mir, es wird dem T. sehr peinlich sein, dass ich ihn in einem so erbärmlichen Zustand sehe. Mir war es unangenehm, ich habe schnell weggesehen.« Ja, das trifft die Sache: Millionen haben weggesehen.

Mehrere Liebesgeschichten auf einmal

#9

Wann hat meine Leidenschaft für die Literatur angefangen? Genau weiß ich es nicht, aber meine Mutter muss sie schon sehr früh bemerkt haben. Denn als ich zwölf Jahre alt war, bekam ich von ihr aus irgendeinem Anlass ein Geschenk, ein ungewöhnliches: eine Eintrittskarte für die Aufführung des »Wilhelm Tell«[1] im Staatlichen Schauspielhaus am Gendarmenmarkt.

An diesem Abend, Ende 1932, da ich zum ersten Mal eine richtige Vorstellung sah und nicht nur Kindertheater, begannen einige meiner großen Liebesgeschichten, alle auf einmal: Ich meine die Liebe zur deutschen Literatur, ich meine die Jahrzehnte währende, später freilich nachlassende Liebe zum Theater, ferner die zwar oft gefährdete, doch nie ganz abgestorbene Liebe zu Schiller und schließlich noch die Liebe zu einem Gebäude, das mir das teuerste in Berlin wurde und bis heute geblieben ist – zu Schinkels[2] Schauspielhaus am Gendarmenmarkt.

Der große Jürgen Fehling[3] hatte diese »Tell«-Aufführung inszeniert. Wer stand damals, in den letzten Monaten der Weimarer Republik, auf der Bühne? Aber was geht uns das heute noch an? Vielleicht doch ein wenig. Den Arnold von Melchtal spielte ein noch junger, energisch aufstrebender und schon bekannter Schauspieler, der einige Jahre danach als Filmregisseur höchst erfolgreich war und in allen deutschen Zeitungen mit Lob und Beifall überschüttet wurde. Er hieß Veit Harlan[4] und

---

[1] Drama Schillers (UA 1804).
[2] Karl Friedrich Schinkel (1781–1841): deutscher Architekt, Baumeister, Maler.
[3] Deutscher Regisseur (1885–1968).
[4] Deutscher Schauspieler und Regisseur (1899–1964).

hat später den gemeinsten, den niederträchtigsten Film über und gegen die Juden gedreht, der je produziert wurde – den Film »Jud Süß«[5].

Den Tell gab Werner Krauss[6], wohl der erste Mime der Epoche. Auch er war später am »Jud Süß« beteiligt. Auf eigenen Wunsch verkörperte er gleich mehrere Juden, und es ließ sich schwer entscheiden, welcher von ihnen der Widerwärtigste war. Als Tells Gattin, Hedwig, konnte man Eleonora von Mendelssohn sehen, eine Ur-Urenkelin von Joseph, dem ältesten Sohn des Philosophen Moses Mendelssohn[7]. Sie emigrierte 1933 und hat sich dann in den Vereinigten Staaten das Leben genommen.

Der Darsteller jenes Konrad Baumgarten, der im ersten Akt des »Wilhelm Tell« vor den Schergen des Landvogts flieht, war ebenfalls ein Jude: Alexander Granach. Sehr bald mußte er selber fliehen. Den Johannes Parricida verkörperte Paul Bildt. Seine Frau, eine Jüdin, war, um der Deportation nach Theresienstadt zu entgehen, nicht gemeldet. Als sie kurz vor Kriegsende starb, wurde sie heimlich in einem Park beerdigt. Bildt und seine Tochter gerieten vollkommen in Verwirrung und beschlossen, gemeinsam Selbstmord zu verüben. Nur er überlebte.

Den Ulrich von Rudenz spielte Hans Otto, der nie ein Hehl daraus gemacht hatte, Kommunist zu sein. Sofort nach der Machtübernahme der Nationalsozialisten kämpfte er im Untergrund und wurde im November 1933 in der Haft ermordet. Nach ihm wurde in DDR-Zeiten das Theater in Potsdam benannt: Es heißt nach wie vor Hans-Otto-Theater. Und schließlich noch ein Kuriosum: In dieser Inszenierung glänzte als Reichsvogt Geßler ein junger Charakterschauspieler, den wir noch in unseren neunziger Jahren auf der Bühne bewundern konnten: Bernhard Minetti.

---

[5] Antisemitischer Hetzfilm (1940), der sich in den Dienst der national-sozialistischen Propaganda stellte.
[6] Deutscher Schauspieler (1884–1959).
[7] Deutscher Philosoph jüdischer Herkunft (1729–1786).

Die »Tell«-Aufführung am Gendarmenmarkt veränderte sofort meine Lektüre. Im eher bescheidenen Bücherschrank meiner Eltern suchte und fand ich eine Schiller-Ausgabe. Ich begann, im Bett liegend, da ich etwas erkältet war und deshalb nicht zur Schule musste, ganz einfach mit den ersten Seiten des Bandes, mit dem Schauspiel, das diese Ausgabe eröffnete: »Die Räuber«[8]. Kaum hatte ich die Worte »Aber ist Euch auch wohl, Vater?« gelesen, da konnte ich mich von dem Buch nicht mehr losreißen. Nichts anderes interessierte mich als die eine einzige Frage: Was wird mit diesen Räubern geschehen, wie wird die Sache ausgehen? Ich empfand das Stück als unerhört spannend, es regte mich auf, ich las es mit roten Backen und roten Ohren. Und ich konnte nicht aufhören zu lesen – bis ich bei dem Satz »Dem Mann kann geholfen werden«[9] angekommen war. Und ich war glücklich. Karl Moor faszinierte mich ungleich mehr als Old Shatterhand, seine Räuber mehr als alle Indianer Karl Mays.

Im Laufe der Jahre habe ich dieses Drama häufig auf der Bühne gesehen. Es waren mehr oder weniger gelungene Inszenierungen, aber eine wirklich gute habe ich nie erlebt. Ob die »Räuber« heute noch spielbar sind – ich bin dessen nicht sicher. Etwa ein halbes Jahrhundert nach dieser Bettlektüre wurde ich vom Hessischen Rundfunk gebeten, die Verfilmungen einiger Schiller-Stücke einzuleiten, auch der »Räuber«. Ich habe die Untugenden und Fehler dieses Dramas ausführlich beschrieben, was nicht schwer ist, da sie allesamt offenkundig sind. Der zuständige Abteilungsleiter war im Studio zugegen, ganz wohl fühlte er sich bei meiner vehementen Anklage und Beschimpfung nicht; und er atmete erst auf, als ich sagte: »Das

---

[8] Erstes Drama Schillers (UA 1782), das er im Alter von 18, 19 Jahren schrieb und das ihn rasch berühmt machte – die Räuber, eine Bande von Verbrechern und Mördern, haben einen Anführer, der auch gegen die politische Situation der Zeit rebelliert (»Mein Geist dürstet nach Taten, mein Atem nach Freiheit«).

[9] Mit diesem Satz endet Schillers Drama.

wars. Nun muss ich nur noch erklären, warum ich die ›Räuber‹ liebe wie nur ganz wenige Stücke in der ganzen Weltliteratur.« Daran hat sich bis heute nichts geändert.

Mit Schiller hängt auch mein erster Erfolg als Deutschschüler zusammen. Es war noch im Werner von Siemens-Realgymnasium, in der Unter- oder Obertertia[10]. Einer der Mitschüler sollte einen Vortrag über den »Wilhelm Tell« halten, war aber schon nach knapp fünf Minuten fertig. Der Lehrer, der erheblich mehr erwartet hatte, fragte, ob jemand noch etwas über das Stück sagen könnte. Ich meldete mich und legte los: Der »Tell« verherrliche den politischen Meuchelmord[11] und einen individuellen Terrorakt. Um dies und Ähnliches zu erklären und zu begründen, muss ich viele Worte gebraucht haben, denn nach etwa vierzig Minuten, als es zur Pause klingelte, sprach ich immer noch. Doch ließ mich der Lehrer meine Darlegungen zu Ende führen und kommandierte dann knapp: »Setzen.« In der Klasse wurde es ganz still, man erwartete einen Schuldspruch wegen unverschämter Kritik an einem klassischen Werk. In der Tat sagte unser Lehrer, was ich da geredet hätte, sei nicht hinreichend belegt und zum Teil auch falsch. Andererseits wiederum – bemerkte er in bester Laune – sei es so übel wieder nicht. Ich bekam (zur Verwunderung der Klasse) die beste Note: eine Eins. Damals habe ich zweierlei gelernt – erstens, dass man in der Literaturbetrachtung auch etwas riskieren müsse, und zweitens, dass man sich von Klassikern nicht einschüchtern lassen solle.

Übrigens will ich nicht verheimlichen, dass sich zu meiner frühen Schwäche für Schillers Dramen bald eine andere Schwäche gesellte – für seine populären und so oft verspotteten Balladen. Nun ja, manche lassen sich heute nicht ganz ernst nehmen, aber es gibt einige, die ich gern gelesen habe und – schlimmer noch – die ich nach wie vor gern lese. »Die

[10] Die achte bzw. neunte Schulklasse am Gymnasium.
[11] Heimtückischer Mord.

Kraniche des Ibykus« halte ich für eine der schönsten Balladen in deutscher Sprache.

[...]

Im Deutschunterricht war vom Einfluss des »Dritten Reichs«, was verwundern mag, vorerst nicht viel zu merken – jedenfalls in unserer Schule. Das aber sollte man nicht als Opposition der Lehrer verstehen, es hatte in der Regel nichts mit Politik und Weltanschauung zu tun, sondern weit eher mit der Unlust dieser Herren, auf eine Literatur einzugehen, die sie noch kaum kannten. Einiges musste in der neuen Zeit wegfallen: Noch waren in unseren Lesebüchern Gedichte von Heine[12] zu finden, aber man überging sie ohne Begründung. Werke der Klassiker, in denen jüdische Figuren oder Motive vorkamen oder gar im Mittelpunkt standen, also Lessings »Nathan«, die »Judenbuche« der Droste-Hülshoff oder Hebbels »Judith«, nahm man nicht mehr durch.[13]

Von den Schriftstellern, die von den neuen Machthabern gefördert wurden, von Agnes Miegel also und Ina Seidel, von Hans Grimm und Hanns Johst, von Eberhard Wolfgang Moeller, Hans Rehberg und Hans Friedrich Blunck,[14] wollten unsere Deutschlehrer nichts wissen: Sie blieben lieber bei dem, was sie vor 1933 gelesen und gelernt hatten, bei »Kabale und Liebe« und »Wallenstein«, beim »Götz von Berlichingen« und beim »Faust«, beim »Schimmelreiter« und den »Leuten von Seld-

---

[12] Heinrich Heine, deutscher Schriftsteller jüdischer Herkunft (1797–1856).

[13] »Nathan der Weise«: Drama (UA 1783) des deutschen Schriftstellers Gotthold Ephraim Lessing (1729–1781); »Judenbuche«: Novelle (1842) der deutschen Schriftstellerin Annette von Droste-Hülshoff (1797–1848); »Judith«: Drama des deutschen Schriftstellers Friedrich Hebbel (1813–1863).

[14] Agnes Miegel (1879–1964), Ina Seidel (1885–1974), Hans Grimm (1875–1959), Hanns Johst (1890–1978), Eberhard Wolfgang Moeller (1906–1972), Hans Rehberg (1901–1963), Hans Friedrich Blunck (1888–1961): deutsche Schriftsteller, die dem Nationalsozialismus nahe standen oder ihn unterstützten.

wyla«.[15] Da kannten sie sich aus, das machten sie nach wie vor recht gut.

»Ich kann die Klassiker nicht leiden, die Schule hat sie mir verekelt« – man hört dies oft. Für mich gilt das nicht, es war ja gerade umgekehrt: Die Schule hat, wie sonst nur noch das Theater, mein Interesse für die Literatur von Lessing bis Gerhart Hauptmann, zumal für Goethe, Schiller und Kleist,[16] in hohem Maße gesteigert und bisweilen meine Begeisterung auch auf mir noch unbekannte Bereiche gelenkt. Allerdings war das Programm etwas einseitig, nämlich unverkennbar norddeutsch geprägt. So bot der Deutschunterricht mehr Kleist und Fontane als Hölderlin und Jean Paul, mehr Hebbel und Storm als Mörike und Stifter.[17]

Innerhalb von drei Jahren, von 1935 bis 1938, hatte ich am Fichte-Gymnasium drei Deutschlehrer. Sie repräsentierten – das war natürlich ein Zufall – drei politische Richtungen: Der Erste war ein Deutschnationaler,[18] der Zweite ein Liberaler, der Dritte ein Nazi.

---

[15] »Kabale und Liebe« (UA 1784), »Wallenstein« (UA 1798/99): Dramen Schillers; »Götz von Berlichingen« (UA 1774), »Faust« (UA 1829 [erster Teil], 1854 [zweiter Teil]): Dramen Goethes; »Der Schimmelreiter« (1888): Novelle des deutschen Schriftstellers Theodor Storm (1817–1888); »Die Leute von Seldwyla« (1856): Novellensammlung des Schweizer Schriftstellers Gottfried Keller (1819–1890).

[16] Gerhart Hauptmann: (1862–1946), Heinrich von Kleist (1777–1811): deutsche Schriftsteller.

[17] Die deutschen Schriftsteller Kleist (siehe vorige Fußnote), Theodor Fontane (1819–1898), Hebbel (siehe Seite 61, Fußnote 13) und Theodor Storm (1817–1888) stammen aus dem Norden Deutschlands (geboren in Frankfurt an der Oder, Neuruppin bei Berlin, Wesselburen/Norderdithmarschen bzw. Husum); Friedrich Hölderlin (1770–1843), Jean Paul (1763–1825), Eduard Mörike (1804–1875) und der österreichische Schriftsteller Adalbert Stifter (1805–1868) stammen aus dem Süden bzw. aus Österreich (geboren in Lauffen/Neckar, Wunsiedel/Franken, Ludwigsburg bzw. Oberplan).

[18] Angehöriger oder Sympathisant der Deutschnationalen Volkspartei

Was der Deutschnationale uns über seine Erlebnisse in den ersten Nachkriegsjahren erzählte, war so patriotisch wie engstirnig. Aber wenn er über den »Prinzen von Homburg«[19] sprach (seine Sympathien gerecht auf den Prinzen, den Kurfürsten und den Kottwitz verteilend) und uns am Beispiel Storms erklärte, was eine Novelle sei, dann sah man, dass er ein solider, ein guter Germanist war. Er schätzte mich und behandelte mich tadellos – ohne mich sonderlich gern zu haben.

Anders der Liberale, Carl Beck. Dieser joviale, gutmütige Mensch gehörte gewiss zu jenen, die Lehrer wurden, weil es ihnen nicht gelingen wollte, ihre beruflichen Vorstellungen zu verwirklichen. Im Grunde war er, der einst mit einer Arbeit über Gottfried Keller[20] promoviert wurde, wohl eher ein Literat als ein Pädagoge. Es ist möglich, dass ich sein Lieblingsschüler war. Wir hatten zufällig den gleichen Schulweg. Wenn ich ihn traf, grüßte ich ihn, wie es die Schulordnung erforderte, mit »Heil Hitler«, ja, das wurde tatsächlich auch von den Juden verlangt. Beck hob ebenfalls die Hand, denn es war durchaus nicht ausgeschlossen, dass uns irgendein anderer Lehrer oder Schüler beobachtete. Aber »Heil Hitler« sagte er nicht, er murmelte »Guten Tag« – und dann unterhielt er sich mit mir über Literatur, auch über Heine.

Für meine Aufsätze bekam ich fast immer eine Eins. Als Glanzstück galt ein Klassenaufsatz über das Thema »Mephistopheles – eine Charakteristik«[21]. Einmal allerdings befürchtete

(DNVP), die die stärkste Rechtspartei während der Weimarer Republik und später Bündnispartner der NSDAP war (bis zur Auflösung der Partei im Jahr 1933).

[19] »Prinz Friedrich von Homburg«: Schauspiel Kleists (UA 1821); der Prinz (Friedrich von Homburg), der Kurfürst (Friedrich Wilhelm, Kurfürst von Brandenburg) und Kottwitz (Obrist Kottwitz) sind zentrale Figuren des Stückes (siehe auch Seite 273, Fußnote 32).

[20] Schweizer Schriftsteller (1819–1890).

[21] Mephistopheles, Mephisto: ein böser Geist, der in Goethes »Faust«-Drama als Teufel (nicht Satan selbst) auftritt, als eine elegante und kluge Verführerfigur, die den wissensgierigen Faust dazu bringen will, sich ihm mit seiner Seele auszuliefern.

ich eine nur mäßige Note. Es war ebenfalls ein Klassenaufsatz, und zwar eine Interpretation des Schiller-Gedichts »Pegasus im Joche«. Mir war ein Malheur passiert: Im allerletzten Augenblick, als wir die Hefte schon abgeben mussten, hatte ich plötzlich gemerkt, dass ein längerer Abschnitt der sorgfältig gegliederten Niederschrift auf eine zwar kühne, doch falsche These zulief. Schnell entschlossen, strich ich diesen Teil durch und änderte die Nummerierung der Abschnitte. Das aber war, ich wusste es, eine unverzeihliche Sünde.

Doch zu meiner größten Überraschung beurteilte Beck auch diese Arbeit mit »Sehr gut«. Nur seiner Begründung wegen, die mich damals beeindruckte und die mir immer noch gefällt, komme ich hier auf diese Sache zu sprechen. Er sagte mir etwa: »Ich gebe Ihnen eine Eins aus zwei Gründen. Erstens wegen des Gedankens in dem gestrichenen Abschnitt und zweitens dafür, dass Sie diesen Gedanken schließlich doch verworfen haben. Denn er war originell, aber falsch.«

Einmal war ich meiner Sache ganz sicher: Mein Hausaufsatz über Georg Büchner[22], der drei Hefte füllte – das fiel ganz aus dem Rahmen und war ungehörig –, schien mir ein Glanzstück. Indes wurde ich bitter enttäuscht: Die Note lautete nur »Im Ganzen gut«, also Zwei minus. Allerdings sollte ich mich in der Pause bei Beck im Lehrerzimmer melden, was ungewöhnlich war. Da es den Schülern nicht erlaubt war, das Lehrerzimmer zu betreten, kam er zu mir heraus. Meine Arbeit sei – sagte er mir – kein Schulaufsatz mehr, als literarischer Versuch jedoch nicht gut genug. Daher nur »Im Ganzen gut«. Er sah sich um, ob jemand in der Nähe stand, und fügte dann leise hinzu: »Aber wenn Sie in Paris Kritiker geworden sind, dann schreiben Sie mir mal eine Postkarte.« Paris war in jener Zeit das Zentrum der deutschen Exilliteratur[23].

[22] Deutscher Schriftsteller (1813–1837).
[23] Bezeichnung für literarische Werke, die während des unfreiwilligen, von der politischen Situation in der Heimat erzwungenen Auslandsaufenthalts eines Autors entstanden; in diesem Fall die während der

Ich beschloss, gleich mit dem Schreiben von Kritiken zu beginnen: Jede Aufführung, die ich sah, wollte ich rezensieren. Ich schaffte mir eine dicke Kladde[24] an und verbreitete mich zunächst über eine Inszenierung von Ibsens »Hedda Gabler«[25] mit der eher als Filmschauspielerin bekannten Hilde Hildebrand in der Titelrolle. Wovon die zweite Kritik handelte, weiß ich nicht mehr, nur ist sicher, dass es eine dritte nicht gegeben hat.

Im Winter 1937 ging meine Mutter in Becks Sprechstunde und kehrte wieder einmal begeistert zurück. Er hatte sie sehr freundlich empfangen und ihr einen überraschenden Rat erteilt: »Lassen Sie sich, gnädige Frau, von den zeitbedingten Umständen nicht beirren – und ermöglichen Sie Ihrem Sohn das Studium der Germanistik.« Später hörte ich, Beck habe während des Krieges die Gewohnheit gehabt, vor Juden auf der Straße, die – wie das Gesetz es befahl[26] – mit dem gelben Stern gekennzeichnet waren, stets den Hut zu ziehen, als seien es seine Bekannten. War er ein politischer Mensch? Ich glaube es nicht. Nur hat er die deutschen Klassiker gelesen und ernst genommen. Er hat sie beherzigt. Wenn ich heute an Carl Beck denke, bin ich es, der das Bedürfnis hat, den Hut zu lüften.

Schließlich, im letzten Schuljahr, unterrichtete Deutsch ein

Zeit der nationalsozialistischen Herrschaft vor allem in Frankreich, den Niederlanden und den USA entstandene Literatur deutscher Schriftsteller. Der Verlauf des Zweiten Weltkriegs setzte dem Exil in Paris ein rasches Ende.

24 Aus dem Niederdeutschen: Schmierheft, Schreibheft.

25 Drama (UA 1890) des norwegischen Schriftstellers Henrik Ibsen (1828–1906).

26 Anspielung auf die Grabinschrift der Spartaner nach einer verlorenen Schlacht (480 v. Chr.): »Wanderer, kommst du nach Sparta, so verkündige dort, du habest uns hier liegen sehen, wie das Gesetz es befahl.« Eine Polizeiverordnung vom 19.9.1941 zwang alle Juden in Deutschland, die älter als sechs Jahre waren, »sichtbar auf der linken Brustseite der Kleidung« und »fest angenäht« den gelben Stern zu tragen.

Studienassessor[27], der, als er das erste Mal in die Klasse kam, besonders laut »Heil Hitler« rief und sich damit gleich als entschiedener Nazi vorstellte. Er war bei fast allen Schülern unbeliebt. Warum? Wegen der Zugehörigkeit zur NSDAP? Nein, natürlich nicht, sondern weil er sich damit brüstete. Das weckte Misstrauen. Opportunisten[28] mochte man nicht. Bald zeigte sich auch, dass dieser Germanist nicht zu den intelligentesten gehörte. Anders als seine Vorgänger hielt er sich für verpflichtet, auch ein wenig von der nationalsozialistischen Literatur in den Unterricht aufzunehmen. Wir mussten uns daher eine kleine, gerade als Reclam-Heft erschienene Sammlung mit NS-Lyrikern anschaffen. Die Klasse war wenig erbaut, man verspottete diese Verse, was mich noch heute wundert. Offenbar hatten die Schüler von solchen Liedern genug. Denn sie mussten in der Hitlerjugend viel gesungen werden.

Bei der schriftlichen Abiturientenprüfung hatten wir vier Themen zur Auswahl. Ich hatte damit gerechnet, dass zwei, wenn nicht gar drei dieser Themen im nationalsozialistischen Geist sein würden. Es kam aber schlimmer: Alle vier waren mehr oder weniger von diesem Geist geprägt. Ich entschied mich für einen ziemlich üblen Ausspruch des heute schon vergessenen nationalistischen Kulturphilosophen Paul de Lagarde[29].

Überdies musste jeder Schüler in der mündlichen Prüfung in einem Fach seiner Wahl sich bewähren, um nicht zu sagen: brillieren. Nur zwei Schüler wählten für diese Prüfung Deutsch. Es waren zwei Juden. Mehrere Wochen vor der Prüfung hatte man ein Thema vorzuschlagen, das vom Lehrer,

[27] Studienassessor: Lehrer an einer weiterführenden Schule vor der endgültigen Anstellung und Ernennung zum Studienrat.

[28] Opportunist: einer, der sich um eigener Vorteile willen geschickt und bedenkenlos an die jeweiligen Verhältnisse anpasst und den Mächtigen nach dem Mund redet.

[29] Paul de Lagarde (eigentlich: Paul Anton Boetticher): deutscher Orientalist und Philosoph (1827–1891).

jenem unbeliebten Studienassessor, akzeptiert werden muss-te. Das meinige wurde von ihm sofort und ohne Begründung abgelehnt. Denn ich hatte mich zu Georg Büchner entschlos-sen, der aber im »Dritten Reich«, was mir entgangen sein musste, ungern gesehen wurde: »Woyzeck« durfte überhaupt nicht gespielt werden, »Dantons Tod« (jedenfalls in Berlin) erst während des Krieges.[30] Gerade im »Danton« gibt es vie-les, was auf das »Dritte Reich« bezogen werden konnte, ja be-zogen werden musste.

Auch bei meinen anderen Vorschlägen war der Assessor misstrauisch: Von Lessing wollte er nichts wissen (vor allem des »Nathan« wegen), auch Hebbel war ihm nicht recht, denn die jüdisch-biblischen Dramen (»Judith« und »Herodes und Mariamne«) galten als »inopportun«, Grillparzers »Jüdin von Toledo« kam ebenfalls nicht in Frage.[31] Nach langem Hin und Her akzeptierte er den jungen Gerhart Hauptmann. Unmittel-bar vor der Prüfung erhielt man einen Zettel mit der Frage, über die man referieren sollte. Dann hatte man eine halbe Stunde Zeit, um sich in einem abgeschlossenen Zimmer vor-zubereiten. Auf meinem Zettel stand eine These von Arno Holz[32]: »›Die Kunst hat die Tendenz, wieder die Natur zu sein. Sie wird sie nach Maßgabe ihrer jeweiligen Reproduktionsbe-dingungen und deren Handhabung.‹ (Leiten Sie hieraus die Wesensbestimmung des Naturalismus[33] ab.)« Wie man sieht, war das Fichte-Gymnasium eine sehr anspruchsvolle Schule.

---

30 »Woyzeck« (UA 1913), »Dantons Tod« (UA 1902): Dramen Büch-
   ners.
31 »Judith« (UA 1840), »Herodes und Mariamne« (UA 1849): Dramen
   Hebbels; »Die Jüdin von Toledo« (UA 1872): Drama des österreichischen Schriftstellers Franz Grillparzer (1791–1872).
32 Deutscher Schriftsteller (1863–1929).
33 Literarischer Stil, der sich im letzten Viertel des 19. Jahrhunderts aus
   dem Realismus entwickelte und die Natur (besonders die Menschen-
   natur) genau und ungeschönt zeigen wollte; auch als Epochenbegriff
   verwendet.

Aber dem Deutschlehrer schien die mir gestellte Aufgabe doch zu abstrakt. Daher hat er noch handschriftlich hinzugefügt: »G. Hauptmann als naturalist. Dichter. (Vor Sonnenaufgang, Einsame Menschen, Weber).«[34]

Dieser Zettel hat mich weder überrascht noch eingeschüchtert. Aber kaum hatte ich einige einleitende Sätze gesagt, kaum mich über »Vor Sonnenaufgang« geäußert, da wurde ich von unserem Direktor, dem »Goldfasan« Heiniger, der als kommissarischer Prüfungsleiter amtierte, energisch unterbrochen. Er wollte wissen, wie das Verhältnis des Nationalsozialismus zu Hauptmann sei. Auf diese Frage war ich nicht gefasst. Ich hätte darauf hinweisen können, dass aus Anlass seines nur wenige Monate zurückliegenden fünfundsiebzigsten Geburtstags Hauptmann im ganzen Reich ausgiebig gefeiert worden war – von allen staatlichen Bühnen und auch von anderen Theatern.

Es wäre auch möglich gewesen, Äußerungen von Würdenträgern des »Dritten Reichs« zu zitieren, denen doch zu entnehmen war, dass man ihn haben wollte und von Zeit zu Zeit hofierte. Aber das alles habe ich nicht gesagt – sei es, dass es mir nicht gleich einfiel, sei es, dass ich befürchtete, solche Antworten könnten den kommissarischen Prüfungsleiter verärgern. Stattdessen erklärte ich knapp, das »Dritte Reich« schätze es ganz besonders, dass Hauptmann in den Mittelpunkt seines Werks die soziale Frage[35] gestellt habe. Danach wollte man nichts mehr von mir hören: Ich wurde mit einem unfreundlich klingenden »Danke« entlassen. Sollte der »Goldfasan« meine Antwort für Ironie gehalten haben?

---

34 »Vor Sonnenaufgang« (UA 1889), »Einsame Menschen« (1891), »Die Weber« (UA 1893): Dramen Hauptmanns.

35 Unter dem Begriff »soziale Frage« wird die Summe der wirtschaftlichen und sozialen Probleme verstanden, die sich aus der industriellen Revolution ergaben und das Leben im Zeitalter der Industrialisierung (19. Jahrhundert) bestimmten. Viele Dramen Hauptmanns zeigen diese Probleme ungemildert und brachten so eine neue Thematik auf die deutschen Bühnen.

Im Abiturzeugnis habe ich in Deutsch nicht, wie in den vorangegangenen Jahren, die Note »Sehr gut« erhalten, sondern nur »Gut«. Der Germanist Doktor Beck hat mir später vertraulich erzählt, der Prüfungsleiter habe eine Diskussion über meine Leistungen gar nicht zugelassen, sondern erklärt, aus Gründen, die mit dem Unterricht nichts zu tun hätten, sei bei diesem Schüler (das sollte heißen: bei einem Juden) die Note »Sehr gut« für Deutsch nicht angebracht.

Beschämt gebe ich zu, dass ich enttäuscht und tatsächlich erbost war. Die Entscheidung des »Goldfasans« war kleinlich, aber meine Reaktion darauf lächerlich. Das Ganze eine Lappalie? Ja, doch eine aufschlussreiche. Sie lässt erkennen, dass ich noch nach dem Abitur im Stillen hoffte, es werde mir möglich sein, mich auf einen Beruf vorzubereiten, der wenigstens etwas mit Literatur zu tun habe.

Nie habe ich mehr gelesen als in der Gymnasialzeit. In jedem Berliner Bezirk gab es eine städtische Bibliothek – und sie waren allesamt recht gut ausgestattet. Wer an Literatur interessiert war, konnte dort alles finden, was er begehrte, auch die Bücher der zeitgenössischen, der allerneuesten Autoren. Allerdings durfte man nicht mehr als zwei Bände gleichzeitig ausleihen. Das reichte mir nicht, aber die Schwierigkeit war leicht zu umgehen: Ich ließ mich in zwei Stadtbibliotheken eintragen, der von Schöneberg und der von Wilmersdorf.

Ich kann mich ziemlich genau erinnern, was ich, als ich im Herbst 1938 aus Deutschland deportiert[36] wurde, von der Weltliteratur kannte. Ich vermag es heute nicht mehr zu erklären, wie ich es schaffen konnte, innerhalb von fünf, sechs Jahren alle Dramen von Schiller und die meisten von Shakespeare zu lesen, nahezu alles von Kleist und Büchner, sämtliche Novellen von Gottfried Keller und Theodor Storm, einige der großen und meist umfangreichen Romane von Tolstoj und Dostojewski, von Balzac, Stendhal und Flaubert. Ich las die

---

[36] Deportieren: zwangsweise verschleppen.

Skandinavier, zumal Jens Peter Jacobsen und Knut Hamsun, den ganzen Edgar Allan Poe, den ich bewunderte, und den ganzen Oscar Wilde, der mich begeisterte, und sehr viel Maupassant, der mich amüsierte und anregte.[37]

Wahrscheinlich war diese Lektüre oft flüchtig, gewiss habe ich vieles nicht verstanden. Dennoch: Wie war das möglich? Kannte ich etwa eine Methode, besonders schnell zu lesen? Durchaus nicht – und ich kenne eine solche Methode bis heute nicht. Im Gegenteil, ob damals oder jetzt, ich lese beinahe immer langsam. Denn wenn mir ein Text gefällt, wenn er wirklich gut ist, dann genieße ich jeden Satz, und das nimmt viel Zeit in Anspruch. Und wenn mir der Text missfällt? Dann langweile ich mich, kann mich nicht recht konzentrieren und merke plötzlich, dass ich eine ganze Seite kaum verstanden habe und sie noch einmal lesen muss. Ob gut oder schlecht – es geht nur langsam voran.

Es waren wohl ganz andere Umstände, die die Quantität der von mir in meiner Jugend bewältigten Literatur ermöglicht hatten: Ich konnte täglich stundenlang lesen, weil ich die Schularbeiten sehr schnell erledigte. Ich widmete ihnen nur so viel Zeit, wie unbedingt erforderlich war, um die Note »Genügend« zu erhalten. So vernachlässigte ich die Naturwissenschaften und leider auch die Fremdsprachen. Der Sport nahm, was bestimmt nicht richtig war, nur wenig Zeit in Anspruch. In einer Tanzschule war ich auch nicht, was ich sehr bedauere – jedenfalls habe ich das Tanzen nie erlernt.

Meine Lektüre wurde nicht nur von der Schule und vom

37 Lew (Leo) N. Tolstoj (1828–1910), Fjodor M. Dostojewski (1821–1881): russische Schriftsteller; Honoré de Balzac (1799–1850), Stendhal (eigentlich: Marie-Henri Beyle, 1783–1842), Gustave Flaubert (1821–1880): französische Schriftsteller; Jens Peter Jacobsen (1847–1885): dänischer Schriftsteller; Knut Hamsun (1859–1952): norwegischer Schriftsteller; Edgar Allan Poe (1809–1849): amerikanischer Schriftsteller; Oscar Wilde (1854–1900): irischer Schriftsteller; Guy de Maupassant (1850–1893): französischer Schriftsteller.

Theater geprägt, sondern auch, wie sonderbar das anmuten mag, von der nationalsozialistischen Kulturpolitik. Die umfangreichen gedruckten Kataloge der städtischen Bibliotheken wurden weiterhin verwendet, nur hatte man die aus dem Verkehr gezogenen Bücher mit roter Tinte ausgemerzt: Die Namen und Titel von Juden, Kommunisten, Sozialisten, Pazifisten[38], Antifaschisten[39] und Emigranten[40] jeglicher Art waren zwar gestrichen, indes weiterhin mühelos lesbar, also die Namen von Thomas, Heinrich und Klaus Mann, Döblin, Schnitzler und Werfel, Sternheim, Zuckmayer und Joseph Roth, Lion Feuchtwanger, Arnold und Stefan Zweig, Brecht, Horváth und Becher, der Seghers und der Lasker-Schüler, Bruno und Leonhard Frank, Tucholsky, Kerr, Polgar und Kisch und von vielen anderen Autoren.[41]

Allerdings fällt mir auf, dass ich damals einen Namen von höchster Bedeutung überhaupt nicht gehört hatte: Franz

[38] Entschiedene Kriegsgegner, die sich für den Frieden einsetzen und selbst keine Waffe in die Hand nehmen wollen.

[39] Hier: Gegner des Nationalsozialismus (der Begriff »Faschismus« bezeichnet eigentlich die italienische Ausprägung der diktatorischen Regierungsform unter Mussolini, wird aber ebenso für alle verwandten historischen Parteien und Systeme, besonders in Deutschland und Spanien, verwendet).

[40] Menschen, die ihre Heimat (etwa aus politischen oder religiösen Gründen) verlassen müssen.

[41] Thomas Mann (1875–1955), Heinrich Mann (1871–1950, Bruder von Thomas Mann), Klaus Mann (1906–1949, Sohn von Thomas Mann), Alfred Döblin (1878–1957), Arthur Schnitzler (1862–1931), Franz Werfel (1890–1945), Carl Sternheim (1878–1942), Carl Zuckmayer (1896–1977), Joseph Roth (1894–1939), Lion Feuchtwanger (1884–1958), Arnold Zweig (1887–1968), Stefan Zweig (1881–1942), Bertolt Brecht (1898–1956), Ödön von Horváth (1901–1938), Johannes R. Becher (1891–1958), Anna Seghers (1900–1983), Else Lasker-Schüler (1869–1945), Bruno Frank (1887–1945), Leonhard Frank (1882–1961), Kurt Tucholsky (1890–1935), Alfred Kerr (1867–1948), Alfred Polgar (1873–1955), Egon Erwin Kisch (1885–1948): deutsche und österreichische Schriftsteller.

Kafka[42]. Von der sechsbändigen Ausgabe seiner »Gesammelten Werke« konnten noch 1935 vier Bände in Berlin, in einem jüdischen Verlag, erscheinen, die beiden letzten hingegen wurden 1937 (da man selbstverständlich auch Kafka auf die »Liste des schädlichen und unerwünschten Schrifttums«[43] gesetzt hatte) in Prag publiziert. Aber allem Anschein nach hat niemand in meiner Umgebung Kafka gekannt. Noch war er ein Geheimtipp.

Die vielen roten Striche waren mir sehr willkommen: Nun wusste ich, was ich zu lesen hatte. Allerdings musste ich mir diese unerwünschten und verbotenen Bücher erst noch beschaffen. Das war aber nicht sonderlich schwer. Bei den Bücherverbrennungen im Mai 1933 wurden allein in Berlin angeblich rund 20 000 Bände in die Flammen geworfen – sie stammten vorwiegend aus Bibliotheken. In anderen Städten war die Zahl der vernichteten Bücher wohl kleiner.

Wie auch immer: Der unzweifelhaft improvisierten Aktion, die vor allem symbolisch gemeint war, fiel naturgemäß nur ein Teil der geächteten Bücher zum Opfer. Viele blieben erhalten: in Buchhandlungen, in Verlagsmagazinen, in Privatwohnungen. Die meisten landeten früher oder später in Berliner Antiquariaten, wo sie natürlich nicht in den Schaufenstern oder auf den Ladentischen zu finden waren. Doch wurden sie vom Antiquar, zumal wenn er den Kunden schon kannte, gern hervorgeholt und waren billig erhältlich. Überdies gab es bei meinen Verwandten und bei den Bekannten meiner Eltern, wie in bürgerlichen Familien üblich, Bücherschränke und in ihnen nicht

---

[42] Deutschsprachiger Schriftsteller aus Prag (1883–1924).

[43] »Liste des schädlichen und unerwünschten Schrifttums«: Verzeichnis der in Deutschland nach der Machtergreifung Hitlers verbotenen Bücher und Autoren; die erste Auflage dieser Liste erschien 1935 und enthielt 3601 Einzeltitel und 524 Gesamtverbote, in der zweiten Auflage (1938) waren es dann 4175 Einzeltitel und 565 Gesamtverbote – rund 2500 deutsche Schriftsteller waren insgesamt betroffen und konnten ihren Beruf offiziell nicht länger ausüben.

wenige ebenjener Bücher, die nunmehr in den offiziellen Katalogen durchgestrichen waren.

Auch bei meinem Onkel Max, dem lustigen Patentanwalt, der nicht aufhören konnte zu glauben, das »Dritte Reich« werde alsbald, vielleicht schon im kommenden Jahr kläglich zusammenbrechen, stand ein solcher Schrank – und ich hatte oft Gelegenheit, von dieser Fundgrube Gebrauch zu machen. Denn der Onkel hatte einen hübschen Sohn, der damals etwa fünf Jahre alt war, und ich wurde häufig als Babysitter benötigt. Es waren wunderbare Abende: Ich konnte mich mit zahllosen Büchern vergnügen und wurde auch noch großzügig entlohnt. Ich bekam für jeden Abend eine Mark und zuweilen, wenn der Onkel kein Kleingeld hatte, sogar zwei Mark. Das Kind wiederum, das ich zu betreuen hatte, ist während dieser Abende kein einziges Mal aufgewacht. Ein vorbildliches Knäblein also – und jetzt einer der berühmtesten Maler Englands: Frank Auerbach[44].

Das Geld brauchte ich dringend, aber vorwiegend für Theaterkarten, nicht etwa für Bücher. Wer auswanderte, konnte nur wenig mitnehmen, die Bibliotheken blieben meist zurück. Und wenn man schon ins Exil Bücher mitnahm, dann nicht Romane oder Gedichtbände, sondern Fachliteratur und, vor allem, Wörterbücher. Was bleiben musste, wurde verschenkt.

Von einem Freund dieses Onkels, einem Chemiker in Berlin-Schmargendorf, der seine Emigration vorbereitete, durfte ich mir Bücher holen. Er riet mir, einen kleinen Koffer oder einen Rucksack mitzubringen. Ich kam aber zu ihm mit einem großen Koffer. Ich hätte, log ich, keinen kleineren gefunden. Der liebenswürdige, wenn auch allem Anschein nach deprimierte Chemiker öffnete seinen Bücherschrank und sagte gleichgültig oder gar resigniert: »Nehmen Sie mit, was Sie wollen.«

Was ich zu sehen bekam, machte mich sprachlos, die Augen

---

44 1931 in Berlin geboren.

gingen mir über. Noch heute weiß ich, was mir sofort auffiel: die
»Gesammelten Werke« von Hauptmann und Schnitzler und
auch von Jens Peter Jacobsen, den Rilke so schön und nachdrücklich empfohlen hatte. Ich nahm rasch, was sich in meinem
Koffer unterbringen ließ, ohne mir Gedanken zu machen, wie
schwer er sein würde. Ich konnte ihn kaum tragen, brachte ihn
aber schließlich doch zur nächsten Straßenbahn-Haltestelle.

Die Last hat mein Glück nicht gemindert, auch nicht die ele-
gische Warnung des freundlichen Chemikers. Denn als ich ihm
herzlich dankte, winkte er ab und belehrte mich: »Sie haben
mir für gar nichts zu danken. Diese Bücher schenke ich Ihnen
nicht. Sie sind Ihnen in Wirklichkeit nur geliehen – wie diese
Jahre. Auch Sie, mein junger Freund, wird man von hier vertreiben. Und diese vielen Bücher? Sie werden sie genauso zurücklassen, wie ich es jetzt tue.« Recht hat er gehabt: Ich habe
noch manche Bücher aus manchen Schränken zusammenge-
rafft, aber als ich etwa zwei Jahre später aus Deutschland deportiert wurde, durfte ich nur ein einziges mitnehmen.

Gelegentlich habe ich in den Lesesälen der städtischen Bü-
chereien von den dort ausliegenden Zeitschriften profitiert
und mitunter Aufsätze gefunden, die mich interessierten und
die ebenfalls nicht ohne Einfluss auf meine Lektüre blieben. So
fiel mir 1936 in den »Nationalsozialistischen Monatsheften«
der markige Titel einer literarkritischen Abhandlung auf:
»Schluss mit Heinrich Heine!« Ich las den Aufsatz mit wachsender Aufmerksamkeit, mehr noch: mit Genugtuung.

Der Autor, ein Philologe[45], hatte sich vor allem zweier Gedichte angenommen, die zu Heines populärsten gehören: der
»Loreley« und der »Grenadiere«. Beide, behauptete er, seien
beispielhaft für Heines ungenügende und seichte Kenntnis der
deutschen Sprache und sein »noch nicht abgestreiftes Jiddisch«[46]. Davon zeuge, schrieb damals ein anderer Germanist,

---

45 Sprachgelehrter, Kenner der Literatur.
46 Jiddisch: aus dem Mittelhochdeutschen entwickelte Sprache der

74

schon der erste Vers der »Loreley«: »Ich weiß nicht, was soll es bedeuten.« Ein deutscher Mann hätte geschrieben: »Ich weiß nicht, was es bedeuten soll.« Mir war es schon recht, dass die Nazis, die Heine beschimpften, Unsinn verbreiteten, der sich schwerlich überbieten ließ. Die Lektüre dieser »Nationalsozialistischen Monatshefte« hat aus mir einen passionierten Heine-Leser gemacht.

Was ich freilich nirgends finden konnte, war die Literatur der Emigranten[47]. Natürlich wollten wir lesen, was die vertriebenen und geflohenen Schriftsteller jetzt schrieben, doch konnten wir nichts bekommen. Wer ins Ausland fuhr und wiederkam, wagte es nicht, Bücher oder Zeitschriften mitzubringen, und an postalische Übersendung war nicht zu denken. Allerdings gab es zwei bedeutsame und denkwürdige Ausnahmen, zwei aufregende Abende, die ich nie vergessen werde. An beiden wurden Dokumente der deutschen Literatur im Exil vorgelesen: Es waren zwei (sehr unterschiedliche) Briefe.

Meine Schwester, die Anfang der dreißiger Jahre ihr Studium in Warschau abgebrochen hatte und nach Berlin gekommen war, lernte Gerhard Böhm kennen, einen deutschen Juden, dessen ich – er ist längst tot – dankbar gedenke. Denn er, der bald mein Schwager wurde, gehörte zu den wenigen Menschen, die sich in meiner Jugend um meine Bildung, zumal die literarische, gekümmert haben. Er betätigte sich als Export-Kaufmann, aber im Grunde hatte er keinen Beruf. Das Geldverdienen war, um es vorsichtig auszudrücken, seine starke Seite nicht. Damit und vielleicht auch mit der Tatsache, dass er ziemlich klein war, mochte es zusammenhängen, dass er gern prahlte. So erzählte er – sehr anschaulich – von seinen vielen Weltreisen; nur hatte er sie nie gemacht. Gern rühmte er sich, in der Weimarer Republik unter einem Pseudonym für die

Juden Europas und vor allem Osteuropas, seit Ende des 19. Jahrhunderts auch in den USA und anderen Ländern verbreitet.
47 Hier: die deutschen Schriftsteller, die ins Exil gingen, d. h. im Ausland Zuflucht und Schutz suchten.

»Weltbühne«[48] geschrieben zu haben – auch das war eine freie Erfindung.

Doch dieser Gerhard Böhm, ein kleiner Mann und ein großer Angeber, war ein liebenswerter Mensch, intelligent und redegewandt. Was er mir in langen Gesprächen erzählte, zeigte mir, dass das Unterhaltsame belehrend sein kann und dass das Belehrende nicht aufdringlich sein muss. In der Literatur, vor allem in der neueren deutschen Literatur, kannte er sich glänzend aus, und überdies war er, wie seine (viel später geschriebenen) langen Briefe bewiesen, ein guter Stilist[49].

Auf meine Lektüre hat er einen wichtigen und nachhaltigen Einfluss ausgeübt. Er liebte Kurt Tucholsky und hatte nicht nur dessen Bücher gesammelt, sondern auch die (auf seinem Regal hinter harmlosen Bänden versteckten) kleinen roten Hefte: die »Weltbühne«, von der ich in seiner Wohnung mindestens zehn Jahrgänge gefunden habe. Ihm verdanke ich meine frühe Liebe zu Tucholsky.

Er, der Freund und Schwager Gerhard Böhm, war auch der einzige Mensch in meiner Umgebung, den mein ständiges Bücherlesen nicht nur interessierte und freute, sondern auch beunruhigte. Er befürchtete, dass ich, der ich damals fünfzehn, sechzehn Jahre alt war, von der Literatur bezaubert, das Leben vernachlässigen könnte. Mehr als einmal berief er sich auf den alten Spruch »Primum vivere, deinde philosophari« (»Zuerst leben, dann erst philosophieren«). Er sah bei mir die Gefahr, das Intellektuelle könne alles andere verdrängen. Als er mir Friedrich Gundolfs Goethe-Monographie[50] schenkte

---

48 Kulturpolitische Zeitschrift (bis 1918: »Die Schaubühne«), gegründet von Siegfried Jacobsohn; Mitarbeiter: Alfred Polgar, Erich Mühsam, Egon Erwin Kisch, Kurt Tucholsky, Lion Feuchtwanger u. a.

49 Jemand, der die sprachlichen Ausdrucksmittel gut und geschickt beherrscht.

50 Das Goethe-Buch des Germanisten Friedrich Gundolf (1880–1931) erschien 1916; Monographie: wissenschaftliche Arbeit, die sich auf einen Gegenstand konzentriert, umfangreiche Einzeldarstellung.

(die mich übrigens sehr enttäuschte), hat er in das Buch als Widmung ein weises, ein herrliches Wort aus dem »Faust« geschrieben:

Ich sag es dir: ein Kerl, der spekuliert[51],
Ist wie ein Tier, auf dürrer Heide
Von einem bösen Geist im Kreis herumgeführt,
Und ringsumher liegt schöne, grüne Weide.

In der Weimarer Republik hatte sich mein Schwager politisch engagiert. Er gehörte zeitweise der KPD[52] an, galt dort bald, gewiss zu Recht, als Trotzkist[53] und wurde aus der Partei ausgeschlossen – zu seinem Glück, denn wahrscheinlich hat ihn dieser Umstand vor der Verhaftung im »Dritten Reich« bewahrt. Er war es auch, der mich – natürlich bloß in groben Zügen – über den Kommunismus belehrte und mir allerlei über die sowjetische Kunst, über Lenin[54] und vor allem über Leo Trotzki

---

[51] Spekulieren ist hier im Sinne geistiger, nicht finanzieller Wagnisse zu verstehen: nachdenken, grübeln.

[52] KPD: Kommunistische Partei Deutschlands, gegründet 1918, Ende 1932 drittstärkste Partei in Deutschland, wichtiger Gegner des bei den Wahlen im März 1933 siegreichen Nationalsozialismus. Nach dem Reichstagsbrand wurden in Deutschland rund 11 000 Kommunisten verhaftet.

[53] Anhänger oder Sympathisant des sowjetrussischen Politikers Leo Trotzki (1879–1940), der trotz großer Gegensätze zu Lenin (siehe unten, Fußnote 54) eine der führenden Gestalten der russischen Revolution im Jahr 1917 war. Als Volkskommissar für Verteidigung organisierte er später die Streitkräfte der Sowjetunion, die Rote Armee. Nach Lenins Tod musste er das Land verlassen und wurde 1940 im mexikanischen Exil ermordet.

[54] Wladimir Iljitsch Lenin (1870–1924) war führender Kopf der Oktoberrevolution 1917 in Russland, die zum Sturz des Zaren führte. Er wurde als Vorsitzender Rat der Volkskommissare Führer des Staates. 1922 musste er sich wegen schwerer Erkrankung aus der politischen Arbeit zurückziehen.

erzählte. Durch ihn lernte ich einige blasse und einsilbige Menschen kennen, die neue, aber unverkennbar billige Anzüge trugen. Es waren seine alten Bekannten, Kommunisten, die man gerade aus dem Gefängnis oder aus dem Konzentrationslager[55] entlassen hatte.

Erst viel später erfuhr ich, dass mein Schwager Gerhard Böhm im politischen Untergrund tätig war. Auch ich war in diese Aktivitäten einbezogen: Es handelte sich um gelegentliche Botengänge und ähnliche Aufgaben. So bescheiden sie auch waren – das mir erwiesene Vertrauen schmeichelte mir, ich unterschätzte die Gefahr keineswegs und fühlte mich sehr wichtig. Nein, zum Kommunisten hat mich mein Schwager Böhm nicht gemacht, aber er hat mich für den Kommunismus vorbereitet.

Auch jene beiden literarischen Abende, die ich nie vergessen werde, haben mit ihm zu tun. Es war Anfang 1936. Wir, etwa zehn meist junge Leute, versammelten uns in einer geräumigen und gut ausgestatteten Wohnung in Grunewald. Sie gehörte einem etwas älteren Freund meines Schwagers, der das Treffen organisiert hatte und auf dessen Wunsch auch ich eingeladen worden war.

Was sich abspielen sollte, wusste ich nicht. So war ich denn höchst verwundert, als ich auf dem Tisch zwei Exemplare der SS-Zeitung »Das schwarze Korps« sah. In der Tat las mein Schwager Böhm, ohne sich auf irgendwelche Einleitungen einzulassen, einen in dieser Zeitung erschienenen längeren Beitrag. Der Titel lautete, wenn mich mein Gedächtnis nicht täuscht: »Bankrotterklärung[56] eines Emigranten«. Es war Kurt Tucholskys an Arnold Zweig gerichteter Brief vom 15. Dezember 1935, ein Abschiedsbrief.

Zunächst waren wir verblüfft und sehr bald entsetzt. Wir

---

55 Internierungslager für politisch, rassisch oder religiös Verfolgte.
56 Eingeständnis der eigenen Zahlungsunfähigkeit; hier im übertragenen Sinne von am Ende, erledigt sein (vor allem geistig).

wollten es nicht glauben: Der Brief dokumentierte den Ausbruch einer offenbar seit vielen Jahren angestauten Wut – gegen die deutsche Linke und gegen die deutschen Juden. Diese unerbittlichen und stellenweise auch hasserfüllten Äußerungen, die hier und da in bare Beschimpfungen übergingen, sollten wirklich von Tucholsky stammen? Doch bald schwand unser Misstrauen. Denn sein Stil war unverkennbar: Das SS-Blatt hatte, wie sich später herausstellte, diesen Brief gekürzt und verstümmelt und mit höhnischen Zwischentiteln versehen – gefälscht war der Text nicht. Ja, der Emigrant Tucholsky hatte tatsächlich mit Abscheu und Widerwillen über die Juden geschrieben und mitunter sogar primitive und böswillige antisemitische Klischees[57] verwendet.

Dass seine Auseinandersetzung mit den Juden eine schmerzhafte Selbstauseinandersetzung war, daran zweifelten wir nicht: Diesen Brief hatte ein Mann geschrieben, in dessen Leben das Leiden am Judentum und ein unheimlicher Selbsthass eine wichtige, wahrscheinlich die entscheidende Rolle gespielt hatten. Wir wussten auch, dass er wenige Tage nach diesem Brief Selbstmord verübt hatte. Was wir allerdings nicht wussten: Er hatte sich im Exil mit aller Entschiedenheit von seinen politischen Idealen losgesagt und sich religiösen Gedanken, genauer, der Welt des Katholizismus zugewandt, ja sich von dieser Welt faszinieren lassen. Und wir wussten nicht, dass er damals ein schwer, wohl ein unheilbar kranker Mann war.

Erschüttert verließen wir, Bewunderer Kurt Tucholskys, die herrschaftliche, etwas düstere Wohnung in Berlin-Grunewald. Während wir dort, unmittelbar nach der Lesung, über den Brief diskutiert, richtiger gesagt: zu diskutieren versucht hatten, aber im Grunde ratlos dies und jenes stammelten, blieben wir auf der Straße stumm. Jeder war mit seinen Gedanken beschäftigt. Dann trennten sich unsere Wege, einige stiegen in die Straßenbahn ein, ich wollte zu Fuß gehen, um allein zu bleiben.

---

57 Hier: abgedroschene Worte und Wendungen, Plattheiten, Vorurteile.

Sollte man diesem Brief – so fragte ich mich – ungleich mehr entnehmen als den Zusammenbruch eines großen deutschen Schriftstellers unseres Jahrhunderts? Ich ging schnell, beinahe hastig. Hatte ich es so eilig, nach Hause zu kommen? Oder wollte ich mich möglichst rasch von dem Ort entfernen, an dem eine Lesung überraschend zu einem schrecklichen Erlebnis geworden war? Ich weiß es nicht. Aber ich weiß sehr wohl, was ich damals, auf dem Nachhauseweg in Richtung Halensee, spürte: Angst, nahezu panische Angst vor dem, was uns wahrscheinlich bevorstand.

Der andere mir unvergessliche Abend war im Februar 1937. Es war ein kühler, ein trüber, ein regnerischer Tag. Wir trafen uns in derselben Wohnung in Grunewald, doch war der Kreis jetzt kleiner, wohl aus konspirativen[58] Gründen: Nur sieben oder acht Personen waren eingeladen worden. Der Wohnungsinhaber, von dem wir wussten, dass er über allerlei Kontakte in Deutschland und im Ausland verfügte, hatte uns den Zweck des Treffens vorsichtshalber auch diesmal nicht mitgeteilt. Er schaltete das Licht ab und ließ nur eine Stehlampe neben dem Stuhl meines Schwagers brennen. Ihm gab er ein kleines Päckchen Papier, besonders dünn und beidseitig beschrieben.

Alle schwiegen, in dem halbdunklen Zimmer war es etwas unheimlich. Ich dachte an die ein Jahr zurückliegende Lesung des Briefes von Tucholsky und fragte mich ängstlich, was denn jetzt zu erwarten sei. Mein Schwager las ein Prosastück vor, das offenbar illegal nach Berlin gelangt war. Wieder war es ein Brief, geschrieben von einem Schriftsteller im Exil: von Thomas Mann – der Brief, mit dem er auf die Aberkennung der ihm einst verliehenen Ehrendoktorwürde der Universität Bonn antwortete.[59]

---

58 Verschwörerisch.
59 Auf die Aberkennung der Ehrendoktorwürde der Universität Bonn am 19.12.1936 reagierte Thomas Mann mit einem auf Neujahr 1937 datierten, in der Schweiz verfassten ausführlichen Brief »An den Herrn Dekan der Philosophischen Fakultät der Universität Bonn«: mit einer grundsätzlichen Absage an den Nationalsozialismus.

Wenn die Zeitungen des »Dritten Reichs« gegen die emigrierten Autoren hetzten – und das geschah nicht selten –, wurde fast immer Heinrich Mann genannt und attackiert, sein Bruder Thomas jedoch in der Regel geschont. Ich hatte damals schon viel von beiden gelesen. Heinrich Mann habe ich geschätzt, zumal seinen »Professor Unrat« und den »Untertan«.[60] Aber Thomas Mann habe ich nach der Lektüre der »Buddenbrooks«[61] bewundert und verehrt.

Doch die prägende Wirkung übte auf mich in jenen frühen Jahren ein anderes Buch aus, eine unvollkommene und vielleicht sogar fragwürdige Erzählung. In Tonio Kröger[62], der von den »Wonnen der Gewöhnlichkeit« träumt und der fürchtet, »das Leben in seiner verführerischen Banalität« werde ihm entgehen, der an seiner Unzugehörigkeit leidet und wie ein Fremdling im eigenen Haus lebt – in ihm habe ich mich wiedererkannt. Seine Klage, er sei oft sterbensmüde, »das Menschliche darzustellen, ohne am Menschlichen teilzuhaben«, hat mich tief getroffen. Die Furcht, nur in der Literatur zu leben und vom Menschlichen ausgeschlossen zu sein, die Sehnsucht also nach jener schönen, grünen Weide, die ringsumher liegt und doch unerreichbar bleibt, hat mich nie ganz verlassen. Diese Furcht und diese Sehnsucht gehören zu den Leitmotiven[63] meines Lebens.

Ich bin der Erzählung »Tonio Kröger« treu geblieben: Als mir 1987 der Thomas-Mann-Preis verliehen wurde, war es für mich selbstverständlich, worüber ich in der Dankrede sprechen würde – über dieses poetische Kompendium[64] aller, die mit

---

60 »Professor Unrat« (1905) und »Der Untertan« (1918): Romane von Heinrich Mann.
61 Roman von Thomas Mann (1901).
62 Titelheld der gleichnamigen Erzählung von Thomas Mann (1903).
63 Leitmotiv: Grundsatz, der die eigenen Entscheidungen beeinflusst, bestimmender, wichtiger Gedanke; hier bezogen auf die zuvor zitierten »Faust«-Zeilen (siehe Seite 77).
64 Kurzgefasstes Lehrbuch.

ihrer Unzugehörigkeit nicht zu Rande kommen, über diese Bibel jener, deren einzige Heimat die Literatur ist.

#17

Die Frage, was Thomas Mann, der nun in der Schweiz wohnte, angesichts dessen, was sich in Deutschland abspielte, tun werde, gewann für mich, ich übertreibe nicht, lebenswichtige Bedeutung. Als ich an jenem Abend im Februar 1937 die ersten Worte seines Briefes[65] hörte, war ich sehr unruhig, ich glaube, ich zitterte. Ich hatte ja keine Ahnung, worauf ich mich gefasst machen sollte, wie er sich also entschieden hatte, wie weit er gegangen war. Doch schon der dritte Satz hat die Unsicherheit behoben. Denn hier war von den »verworfenen Mächten« die Rede, »die Deutschland moralisch, kulturell und wirtschaftlich verwüsten«. Da konnte kein Zweifel mehr sein: Thomas Mann hatte sich in diesem Brief zum ersten Mal und in aller Deutlichkeit gegen das »Dritte Reich« gestellt.

An dem dunklen Abend, als ich in Grunewald die langsam und nachdenklich gelesenen Worte Thomas Manns hörte und als mir das monotone, fortwährende Schlagen des Regens gegen die Fensterscheiben bedrohlich vorkam, als die Stille den Atem der Anwesenden hören ließ – was empfand ich damals? Erleichterung? Ja, gewiss, aber mehr noch: Dankbarkeit. Später habe ich mich in den unterschiedlichsten Gesprächen, die so häufig um Deutschland kreisten, in Berlin, in Warschau, auch im Getto, immer wieder auf den zentralen Gedanken dieses Briefes berufen: »Sie« – und gemeint waren damit die Nationalsozialisten – »haben die unglaubwürdige Kühnheit, sich mit Deutschland zu verwechseln! Wo doch vielleicht der Au-

---

[65] Es heißt in dem Brief von Neujahr 1937: »Die schwere Mitschuld an allem gegenwärtigen Unglück, welche die deutschen Universitäten auf sich geladen haben, indem sie aus schrecklichem Missverstehen der historischen Stunde sich zum Nährboden der verworfenen Mächte machen, die Deutschland moralisch, kulturell und wirtschaftlich verwüsten, – diese Mitschuld hatte mir die Freude an der mir einst verliehenen akademischen Würde längst verleidet und mich gehindert, noch irgendwelchen Gebrauch davon zu machen.«

genblick nicht fern ist, da dem deutschen Volke das Letzte daran gelegen sein wird, nicht mit ihnen verwechselt zu werden.«

1937 habe ich noch nicht wissen können, dass Thomas Mann während des Zweiten Weltkrieges in der internationalen Öffentlichkeit eine Rolle spielen würde, die noch nie einem deutschen Schriftsteller zugefallen war: Er wurde zur repräsentativen, zur weithin sichtbaren Gegenfigur. Sollte ich mit zwei Namen andeuten, was ich als Deutschtum[66] in unserem Jahrhundert verstehe, dann antwortete ich, ohne zu zögern: Deutschland – das sind in meinen Augen Adolf Hitler und Thomas Mann. Nach wie vor symbolisieren diese beiden Namen die beiden Seiten, die beiden Möglichkeiten des Deutschtums. Und es hätte verheerende Folgen, wollte Deutschland auch nur eine dieser beiden Möglichkeiten vergessen oder verdrängen.

Nach dem letzten Satz des Briefes wagte niemand etwas zu sagen. Der den Text gelesen hatte, schlug vor, dass wir eine Pause machen und uns dann über das Prosastück unterhalten wollten. Ich benutzte die Pause, um zu danken und mich zu verabschieden. Ich möchte, sagte ich, nicht zu spät nach Hause kommen, da ich am nächsten Tag eine wichtige Klassenarbeit zu schreiben hätte. Das war gelogen. In Wirklichkeit wollte ich allein sein – allein mit meinem Glück.

---

[66] Deutsche Wesensart, Gesamtheit der für die Deutschen typischen Lebens- und Erscheinungsformen, Gedanken, Äußerungen, Eigenarten usw.

Die schönste Zuflucht: das Theater

Auf den Programmheften der Berliner Staatstheater prangte in diesen Jahren das Hakenkreuz – und doch hatten wir es damals mit einer wahren Blütezeit der deutschen Bühnenkunst zu tun. Um Missverständnissen vorzubeugen, sei es gleich gesagt: Jene, die 1933 die Macht an sich gerissen hatten, erscheinen deshalb nicht in milderem Licht; und die Kluft, die sich zwischen dem von ihnen beherrschten und terrorisierten Land und der zivilisierten Welt aufgetan hatte, wurde durch die Leistungen der Künstler, die die nationalsozialistische Kulturpolitik beharrlich ignorierten und die sich ihr auf vorsichtige Weise widersetzten, nicht um einen Deut kleiner. Denn die Aufführungen in den Berliner Opernhäusern, im Schauspielhaus am Gendarmenmarkt und in einigen anderen Theatern sowie die Konzerte, zumal die der Berliner Philharmoniker mit Wilhelm Furtwängler[1] an der Spitze, vermochten die Tyrannei nicht zu mindern. Aber sie haben das Leben vieler Menschen erträglicher, ja sogar schöner gemacht – und eben auch mein Leben.

Was habe ich vom Theater, das in diesen Berliner Jahren einen beträchtlichen Teil meines Lebens ausmachte, denn erwartet? Bertolt Brecht[2], der nicht müde wurde zu wiederholen, er wolle mit Hilfe des Theaters die Menschen aufklären und erziehen, wusste schon, warum er andererseits mit provozierendem Nachdruck darauf hinwies, was letztlich das wichtigste Geschäft des Theaters sei – nämlich »die Leute zu unterhalten«. Habe auch ich mir vom Theater vor allem Unterhaltung und Ablenkung in düsterer Zeit erhofft? Und nicht mehr?

[1] Deutscher Dirigent und Komponist (1886–1954).
[2] Deutscher Schriftsteller (1898–1956).

84

Vielleicht doch. Sollte ich etwa Schutz gesucht haben? Dies aber würde bedeuten, dass meine kaum zu überschätzende Begeisterung für das Theater sehr wohl mit dem neuen Regime zu tun hatte. Nicht obwohl, sondern weil Barbaren in Deutschland herrschten, benötigte ich dringend ein Asyl.

Gelegentlich wurde vermutet, ich sei zur Literatur durch den Bühneneingang gekommen. Das ist nicht ganz richtig. Wahr ist vielmehr, dass es sich hier um einen wechselseitigen Prozess handelte: Die Literatur hatte mich zum Theater getrieben und das Theater zur Literatur. Beide zusammen boten mir, was ich dringend brauchte, worauf ich in wachsendem Maße angewiesen war: Beistand und Zuflucht. So bewährte sich mitten im »Dritten Reich« die deutsche Literatur zusammen mit dem Berliner Theater als der Elfenbeinturm[3] des halbwüchsigen Juden.

Im Schauspielhaus am Gendarmenmarkt begann der Vorverkauf der Eintrittskarten stets am Sonntag um zehn Uhr morgens. Doch musste man sich schon um acht, spätestens um neun Uhr anstellen, um eine der wenigen billigen Karten zu bekommen – zumal wenn man eine Premiere sehen wollte. Für eine Gründgens-Premiere[4] hatte man sich noch früher in der Schlange einzufinden. Am Gendarmenmarkt kostete ein Platz auf dem dritten Rang zwei Mark, auf der Empore eine Mark. Dort oben hörte man – denn die Akustik war in diesem Haus ungewöhnlich – alles besser als im Parkett, auch den Souffleur. In der Staatsoper musste man für einen Sitzplatz auf dem vierten Rang zwei Mark fünfzig bezahlen und für den Stehplatz eine Mark. »Rigoletto« stehend? Das ist kein Problem. Aber die »Götterdämmerung«?[5] Taschengeld bekam ich, soweit ich

---

3 Symbol für die träumerische, auch kreative Absonderung und Abschottung vor der Welt und der (politischen) Wirklichkeit.
4 Gustaf Gründgens (1899–1963): Schauspieler, Regisseur, Theaterleiter.
5 Die Aufführungsdauer der Opern »Rigoletto« (von Giuseppe Verdi, UA 1851) und »Götterdämmerung« (von Richard Wagner, UA 1876) beträgt knapp drei bzw. rund fünf Stunden.

mich erinnern kann, überhaupt nicht, doch was ich bei meinem Onkel verdiente – als Babysitter und als Bote, der Dokumente im Patentamt ablieferte –, reichte für zwei bis drei Theater- oder Opernvorstellungen monatlich.

Ins Kino ging ich seltener, mein Interesse für die Filmkunst hielt sich schon damals in Grenzen – wohl deshalb, weil mich das Wort in der Regel stärker beeindruckte als das Bild. Meinen ersten Film hatte ich noch in Polen gesehen (es war Charlie Chaplins »Zirkus«), meinen ersten Tonfilm 1930 in Berlin, im Ufa-Palast[6] am Zoo. Es waren »Die Drei von der Tankstelle« mit dem in jener Zeit ungewöhnlich beliebten Paar Lilian Harvey und Willy Fritsch und mit einem jungen Komiker: Heinz Rühmann. Eines meiner aufregendsten Filmerlebnisse war Willi Forsts »Maskerade« mit Paula Wessely. Diesen Film, der den Ruf eines Meisterwerks hatte, wollte ich mir auf keinen Fall entgehen lassen. Doch der Grund meiner Aufregung hatte nichts mit seiner Qualität zu tun. Vielmehr war »Maskerade« laut polizeilicher Vorschrift für Jugendliche unter achtzehn Jahren nicht zugelassen. Ich aber zählte 1934 alles in allem vierzehn Jahre.

An den Kassen der kleinen Berliner Kinos saßen in der Regel deren Inhaber. Sie dachten nicht daran, sich um das Alter der Besucher zu kümmern: Ihnen war nur daran gelegen, möglichst viele Eintrittskarten zu verkaufen. Auf jeden Fall zog ich mir meinen einzigen Anzug mit langen Hosen an und band mir einen Schlips um. Aber von Zeit zu Zeit gab es in den Kinos, so wurde in der Schule gemunkelt, überraschende Polizeikontrollen – und die Halbwüchsigen, die es wagten, behördliche Anordnungen zu umgehen, wurden angeblich streng bestraft. Wie würde man, fragte ich mich ängstlich, mit jugendlichen Missetätern verfahren, die obendrein noch Juden waren? So

[6] Repräsentatives großes Berliner Kino, das schon in den zwanziger Jahren als Uraufführungskino der 1917 gegründeten deutschen Filmgesellschaft Ufa (Abk. für: Universum Film Aktiengesellschaft) genutzt wurde.

sah ich zitternd und zugleich entzückt Willi Forsts »Maskerade«. Aber ich hatte Glück, denn weder damals noch später – von nun an interessierten mich fast ausschließlich Filme, die nur für Erwachsene zugelassen waren – habe ich die Kontrolle, vor der ich mich immer so fürchtete, erleben müssen. Die Polizei hatte in jenen Jahren offenbar andere Aufgaben, als sich um die Überprüfung des Kinopublikums zu kümmern.

Als Paula Wesselys Partner sah man in diesem besonders schönen Film Adolf Wohlbrück, einen Schauspieler jüdischer Herkunft, der in Österreich lebte und kurz darauf nach England emigrierte, wo er unter dem Namen Anton Walbrook erfolgreich war. Er gehörte zu den vielen bedeutenden Regisseuren und Schauspielern, auf die das deutsche Theater jetzt verzichten musste. Max Reinhardt, Leopold Jessner und Erwin Piscator, Marlene Dietrich, Elisabeth Bergner und Lilli Palmer, Albert Bassermann, Ernst Deutsch und Fritz Kortner, Tilla Durieux, Lucie Mannheim und Grete Mosheim, Therese Giehse, Helene Weigel und Rosa Valetti, Ernst Busch, Alexander Granach, Peter Lorre und Max Pallenberg – sie alle und viele andere, deren Namen mittlerweile schon vergessen sind, mussten emigrieren: Weil sie Juden oder jüdischer Herkunft waren oder weil sie im »Dritten Reich« unter keinen Umständen leben wollten.

Doch war in der Weimarer Republik die Zahl der originellen, der bedeutenden Regisseure, Schauspieler und Bühnenbildner ungewöhnlich groß gewesen. An denjenigen, die in Deutschland geblieben waren, zeigten sich die nationalsozialistischen Kulturpolitiker sofort interessiert – auch wenn sie eine linke oder gar kommunistische Vergangenheit hatten wie der Schauspieler Heinrich George, wie der Regisseur Erich Engel, wie die Bühnenbildner Traugott Müller und Caspar Neher oder jüdisch »versippt« waren wie die Schauspieler Hans Albers, Paul Bildt, Theo Lingen oder Paul Henckels.

Denn dem »Dritten Reich« war sehr daran gelegen, das hohe Niveau des Berliner Theaterlebens vor 1933 aufrechtzuerhalten. Das ist zum Teil gelungen, allerdings nur zum Teil: Was die meisten Berliner Bühnen ab 1933 zu bieten hatten, war in der Regel mittelmäßig. Aber im Schauspielhaus am Gendarmenmarkt und im angeschlossenen »Kleinen Haus«, die beide von Gustaf Gründgens geleitet wurden (ihn hatte 1928 Max Reinhardt[7] nach Berlin geholt), sowie im Deutschen Theater und in den Kammerspielen, die Heinz Hilpert unterstanden, der noch unlängst Reinhardts engster Mitarbeiter und erster Regisseur gewesen war, wurde die Theaterkultur der Weimarer Republik auf eindrucksvolle, bisweilen auf glanzvolle Weise kontinuiert[8]. Ähnliches gilt für die Staatsoper Unter den Linden, an der, ein ungewöhnlicher Fall, der Jude Leo Blech[9] bis 1937 als Generalmusikdirektor tätig sein durfte.

Was sich auf diesen Bühnen abspielte, hatte mit den Wünschen der Kulturpolitiker des »Dritten Reichs«, von ganz wenigen Ausnahmen abgesehen, nichts gemein. Gründgens – und das muss ihm hoch angerechnet werden – hat aus dem Haus am Gendarmenmarkt eine Insel gemacht, die in den Jahren des Terrors Unterschlupf für die besten Bühnenkünstler bot, zumal für jene, denen das Regime (meist nicht ohne Grund) misstraute. So konnte – um sich auf dieses Beispiel zu beschränken – der Regisseur Jürgen Fehling[10], der vom jetzt verfemten und geächteten Expressionismus[11] herkam und aus dem Ensemble Leopold Jessners[12], im Haus von Gründgens sein außerordentliches Talent ganz entfalten. In den führenden Berliner Theatern dominierte nach wie vor der Geist der zwanziger Jahre.

7 Max Reinhardt (1873–1943): österreichischer Regisseur.
8 Fortgesetzt, fortgeführt.
9 Deutscher Dirigent und Komponist (1871–1958).
10 Deutscher Regisseur (1885–1968).
11 Ausdrucksform in Kunst und Literatur, die sich zwischen 1910 und 1925 entwickelte und vom Naturalismus (siehe Seite 67, Fußnote 33) abheben wollte; auf der Theaterbühne zeigte sich der Expressionismus in einer ekstatischen Steigerung von Ton und Gestik, unterstützt durch Bewegungschor, Tanz und Pantomime.
12 Deutscher Schauspieler und Regisseur (1878–1945).

Geändert aber hatte sich der Spielplan. Die meisten neueren Dramatiker deutscher Sprache durften nicht gespielt werden – weil sie Juden oder jüdischer Herkunft waren (so Hofmannsthal, Schnitzler und Sternheim, Ferdinand Bruckner, Walter Hasenclever und Ernst Toller), weil sie Emigranten und Gegner des »Dritten Reichs« waren (das gilt vor allem für Brecht, Horváth und Georg Kaiser) oder weil sie als »entartet« galten (wie etwa Wedekind, Barlach und Marieluise Fleißer).[13] Und da die von den Nazis gebilligten oder geförderten Autoren in der Regel sehr schwache, wenn nicht erbärmlich schlechte Stücke lieferten, blieb solchen Intendanten wie Gründgens und Hilpert nichts anderes übrig, als auf das Repertoire der Vergangenheit zurückzugreifen: Man spielte die Dramen der großen Literatur von Aischylos über Shakespeare bis Bernard Shaw[14] und natürlich die deutschen Klassiker von Lessing bis Gerhart Hauptmann.

Ich hatte also Gelegenheit, die Weltdramatik nicht nur lesend kennen zu lernen. Alles interessierte mich brennend, ich saugte es förmlich auf. Die Theatervorstellungen prägten meine Existenz und markierten meinen Alltag. Aber manch ein berühmtes Werk enttäuschte mich oder blieb mir fremd. Ich erkannte wohl die Bedeutung Molières, doch ein wenig langweilte er mich, lieben konnte ich ihn nicht. Ich fand Goldoni gewiss bemerkenswert, aber ziemlich albern. Mein Verhältnis zu Beaumarchais und Gogol war respektvoll, natürlich, doch etwas distanziert. Ibsen, der nur selten aufgeführt wurde, was

[13] Hugo von Hofmannsthal (1874–1929), Ferdinand Bruckner (1891–1958): österreichische Schriftsteller; Walter Hasenclever (1890–1940), Ernst Toller (1893–1939), Georg Kaiser (1878–1945), Frank Wedekind (1864–1918): deutsche Schriftsteller; Ernst Barlach (1870–1938): deutscher Bildhauer, Grafiker und Schriftsteller; Marieluise Fleißer (1901–1974): deutsche Schriftstellerin.

[14] Aischylos (525/24 v. Chr. – 456/55 v. Chr.): griechischer Schriftsteller der Antike; George Bernard Shaw (1856–1950): irischer Dramatiker; Gerhart Hauptmann (1862–1946): deutscher Schriftsteller.

verwunderlich ist, schien mir veraltet, Bernard Shaws Komödien, die man häufig sehen konnte, belustigten mich, ohne auf mich tiefer einzuwirken.[15]

Wie schwierig es damals war, spielbare Stücke zu finden, mag man daran erkennen, dass die Intendanten sich nicht scheuten, vom Archiv der Theatergeschichte zu profitieren und neben allerlei Boulevardstücken auch einst weltberühmte, doch inzwischen längst verstaubte Reißer wie »Ein Glas Wasser« von Scribe oder »Die Kameliendame« von Alexandre Dumas (fils) hervorzuholen und mit virtuosen Aufführungen attraktiv zu machen.[16] Von Oscar Wilde konnte man damals auf den Berliner Bühnen innerhalb kurzer Zeit alle vier Lustspiele sehen, drei wurden in den Jahren 1935 und 1936 auch noch verfilmt.[17]

Das alles amüsierte mich und regte mich auch an, und ich bewunderte die großen Schauspieler, die selbst läppische Stücke zum Leben zu erwecken vermochten. Aber es traf mich nicht. Lohnt es sich, heute darüber zu schreiben? Vielleicht nur, um erkennbar zu machen, was mich wirklich traf, berührte und aufregte. Es waren zunächst und vor allem und immer wieder die Komödien und, in noch höherem Maße, die Tragödien Shake-

---

[15] Molière (1622–1673): französischer Dramatiker, Schauspieler und Theaterdirektor; Carlo Goldoni (1707–1793): italienischer Dramatiker; Pierre Augustin Caron de Beaumarchais (1732–1799): französischer Schriftsteller; Nikolai Wassiljewitsch Gogol (1809–1852): russischer Schriftsteller.

[16] »Ein Glas Wasser« (UA 1840): Prosakomödie des französischen Dramatikers Eugène Scribe (1791–1861); »Die Kameliendame«: Roman (1848) und Drama (UA 1852) des französischen Schriftstellers Alexandre Dumas (fils: Sohn; 1824–1895).

[17] Die Lustspiele des irischen Schriftstellers Oscar Wilde (1854–1900) sind allesamt, zum Teil mehrfach verfilmt worden: »Lady Windermeres Fächer« (UA 1892; Verfilmungen: England 1916, Deutschland 1935), »Eine Frau ohne Bedeutung« (UA 1893; Verfilmungen: England 1921, Deutschland 1936), »Bunbury oder Die Bedeutung, Ernst zu sein« (UA 1895; Verfilmungen: England 1951, USA 2002), »Ein idealer Gatte« (UA 1895; Verfilmungen: Deutschland 1935, England 1947, USA 1999 unter dem Titel »Ein perfekter Ehemann«).

speares. Und es waren Dramatiker wie Lessing, Goethe und Schiller, Kleist, Büchner und Grabbe, Raimund und Nestroy, Grillparzer und Hebbel sowie schließlich Gerhart Hauptmann.[18] Suchte ich etwa mitten im »Dritten Reich«[19] das andere Deutschland? Nein, auf diese Idee kam ich gar nicht. Aber von einer feindlichen, bestenfalls frostigen Welt umgeben, sehnte ich mich, bewusst und unbewusst, nach einer Gegenwelt. Und ich fand eine deutsche Gegenwelt. Später hat man manche Inszenierungen an den führenden Berliner Bühnen als Widerstandsleistungen gegen die Nazis gerühmt. Hat es denn Derartiges wirklich gegeben? 1937 wurde am Deutschen Theater Schillers »Don Carlos« aufgeführt; Albin Skoda spielte den Carlos und Ewald Balser den Marquis Posa. Über diese Aufführung hat man damals viel geredet und gemunkelt. Doch was Aufsehen erregte, war nicht etwa ihre Qualität, die übrigens niemand bezweifelte, sondern ein etwas unheimlicher Umstand: Allabendlich gab es nach Posas Worten »Geben Sie Gedankenfreiheit« so lauten Beifall, dass es vorerst unmöglich war, die Vorstellung fortzusetzen. Der Darsteller des Königs musste ziemlich lange warten, bis sich das Publikum beruhigte und er endlich die Worte »Sonderbarer Schwärmer« sprechen konnte.

War das mehr als Beifall für Schillers Verse und Balsers Rezitationskunst? War das wirklich eine Demonstration gegen den Staat der Nazis? Ja, sehr wahrscheinlich. Nur wäre es lächerlich anzunehmen, das sei den Machthabern entgangen. Goebbels[20] hat sich über diese Inszenierung in seinem Tage-

---

[18] Christian Dietrich Grabbe (1801−1836): deutscher Schriftsteller; Ferdinand Raimund (1790−1836), Johann Nepomuk Nestroy (1801−1862): österreichische Schauspieler und Schriftsteller.

[19] Bezeichnung für Deutschland während der Zeit des Nationalsozialismus.

[20] Joseph Goebbels (1897−1945), von 1933 an Reichsminister für Volksaufklärung und Propaganda; damit unterstanden sämtliche Kommunikationsmedien − Rundfunk, Presse, Buchwesen, Film und alle anderen Kunstsparten − seiner Kontrolle.

buch anerkennend geäußert, und der Reichsdramaturg Rainer Schlösser[21] soll gesagt haben, nach den viel zitierten Worten Posas habe das Publikum schon zu Schillers Lebzeiten kräftig applaudiert. Jedenfalls konnte der »Don Carlos« zweiunddreißigmal gespielt werden.

Als Höhepunkt der Auseinandersetzung des Staatstheaters mit der nationalsozialistischen Herrschaft gilt Jürgen Fehlings Inszenierung von »Richard III.«[22] mit Werner Krauss. Ich war bei der Premiere am 2. März 1937 dabei. Ich werde diese Vorstellung nicht vergessen – die schauspielerische Leistung von Werner Krauss ebenso wenig wie die radikale Regiekonzeption Fehlings. Er hat die Geschichte des Zynikers und des herrschsüchtigen Verbrechers in der Tat so inszeniert, dass sie auf Hitler und auf die Verhältnisse in der deutschen Gegenwart bezogen werden konnte – zumal entsprechende Textstellen besonders hervorgehoben wurden, etwa: »Schlimm ist die Welt, sie muss zugrunde gehn / wenn man muss schweigend solche Ränke sehn.«

Die Leibgarde des frevelhaften Königs trug schwarz-silberne Uniformen, die an jene der SS denken ließen, und die Mörder des Herzogs von Clarence waren in braunen Hemden und in Schaftstiefeln zu sehen und erinnerten wiederum an die SA. Großartig und verblüffend war das Finale: Nach den Worten »Das Feld ist unser und der Bluthund tot« wurde es vollkommen dunkel, auf der Bühne und im Zuschauerraum. Nach wenigen Augenblicken gingen alle Lichter plötzlich an, auch im Zuschauerraum. Die Soldaten auf der Bühne sanken in die Knie und stimmten ein gewaltiges Tedeum[23] an, das von allen Seiten des Saales zu hören war.

Was Fehling, ohne Shakespeares Text zu ändern oder zu er-

---

21 Schlösser (1899–1945) war während der Naziherrschaft »Reichsdramaturg« im Reichsministerium für Volksaufklärung und Propaganda.
22 Drama Shakespeares (UA 1593).
23 Verkürzung des lateinischen »Te Deum laudamus« (»Dich, Gott, loben wir«).

gänzen und ohne etwa eine neue Übersetzung zu verwenden, mit dieser Inszenierung im Sinne hatte, ist unzweifelhaft. Es fragt sich nur, ob die angestrebte Tendenz von den Zuschauern auch wirklich verstanden wurde oder vielleicht bloß von jenen, die ohnehin Gegner des Regimes waren. Ihnen haben die antinazistischen Akzente und die verschiedenen Anspielungen nicht nur im »Richard III.«, sondern mitunter auch in den Aufführungen anderer klassischer Dramen Genugtuung und oft diebische Freude bereitet. Aber haben sich diese mehr oder weniger pfiffigen, meist riskanten und gefährlichen Seitenhiebe und Nadelstiche, die oft an kabarettistische Praktiken erinnerten, denn wirklich gelohnt?

Ganz sicher bin ich nicht, zumal Derartiges – und man sollte es nicht übersehen – leider auch unerwünschte Folgen hatte. Die Tatsache, dass manche Aufführungen, richtiger: dass die in manchen Aufführungen enthaltenen Akzente gegen das »Dritte Reich« geduldet wurden, hat man nicht selten als Zeichen der mittlerweile gewonnenen Selbstsicherheit des neuen Regimes, ja sogar einer gewissen Großzügigkeit gedeutet. Denn das ist absolut sicher: Es wäre absurd zu vermuten, hier und da sei es gelungen, die Nazis übers Ohr zu hauen. Was der Zensor[24] nicht versteht – und das gilt für alle Diktaturen –, versteht das Publikum erst recht nicht. Nur hält es der Polizeistaat bisweilen für opportun[25], nicht einzuschreiten.

Natürlich waren gerade mir diese augenzwinkernden, diese heimlichen und unheimlichen Proteste gegen die Tyrannei nicht gleichgültig, aber das Risiko, das die mehr oder weniger rebellierenden Bühnenkünstler auf sich nahmen (ich hatte schon Menschen gesehen, die im Konzentrationslager gewesen waren, und ich konnte diesen Eindruck nicht verdrängen),

---

[24] Staatlicher Prüfer und Kontrolleur von Druckschriften (in vielen nicht demokratischen Staaten erfolgt die Kontrolle noch vor deren Drucklegung, die ohne Genehmigung des Zensors nicht erfolgen darf), auch von Briefen, Filmen etc.
[25] Angebracht, passend in einer bestimmten Situation.

schien mir in keinem Verhältnis zu den realen Ergebnissen zu stehen. Wie ehrenwert diese Proteste auch waren – ich glaubte nicht, sie wären imstande gewesen, auch nur das Geringste zu verändern. Was also konnte das Theater im »Dritten Reich« leisten, was dem Zuschauer bieten? Bestimmt nicht politische Aufklärung, vielleicht aber dasselbe, was ich ihm damals – unter anderem – verdankte. Man könnte es Kräftezuwachs nennen.

Wenn ich mir überlege, welche Klassikerinszenierungen mich damals – neben dem »Don Carlos« und »Richard III.« – am tiefsten ergriffen haben, komme ich in Verlegenheit: Ich bin versucht, sehr viele zu nennen. War es wirklich eine den Zeitgeist ignorierende oder im Widerspruch zu ihm stehende Theaterblüte? Oder sehe ich, was mich in jenen Jahren entzückt hat, noch heute mit den Augen des begeisterungsfähigen, des noch sehr jungen Menschen?

Ich erinnere mich an Lessings »Emilia Galotti«[26], von Gründgens als aufregend-irritierendes Kammerspiel[27] inszeniert: Da er die Fußböden der Räume mit Steinfliesen belegen ließ, hallten und knallten die Schritte der Männer und erzeugten eine gespannte, wenn nicht aggressive Stimmung. Alle Rollen waren glänzend besetzt, doch am stärksten blieb mir Käthe Dorsch in Erinnerung – sie gab eine Gräfin Orsina, die, empfindsam, nervös und hektisch, melancholisch und exaltiert, zwischen unerbittlicher Klarsicht und ergreifendem Wahnsinn schwankte.

Der »Götz von Berlichingen«[28] hat mich nie interessiert, er schien mir nur noch ein literarhistorisches Dokument. Aber wenn ich an das Stück denke oder in ihm blättere, sehe und höre ich immer noch Heinrich George. Er spielte diese Rolle großartig und häufig, er war mit ihr verwachsen, sie gehörte nur ihm – so dass niemand es gewagt hat, sich in ihr zu versu-

---

[26] Drama Lessings (UA 1772).
[27] Theaterstück mit wenigen Figuren, das für die Aufführung in kleinem Rahmen, auf kleinen Bühnen geeignet ist.
[28] Drama Goethes (UA 1774).

chen, jedenfalls nicht in Berlin. Angeblich war George, wenn er den Götz spielte, meist angetrunken. Auch die »Jungfrau von Orleans«[29] mochte ich nicht, doch sehe ich immer noch Luise Ullrich, die den kaum noch erträglichen Auftritt der Johanna (»Lebt wohl, ihr Berge, ihr geliebten Triften, / ihr traulich stillen Täler, lebet wohl! ... Johanna geht, und nimmer kehrt sie wieder!«) unpathetisch und leise gesprochen, wenn nicht gestammelt hat – als sei es ein innerer Monolog[30].

Viel näher stand mir damals der »Egmont«[31], für den ich nach wie vor eine Schwäche habe. Aber leider wird das Stück heute viel zu selten aufgeführt. In der Berliner Inszenierung von 1935 habe ich mich in die Darstellerin des Klärchens verliebt. Es war Käthe Gold, die mich auch als Gretchen und Käthchen, als Ophelia und Cordelia nicht nur verzaubert, sondern geradezu beglückt hat.[32] Und glücklich war ich, als ich sie nach 1945 zum ersten Mal wieder auf der Bühne sah: Sie war damals 42 Jahre alt und spielte, es war in Zürich, immer noch das Gretchen. Sie war wunderbar.

In meinem ganzen Leben hat mich keine Schauspielerin so nachhaltig beeindruckt wie Käthe Gold – auch nicht Elisabeth Bergner, die ich allerdings nur in ihren späten Jahren kannte, auch nicht Paula Wessely, die ich zu selten im Theater zu sehen bekam. Aber in Grillparzers »Des Meeres und der Liebe Wellen«[33] und als Shaws heilige Johanna[34] ist mir die Wessely noch heute gegenwärtig. Sie war auch eine hervorragende Film-

---

[29] Drama Schillers (UA 1801).
[30] Fachbegriff der Literaturwissenschaft, der das Selbstgespräch, die von anderen nicht unterbrochene Rede (Monolog) einer Person beschreibt, wenn darin unmittelbar deren innere Zustände, Gedanken, Phantasien oder Ängste zum Ausdruck kommen.
[31] Drama Goethes (UA 1789).
[32] Gretchen: Figur in Goethes »Faust«; Käthchen: Figur in Kleists Drama »Das Käthchen von Heilbronn« (UA 1810); Ophelia: Figur in Shakespeares »Hamlet«; Cordelia: Figur in Shakespeares »König Lear«.
[33] Drama Grillparzers (UA 1831).
[34] Hauptfigur in Shaws Drama »Die heilige Johanna« (UA 1923).

schauspielerin, was von der Gold nicht gesagt werden kann. Das mag damit zusammenhängen, dass die stärkste Seite ihres Talents ihre Sprechkunst war, die im Film in der Regel weit weniger zur Geltung kommt.

In Fehlings »Käthchen von Heilbronn«-Aufführung von 1937 – er hatte ein romantisches Ritterspektakel mit Blitz und Donner, mit viel, gar zu viel Feuer und Gepolter inszeniert und mit einem ganz zarten poetischen Kammerspiel verbunden – war Käthe Gold als Käthchen mädchenhaft und märchenhaft, zierlich und zauberhaft, demütig und auch ein ganz klein wenig aufmüpfig. Sie konnte schlechthin alles spielen, alles, was jung und weiblich war: sogar das verträumte Mädchen in Hauptmanns schwer erträglichem »Glashüttenmärchen« mit dem Titel »Und Pippa tanzt!«, sogar einen Backfisch in dessen Lustspiel »Die Jungfern vom Bischofsberg«.[35]

Die Premiere dieses aus dem Jahre 1907 stammenden Lustspiels hatte mich aufgeschreckt und deprimiert – obwohl die Aufführung, neben Käthe Gold spielte auch Marianne Hoppe mit, ausgezeichnet war. Sie fand im November 1937 zu Ehren des fünfundsiebzigsten Geburtstags von Gerhart Hauptmann statt. Die Nazis mochten ihn nicht, er bereitete ihnen, ob er es wollte oder nicht, immer wieder Kummer. Aber sie brauchten dringend einen repräsentativen Schriftsteller der älteren Generation, einen lebenden Klassiker – und so kam, da Thomas Mann emigriert war, nur Hauptmann in Frage.

Damit hing es auch zusammen, dass das Propaganda-Ministerium[36] Neuinszenierungen vieler seiner alten Stücke geduldet und bisweilen wohl empfohlen hatte. Sie waren den Intendanten angesichts der wachsenden Repertoire-Schwierigkeiten[37]

---

35 Dramen Hauptmanns (UA 1906 bzw. 1907).
36 Das »Propaganda-Ministerium« hieß offiziell Reichsministerium für Volksaufklärung und Propaganda (siehe Seite 91, Fußnote 20).
37 Das Repertoire eines Theaters umfasst all jene Stücke, die während einer Spielzeit auf dem Programm stehen oder jederzeit wieder aufgenommen und aufgeführt werden können.

durchaus willkommen. »Die Weber« freilich durften im »Dritten Reich« nicht gespielt werden. Ein Kuriosum: Während des Krieges wollten die Nazis »Die Weber« doch aufführen lassen, aber mit einem neuen, optimistischen Schluss, des Inhalts etwa, dass die Weber es in Hitlers Staat gut hätten. Gerhart Hauptmann lehnte das Ansinnen ab.

Bei vielen Aufführungen aus Anlass seines Geburtstags war er anwesend, so auch bei der Premiere der »Jungfern vom Bischofsberg«. Er saß in der Ehrenloge zusammen mit Hermann Göring[38]. Ich hatte einen billigen Platz im zweiten Rang, von dem sich diese Loge gut beobachten ließ. Der Beifall nach dem Ende der Vorstellung war stürmisch und galt offensichtlich nicht nur den Schauspielern, sondern auch den beiden prominenten Herrn, die leutselig dankten. Sie dankten mit dem Hitler-Gruß. Jawohl, ich habe es genau gesehen: Der greise Hauptmann, der Autor der »Weber« und der »Ratten«, er, zu dessen Aufstieg zum großen Teil Juden beigetragen hatten (vor allem Otto Brahm[39] und Max Reinhardt, Alfred Kerr und Siegfried Jacobsohn), er kannte tatsächlich keine Hemmungen, die Hand zum Hitler-Gruß zu erheben.

Zu den wichtigsten Aufführungen in diesem Hauptmann-Jubiläumsjahr gehörte der »Michael Kramer«[40] mit Werner Krauss. Er sah in dieser Rolle wie Johannes Brahms[41] aus. Der Gegenspieler, Kramers verbummelter Sohn Arnold, kam mir interessanter vor: Ihn gab Bernhard Minetti. Man kann sich heute den Ruhm von Werner Krauss kaum vorstellen, zumal wir jetzt, nach dem Tod von Krauss, Gründgens oder Kortner,

---

38 Hermann Göring (1893–1946): deutscher Politiker, Vertrauter Hitlers (von 1939 an zu dessen Nachfolger bestimmt), von 1933 bis 1945 Reichsminister für Luftfahrt und Oberbefehlshaber der deutschen Luftwaffe.

39 Otto Brahm (1856–1912): deutscher Literaturhistoriker, Kritiker, Theaterleiter.

40 Drama Hauptmanns (UA 1900).

41 Deutscher Komponist (1833–1897).

Schauspieler von einem auch nur im Entferntesten vergleichbaren Format und Ansehen nicht mehr haben. Seine Verwandlungsfähigkeit war unbegrenzt: Er spielte in den dreißiger Jahren (mitunter innerhalb einer Woche) den Faust, den Wallenstein[42] und den Kandaules in Hebbels »Gyges und sein Ring«[43], Richard III. und den König Lear und zwischendurch auch noch den Professor Higgins in Shaws »Pygmalion«, einem seiner besten Lustspiele, das freilich von dem Musical »My Fair Lady«[44] rücksichtslos verdrängt wurde.

Sollte ich die Frage beantworten, in welcher dieser Rollen er auf mich am stärksten gewirkt hat, würde ich wohl zwischen Wallenstein, Kandaules und Richard III. schwanken. Viele Jahre später habe ich in Hamburg als Wallenstein und als Kandaules Gründgens gesehen. Er war in beiden Rollen erschütternd und virtuos, doch Werner Krauss nicht ebenbürtig: Ihm fehlte jene Unmittelbarkeit und jene elementare Kraft, die so stark, ja, überwältigend waren, dass sie Krauss' handwerkliches Können, seine Brillanz vergessen ließen. Wenn Gründgens auf der Bühne erschien, begann er gleich zu agieren: Aus seinen Blicken und Bewegungen, aus Worten und Wendungen, aus plötzlichen Pausen und unerwarteten Beschleunigungen ergab sich dann auf wunderbare Weise eine so suggestive[45] wie originelle Figur. Wenn Krauss auf die Bühne kam, war die Figur, die er spielte, sofort da – ohne dass er etwas gesagt oder getan hätte.

Als König Lear hat er mich ein wenig enttäuscht. Lag das an ihm oder am Stück oder vielleicht an mir? Die Geschichte eines

---

[42] Schillers Drama in drei Teilen (UA 1798/99), in dem die historische Figur des Herzogs und Feldherrn Albrecht von Wallenstein (1583–1634) und deren Scheitern im Zentrum steht.

[43] Drama Hebbels (UA 1889).

[44] Das Musical »My Fair Lady« (UA 1956) von Alan Jay Lerner (Buch und Liedtexte) und Frederick Loewe (Musik) basiert auf Shaws Drama »Pygmalion« (UA 1913).

[45] Eindringlich, auf andere eine starke Wirkung bzw. Macht ausübend.

offenbar senilen Greises, der nicht mehr imstande ist, die Welt wahrzunehmen, geschweige denn sie einigermaßen vernünftig zu beurteilen, der sein Reich leichtsinnig verschenkt und auf die Gnade von zwei bösen, niederträchtigen Töchtern angewiesen ist, der vereinsamt und wahnsinnig auf der Heide umherirrt (und zu allem Unglück gibt es auch noch Sturm, Blitz und Donner) – nein, diese Geschichte konnte mich schwerlich überzeugen.

Aber der »Lear« gehört doch zu den berühmtesten Tragödien[46] der Weltliteratur. Ich wurde unsicher, ich las dies und jenes über das Stück, aber nichts konnte mir helfen oder mich überzeugen – bis ich schließlich eine Kritik Alfred Kerrs aus dem Jahre 1908 fand. Zu meiner Überraschung und Freude las ich über den »Lear«: »Dieses Werk ist mir auf der Bühne heute fast unerträglich, mit den Kinderplumpheiten, den dicken Häufungen, die es neben der Größe zeigt.« Damit war der Fall »König Lear« für mich erledigt – so schien es mir.

Nach dem Krieg habe ich das Stück mehrfach gesehen, in verschiedenen Sprachen. Allmählich hörte das archaische[47] Märchen auf, mir gleichgültig zu sein. Ich begann die Gründe seines Ruhms zu verstehen. Warum hatte sich mein Verhältnis zu diesem Drama mit den Jahren deutlich geändert? Ich wusste es nicht – bis mir, es ist noch nicht so lange her, ein spätes Goethe-Gedicht aufgefallen ist. Es beginnt mit den Worten: »Ein alter Mann ist stets ein König Lear.«[48] Als Goethe dies schrieb, war er 78 Jahre alt.

Muss man alt werden, um den »Lear« zu begreifen, zu bewundern? Muss man jung sein, um sich für »Romeo und Julia«[49] zu begeistern? Ich war dreizehn oder vierzehn Jahre alt, als ich von einer Tante, die von meinem Theaterenthusiasmus

---

46 Dramen mit tragischem Ausgang, Trauerspiele.
47 Aus der Frühzeit der Menschheit oder der Kunst stammend, im Stil dieser frühen Kunst, altertümlich.
48 Aus Goethes Gedichtzyklus »Zahme Xenien« (1815/1827).
49 Drama Shakespeares (entstanden 1591 oder 1594/95).

wusste, plötzlich angerufen wurde: Ob ich ins Theater gehen wolle, sie habe eine Freikarte, aber ich müsste mich sofort auf den Weg machen, gespielt werde »Romeo und Julia«. Ich fuhr gleich los – zu einem Theater, das sich im Laufe der Jahre mehrfach gezwungen sah, seinen Namen zu wechseln: In der wilhelminischen Zeit[50] hieß es »Theater in der Königgrätzer Straße«, in der Weimarer Republik »Theater in der Stresemann-Straße« und im »Dritten Reich« »Theater in der Saarlandstraße«. Nach dem Zweiten Weltkrieg entschied man sich für eine Bezeichnung, die nicht mehr von der deutschen Geschichte abhängig war: Hebbel-Theater.

Zu den Shakespeare-Dramen, die ich schon kannte, gehörte »Romeo und Julia« nicht. Und da ich von der Freikarte erst im letzten Augenblick erfuhr, konnte ich das Stück nicht mehr lesen oder mich wenigstens in einem Schauspielführer informieren. Vielleicht hing es auch mit dieser Ahnungslosigkeit zusammen, dass mich »Romeo und Julia« fast aus der Fassung brachte, fast bis zur Sprachlosigkeit, dass mich dieses Stück damals so tief getroffen hat wie später nur noch eine einzige Shakespeare-Tragödie: »Hamlet«. Mit der Qualität der Aufführung konnte dies wohl kaum zu tun haben: Die Inszenierung war, wenn ich mich recht entsinne, eher ordentlich als hervorragend, den Romeo gab Wolfgang Liebeneiner, der in den nächsten Jahren als Regisseur und als Filmschauspieler sehr erfolgreich werden sollte. Warum also hat mich dieser Theaterabend so aufgewühlt?

Ich hatte schon viele Romane und Erzählungen, Gedichte und Dramen gelesen, in deren Mittelpunkt die Liebe stand. Doch waren sie für mich, der ich noch nicht die geringsten erotischen Erfahrungen gemacht hatte, etwas Abstraktes geblieben. Erst an diesem Abend begriff ich, was Liebe ist. Weil das Theater sinnlicher und anschaulicher ist als die Texte selbst der schönsten Novellen oder Balladen? Nicht nur. Ich spürte, was »Romeo

---

[50] Regierungszeit Kaiser Wilhelms II. von 1890 bis 1918.

und Julia« von den anderen literarischen Werken unterschied: Es war, zunächst einmal, Shakespeares unheimliche Radikalität, die Unbedingtheit seiner Behandlung dieses Themas.

Zum ersten Mal habe ich verstanden oder vielleicht nur geahnt, dass die Liebe eine Sucht ist, die keine Grenzen kennt, dass das Außersichsein der von ihr Beglückten und Heimgesuchten zu einer Raserei führt, die der ganzen Welt Trotz bietet, zu bieten versucht. Ich habe gespürt, dass die Liebe ein Segen ist und ein Fluch, eine Gnade und ein Verhängnis. Wie von einem Blitz wurde ich von der Entdeckung getroffen, dass Liebe und Tod zueinander gehören, dass wir lieben, weil wir sterben müssen.

Damals, vor über sechzig Jahren, hätte ich die Ursache dieser überwältigenden Wirkung, die Shakespeares »Romeo und Julia« auf mich ausgeübt hat, natürlich nicht zu erklären vermocht. Ich konnte nicht wissen, dass ich, nur wenige Jahre später, die bedrohliche Nähe, die grausame Nachbarschaft von Liebe und Tod selber erleben würde. Dass mir ein Erlebnis bevorstand, so herrlich wie schrecklich: zu lieben, ohne auch nur für einen Augenblick die höchste Todesgefahr vergessen zu können, und also liebend die Nähe des Todes zu ertragen. Was bleibt von Kunst? Robert Musil[51] hat diese Frage gestellt und gleich lapidar beantwortet: »Wir, als Geänderte, bleiben.« Ich zögere nicht zu sagen: »Romeo und Julia« hat mich geändert – und Shakespeares Tragödie des Intellektuellen ebenfalls, also die Geschichte vom Dänenprinzen Hamlet[52].

»Hamlet« hat meinen Lebensweg oft gekreuzt, mit Sicher-

---

51 Robert Musil: österreichischer Schriftsteller (1880–1942).

52 In Shakespeares Tragödie »Hamlet, Prinz von Dänemark« (UA 1602/3) steht der Titelheld, Sohn des ermordeten Königs von Dänemark und Student, vor der Frage, ob er seinen Vater rächen soll. Der wurde offenbar vom eigenen Bruder, dem Onkel Hamlets, aus dem Weg geräumt und erscheint seinem Sohn Hamlet nun als ein nach Vergeltung rufender Geist. Der Mörder hat inzwischen seine Schwägerin, die Mutter Hamlets, geheiratet und den Thron übernommen.

heit häufiger als irgendein anderes Drama der Weltliteratur. In der Schule haben wir den »Hamlet« im Englischunterricht gelesen. Ich wundere mich, dass der Lehrer gerade Shakespeares längstes und in mancherlei Hinsicht auch schwierigstes Stück ausgewählt hat, aber ich bin ihm bis heute dafür dankbar. Für fremdsprachige Texte, lateinische zumal, benutzten nicht wenige von uns Schülern die streng verbotenen »Klatschen«: kleine, dünne Hefte, die sich leicht verstecken ließen. Sie enthielten wörtliche Übersetzungen, die uns die Suche im Wörterbuch ersparten. Auch für den »Hamlet« bediente ich mich, die Verbote ignorierend, einer »Klatsche«, einer edlen freilich: der schlegelschen Übersetzung[53]. Seitdem liebe und schätze ich sie – und daran haben die vielen neueren Übersetzungen, auch wenn sie hier und da den englischen Text genauer wiedergeben, nichts zu ändern vermocht.

Auf der Bühne habe ich den »Hamlet« mindestens zehnmal gesehen – in vier Sprachen (Deutsch, Englisch, Französisch und Polnisch) und mit so großen Schauspielern wie Laurence Olivier und Jean-Louis Barrault. Mehrere Verfilmungen kommen hinzu. Ich erwähne dies alles aus zwei Gründen. Erstens: Es wäre peinlich, wollte ich mich dessen rühmen, was ich in meinem Leben geschrieben habe. Aber vielleicht darf man sich bisweilen dessen rühmen, was man zu schreiben unterlassen hat. So habe ich allen Versuchungen widerstanden und nie auch nur den kleinsten Aufsatz über den »Hamlet« verfasst; ich habe es nicht gewagt. Und zweitens: Was immer ich im Zusammenhang mit dem »Hamlet« erlebt habe, wann immer ich mich an dieses Drama erinnere und wann immer ich mich mit ihm beschäftige, muss ich an Gustaf Gründgens denken.

---

53 An der bis heute viel verwendeten Schlegel/Tieck-Übersetzung der Shakespeare-Dramen, vollständig erstmals 1833 publiziert, waren neben Wilhelm von Schlegel (1767-1845) vor allem Wolf Graf von Baudissin (1797-1833) und Dorothea Tieck (1799-1841) beteiligt; von Ludwig Tieck (1773-1853) wurde diese Ausgabe kommentiert und weitergeführt.

Werner Krauss habe ich bewundert, Käthe Dorsch beinahe verehrt und Käthe Gold geliebt. Gustaf Gründgens indes hat mich nahezu hypnotisiert. Damit will ich nicht sagen, er sei der größte deutsche Schauspieler in der Zeit meiner Jugend gewesen – als solcher gilt meist Werner Krauss. Aber keiner stand mir so nahe, keiner interessierte mich so sehr wie Gründgens. Das hat mit den Zeitumständen zu tun. 1934 wurde er, kaum 34 Jahre alt, von Göring zum Intendanten der Staatlichen Schauspiele in Berlin ernannt. Es gelang ihm, in verhältnismäßig kurzer Zeit aus dem Haus am Gendarmenmarkt Deutschlands bestes Theater zu machen. Damit hat er – das kann man gar nicht bezweifeln – dem Staat Adolf Hitlers gedient. Aber er hat zugleich (und auch das ist sicher) jenen gedient, die an der Herrschaft der Nationalsozialisten litten und mitten im »Dritten Reich« Trost und Hilfe suchten – im Theater, zumal bei den Klassikern. Und nicht zuletzt: Er hat das Leben von Menschen gerettet, die damals aufs Höchste gefährdet waren.

Doch was mich reizte und irritierte, das war nicht etwa die imponierende Arbeit des Intendanten und des Regisseurs Gründgens, das war vielmehr seine schauspielerische Leistung. Wie haben sie mich beeindruckt: Werner Krauss, Emil Jannings, Eugen Klöpfer, Heinrich George, Friedrich Kayssler, Paul Hartmann. Sie alle hatten ihre künstlerische Laufbahn im Kaiserreich begonnen und waren schon damals erfolgreich, ja zum Teil sogar berühmt. Ich schätzte sie außerordentlich, aber als zwar bewundernswerte, doch aus einer früheren Epoche stammende Mimen. Gründgens war jünger als die großen Schauspieler jener Zeit, er, den nicht das wilhelminische Deutschland geprägt hatte, sondern die Weimarer Republik, schien mir auch ungleich moderner.

Um die ihrer Ansicht nach dekadente[54] Großstadtkultur, um das, was sie für verdorben, verächtlich und verwerflich hiel-

---

54 Kulturell und sittlich im Verfall begriffen; beliebter Vorwurf von Gegnern moderner und ungewöhnlicher Kunst.

ten, zu charakterisieren, haben sich die Nationalsozialisten oft der Vokabel »Asphalt« bedient: Sie sprachen von der »Asphaltpresse«, der »Asphaltkultur« und, am häufigsten, von den »Asphaltliteraten«. Obwohl es Goebbels war, der diesen Begriff wenn nicht erfunden, so gewiss popularisiert[55] hat, habe ich ihn gern, er gefällt mir: Sollte mich jemand heute als einen »Asphaltliteraten« bezeichnen, es würde mich nicht beleidigen, sondern freuen. Große Literatur ist, immer schon, in Großstädten entstanden: Die Schriftsteller, die ich liebe, kommen aus Stratford, aus Neuruppin, Auteuil oder Augsburg,[56] aber berühmt wurden sie in London, in Berlin oder in Paris.

In Gründgens sah ich den typischen Repräsentanten der Kultur der zwanziger Jahre, eben der »Asphaltkultur«. Er blieb ihr im »Dritten Reich« treu. Mit dem Geist der Nationalsozialisten und dem Stil, der ihnen vorschwebte, hatte der Schauspieler Gründgens, der noch unlängst mit Erika Mann verheiratet und mit Klaus Mann befreundet gewesen war,[57] nichts gemein, mehr noch: Ich hielt ihn für den Antityp der Zeit. Nicht Blut und Boden[58] verkörperte er, wohl aber das Morbide[59] und das Anrüchige, das Zwielichtige. Nicht die Helden spielte er und auch nicht die Gläubigen, sondern die Gebrochenen und die Degenerierten, die Schillernden. Er war ein Nar-

---

55 Bekannt (populär) machen, der Allgemeinheit nahe bringen.
56 Stratford upon Avon (England) ist der Geburtsort Shakespeares; in Neuruppin wurde Theodor Fontane geboren; Marcel Proust wurde in Auteuil, nahe bei Paris, geboren; Augsburg ist die Geburtsstadt von Bertolt Brecht.
57 Die deutsche Schriftstellerin, Schauspielerin und Journalistin Erika Mann (1905–1969) war Vertraute und Mitarbeiterin ihres Vaters, des Schriftstellers Thomas Mann; der deutsche Schriftsteller Klaus Mann (1906–1949) war ihr Bruder.
58 »Blut und Boden«: Begriff der nationalsozialistischen Ideologie, deren Ideal vom Kriegerischen und Bäuerlichen geprägt war.
59 Kränklich, im sittlichen Verfall begriffen (im Bereich der Kunst keineswegs nur negativ aufgefasst).

ziss und ein Neurastheniker,[60] der Rollen bevorzugte, die es ihm ermöglichten, das Narzisstische und das Neurasthenische zu verdeutlichen und zu akzentuieren.

Seine Kunstauffassung, seine antiheroische Haltung, seine Vorliebe für die Zweifler, die Ironiker und die Skeptiker – das alles war genau das Gegenteil von dem, was die Nazis anstrebten, was sie lauthals verkündeten. Eben das glaubte ich zu spüren, sobald ich Gründgens auf der Bühne oder auch auf der Leinwand zu sehen bekam – zumal als Don Juan in Grabbes »Don Juan und Faust«[61] oder als Prinz in der »Emilia Galotti«. Doch nirgends kam es stärker zum Vorschein als in seinem Hamlet.

Der Höhepunkt der künstlerischen Laufbahn von Gründgens war, da ist man sich einig, der Mephisto[62] in beiden Teilen des »Faust«. Sicher, kein anderer Schauspieler unseres Jahrhunderts kann in dieser Rolle mit Gründgens verglichen werden. Ich werde seinen Mephisto nie aus dem Gedächtnis verlieren. Aber für mich, der ich als Jude im »Dritten Reich« lebte und dem die Angst in den Gliedern saß, war sein Hamlet von 1936 noch wichtiger. Es wurde schon oft gesagt, dass jede Generation im »Hamlet« sich selber gesucht und gefunden hat, die eigenen Fragen und Schwierigkeiten, die eigenen Niederlagen. Auch ich habe Züge und Umrisse meiner Existenz im nationalsozialistischen Deutschland im »Hamlet« wiedererkannt – dank Gründgens.

Er spielte einen jungen, einen vereinsamten Intellektuellen,

---

[60] Narziss: ein in sein Spiegelbild verliebter Jüngling der griechischen Sage, hier: ein eitler, selbstbezogener, sich selbst bewundernder Mensch; Neurastheniker, von Neurasthenie: Nervenschwäche, Überempfindlichkeit, nervöse Erregbarkeit.

[61] Drama (UA 1829) des deutschen Schriftstellers Christian Dietrich Grabbe (1801–1836).

[62] Die Rolle des weltläufigen und teuflischen Verführers Mephisto (eigentlich Mephistopheles, siehe Seite 63, Fußnote 21) ist eine besondere Herausforderung an die schauspielerische Leistung.

der, von »des Gedankens Blässe angekränkelt«[63], isoliert ist. Man sah einen passionierten Bücherleser und Theaterenthusiasten, der in eine Außenseiterposition gerät. Hamlets Worte »Die Zeit ist aus den Fugen« und »Dänemark ist ein Gefängnis« hatte Gründgens – so schien es mir jedenfalls – besonders hervorgehoben. In diesem Königreich Dänemark, einem Polizeistaat, werden alle von allen ausspioniert: Der Minister Polonius traut nicht seinem Sohn Laertes, der sich nach Paris begeben hat, er schickt ihm einen Agenten nach, der ihn bespitzeln soll. Die Königin soll mit ihrem Sohn Hamlet sprechen, aber auch ihr kann der Staat nicht trauen, der Minister belauscht persönlich die Unterredung.

Besonders verdächtig ist Hamlet: Er liest und denkt zu viel und überdies ist er gerade aus dem Ausland zurückgekehrt. Man holt rasch zwei Hofleute, Rosenkranz und Güldenstern, die mit ihm aufgewachsen sind und daher für geeignet gehalten werden, ihn zu »erspähn«. Er ist ein Mann, dessen Existenz, anders als die seiner Zeitgenossen, von seinem Geist bestimmt wird, von seinem Gewissen. Er beklagt sich, Gewissen mache Feige aus uns allen, und erklärt, »Nur reden will ich Dolche, keine brauchen« – gleichwohl erdolcht er Polonius. Er ist der Welt, in der er lebt, überlegen und ihr zugleich nicht gewachsen.

Nachdem ich Gründgens gesehen hatte, habe ich jede Szene des »Hamlet« anders gelesen als zuvor – vor allem als Tragödie des Intellektuellen inmitten einer grausamen Gesellschaft und eines verbrecherischen Staates. Haben die Theaterbesucher dieses Stück und diese Aufführung ähnlich wie ich verstanden? Wohl nur eine kleine Minderheit. Aber konnte es den Nazis, zumal ihren Kulturpolitikern und Journalisten, entgehen, dass dieser »Hamlet« auch als politisches Manifest, als Protest gegen die Tyrannei in Deutschland verstanden werden konnte? Nein, natürlich nicht.

---

63 Aus Shakespeares Drama »Hamlet« (wie auch die folgenden beiden Zitate).

Im »Völkischen Beobachter«[64] erschien ein ganzseitiger Artikel, in dem die Hamlet-Interpretation von Gründgens mit damals als Schimpfworte verwendeten Vokabeln (»dekadent«, »neurasthenisch«[65] und »intellektuell«) bedacht und als antinationalsozialistisch geächtet wurde. Gründgens floh sofort in die Schweiz, da er Verfolgungen befürchtete – auch im Zusammenhang mit seinen homosexuellen Neigungen und Praktiken. Doch Göring forderte ihn zur Rückkehr auf und garantierte ihm seine persönliche Sicherheit. Bald war Gründgens wieder in Berlin.

Übrigens verbindet mich mit dieser »Hamlet«-Aufführung von 1936 auch eine ganz andere Erinnerung. Sie hat mit der berühmten (von Käthe Gold zart und dezent gespielten) Wahnsinns-Szene der Ophelia[66] zu tun. Nicht nur sie, die Verwirrte, hatte mich ergriffen, sondern auch die Situation eines hilflosen Zeugen ihres Verhaltens – ihres Bruders Laertes, des jungen Mannes, den der seelische und geistige Zusammenbruch seiner Schwester vollkommen ratlos macht. Als er verzweifelt aufschrie: »Seht Ihr das? O Gott!«, da wurde ich plötzlich von Angst überkommen, auch mir könnte es widerfahren, hilflos mit ansehen zu müssen, wie ein mir ganz nahe stehender Mensch, vom Wahnsinn befallen, schreit und stammelt. Im Zuschauerraum des Hauses am Gendarmenmarkt von Furcht

---

64 Parteizeitung der NSDAP mit dem Untertitel »Kampfblatt der nationalsozialistischen Bewegung Großdeutschlands«. Hitler und seine Partei nutzten die Zeitung als Propagandamittel: Die Texte waren für jedermann verständlich geschrieben, alle Nachrichten wurden nach nationalsozialistischen Absichten und Interessen ausgewählt und abgefasst. Mit der »Machtergreifung« Hitlers 1933 war der »Völkische Beobachter« praktisch zum Regierungsorgan geworden, dessen Verlautbarungen offiziellen Charakter annahmen. Die tägliche Auflage betrug im Jahr 1925 rund 4500 Exemplare, im Jahr 1941 rund 1,2 Millionen.

65 Siehe Seite 105, Fußnote 60.

66 Nachdem Hamlet Ophelia verstößt, obwohl sie einander lieben, und er auch noch ihren Vater Polonius, den Hofmeister, tötet, wird sie wahnsinnig und ertränkt sich.

gelähmt, dachte ich mir: Möge mir dies erspart bleiben. Aber es ist mir nicht erspart geblieben.

So hat mich von allen Schauspielern, die ich in meiner Jugend sehen konnte, gerade jener am stärksten fasziniert, der Görings Schützling war und der 1936 zum Preußischen Staatsrat ernannt wurde. Verwundern mag auch, dass mich in meiner Jugend am nachhaltigsten gerade jener Komponist beeindruckt hat, den man zu den schrecklichsten, den aggressivsten Antisemiten[67] in der Geschichte der Kultur, nicht nur der deutschen, zählen muss.

Ich war ein Kind noch, erst dreizehn Jahre alt, als meine Schwester mich, nach gehöriger Vorbereitung am Klavier, in eine Aufführung der »Meistersinger von Nürnberg«[68] mitnahm. Der nationalsozialistischen Propaganda zum Trotz hat mich diese Oper sofort entzückt – vermutlich auch deshalb, weil es eine Oper über Musik und Literatur ist, über den Künstler und das Publikum, über die Kritik. Bis heute bereitet mir keine Oper mehr Freude, mehr Glück als die »Meistersinger«. Und keine trifft mich tiefer und erregt mich stärker als »Tristan und Isolde«[69].

Ein Fernseh-Reporter hat mich einmal – es war spät nachts in einem Hotelpark, in dem gerade eine Gardenparty zu Ende gegangen war – mit einer einfachen Frage überrascht. Er wollte wissen, wie ich mit einem so wütenden Judenhasser wie Richard Wagner denn eigentlich zurechtkomme. Ich habe ihm spontan geantwortet: »Es gab und gibt viele edle Menschen auf Erden, aber sie haben weder den ›Tristan‹ geschrieben noch die ›Meistersinger‹.«

Geht daraus hervor, dass man ihm seine Arbeit »Über das Judentum in der Musik« vergeben könne? Nein, gewiss nicht. Indes: Unter den bedeutenden Wagner-Dirigenten war immer

---

[67] Erklärter Feind der Juden und alles Jüdischen; gemeint ist hier der Komponist Richard Wagner.

[68] Oper Wagners (UA 1868).

[69] Oper Wagners (UA 1865).

schon der Anteil der Juden erstaunlich groß – von Hermann Levi, der die »Parsifal«-Uraufführung[70] leitete, über Bruno Walter und Otto Klemperer bis zu Leonard Bernstein und Georg Solti, Lorin Maazel, Daniel Barenboim und James Levine. Auch unter den Musikwissenschaftlern, denen wir die zentralen Arbeiten über Wagner verdanken, gibt es viele Juden. Spricht es nun gegen oder vielleicht doch für diese Dirigenten und Wissenschaftler, dass sie die Musik Wagners für wichtiger hielten und halten als seine Publizistik, zumal als jene seiner Arbeiten, die letztlich doch nur Hassausbrüche eines Wirrkopfs sind?

Im März 1958 habe ich in Warschau, kurz vor meiner Rückkehr nach Deutschland, ein längeres Gespräch mit dem Komponisten Hanns Eisler[71] geführt. Er war aus Ostberlin nach Warschau gekommen, um seine Musik zu Brechts Stück »Schwejk im Zweiten Weltkrieg«[72] – ich hatte es zusammen mit meinem Freund Andrzej Wirth ins Polnische übersetzt, die Premiere stand bevor – zu Ende zu schreiben und für eine Bandaufzeichnung zu dirigieren. Einen Abend verbrachten wir zusammen. Eisler, ein leutseliger und beredter Mann, plauderte in bester Laune. Er erzählte uns allerlei Anekdoten, nicht schlechte übrigens, meist über Musiker.

So berichtete er über den Abschiedsbesuch bei seinem Lehrer Arnold Schönberg[73], Anfang 1948 in Los Angeles. Als Schönberg hörte, Eisler werde nach Deutschland zurückkehren, war er betrübt, als er erfuhr, sein von ihm sehr geschätzter Schüler wolle sich in Ostberlin[74] niederlassen, war er beunruhigt. Eisler versuchte ihm zu erklären, er, seit Jahrzehnten

70 Oper Wagners (UA 1882).
71 Deutscher Komponist (1898–1962).
72 Drama von Brecht (1943 entstanden).
73 Österreichischer Komponist (1874–1951), Begründer und Theoretiker der atonalen Musik (der sog. »Zwölftonmusik«).
74 Nach dem Sieg der Alliierten (Verbündeten) über Deutschland im Mai 1945 wurde das Deutsche Reich unter den Siegermächten aufgeteilt, wobei der Osten des Landes und der östliche Teil Berlins an die kommunistische Sowjetunion fiel.

Kommunist, gehöre dorthin, wo seine Genossen nun an der Macht seien. Das könne er schon verstehen, antwortete Schönberg, nur sei die Gefahr groß, dass die Russen ihn entführten. Warum denn gerade ihn? Der etwas weltfremde Meister antwortete allen Ernstes: Die haben doch in der Sowjetunion keinen einzigen Schönberg-Schüler.[75]

Lange dauerte es nicht, und Eisler begann über Wagner zu reden, genauer gesagt: zu schimpfen. Es war ungeheuerlich: Er nannte ihn einen kompletten Scharlatan, einen Kitschier der schlimmsten Art, einen geschmacklosen Wichtigtuer. Ich dachte nicht daran, diese flammenden Beschimpfungen ernst zu nehmen. Sie amüsierten mich. Überdies war mir klar: Wer sich mit so viel Leidenschaft gegen einen Komponisten der Vergangenheit auflehnt, der verrät sich. Er verdankt ihm wohl viel, ihn verbindet mit dem Attackierten zumindest Hassliebe.

Ich ließ also Eisler reden, ich widersprach ihm überhaupt nicht. Wozu auch? Ohnehin war ich sicher, dass ich diesen heiteren Dialog leicht gewinnen würde. Denn ich hatte einen Namen in Reserve, der, meinte ich, wie ein Joker im Kartenspiel alles entscheiden würde. Ich brauchte von diesem Joker nur Gebrauch zu machen, und Eisler, ein glänzender Musiker, würde sofort kapitulieren.

Schließlich kam der Augenblick, wo mir seine Schimpftiraden reichten. Ich sagte: »Ja, ja, Herr Eisler, was Sie so erzählen, mag ja richtig sein. Ich bin schon einverstanden, aber dieser furchtbare Wagner, er hat doch«, jetzt kam ich mit meinem Joker, »er hat doch den ›Tristan‹ geschrieben.« Eisler verstummte. Es wurde still im Zimmer, ganz still. Dann sagte er sehr leise: »Das ist etwas ganz anderes. Das ist Musik.« Vier Jahre später, 1962 – ich war längst in Deutschland –, las ich in den Zeitungen, Eisler sei gestorben. Und ich las, dass er, der große Musiker, der Jude Hanns Eisler, sich auf seinem Totenbett die Partitur von »Tristan und Isolde« habe geben lassen. [...]

---

75 Die atonale Musik war in der Sowjetunion und in anderen sozialistischen Ländern streng verpönt.

Ein Leiden, das uns beglückt

Über Sexualität wurde man in meiner Jugend nicht aufgeklärt, weder zu Hause noch in der Schule. Als ich zehn Jahre alt war, glaubte ich, Kinder kämen durch den sich zu diesem Zweck verbreiternden Nabel der Mutter zur Welt. Als ich elf, zwölf Jahre alt war, versuchte ich in Pausengesprächen mit Klassenkameraden gelegentlich etwas über Sexuelles zu erfahren. Manche von ihnen könnten mich, hoffte ich, über dies und jenes ein wenig informieren. Nun ja, diese Jungen kannten einige handfeste Vokabeln, sonst jedoch wussten sie noch weniger als ich. Und was mich wunderte: Viele interessierten sich für diese Materie nicht sonderlich – jedenfalls gaben sie es vor. Verklemmt waren wir alle. In den proletarischen Stadtteilen[1] von Berlin war es wohl anders.

Eines Tages bekam ich eine Broschüre geliehen. Sie war in schlechtem Deutsch geschrieben und auf schlechtem Papier gedruckt, alles in allem sechzehn Seiten. Aber enttäuschend waren für mich nicht Stil und Papierqualität dieser Aufklärungsschrift, vielmehr der Hinweis auf dem Umschlag: »Für junge Männer«. Also nichts für und über Mädchen? Nichts über jenes Phänomen, das mir und anderen Gleichaltrigen rätselhaft und geheimnisvoll schien, das irgendwie mit dem Mond zusammenhängen sollte und die Mädchen von uns allen trennte? Kurz und gut: nichts über die monatliche Blutung?

Stattdessen standen im Mittelpunkt dieser Broschüre zwei

---

[1] Stadtgebiete, in denen überwiegend Arbeiter wohnen – das »Proletariat« umfasst die Bevölkerung mit dem niedrigsten Vermögensstand, vor allem Lohn- und Landarbeiter ohne Besitz an den Fabriken und Gütern, für die sie arbeiten, an den »Produktionsmitteln« (nach Marx und Engels; siehe auch Seite 23, Fußnote 12).

Thesen. Die jungen Leser wurden beschworen, jeglichen Geschlechtsverkehr vor der Eheschließung zu unterlassen. Andernfalls drohten ihnen unheilbare Krankheiten, mit denen sie ihre künftigen Ehefrauen anstecken könnten und vielleicht auch ihre künftigen Kinder. Überdies wurden die jungen Leser vor der Onanie nachdrücklich gewarnt: Sie führe zu scheußlichen Hautkrankheiten, wenn nicht zur Erblindung und zur Taubheit.

Ergiebiger als die Pausengespräche und diese Aufklärungsschrift war ein Fund, den ich auf der Straße gemacht hatte: In einem Papierkorb fiel mir eine Kondom-Schachtel auf. Sie schien leer, war es aber nicht: Sie enthielt ein dünnes, gefaltetes Blatt. Es war, wie nicht anders zu erwarten, die Gebrauchsanweisung, klein gedruckt und sehr ausführlich. Ich nahm sie mit, um sie aufmerksam zu lesen – nicht weil ich belehrt werden wollte, wie man Kondome benutzt, sondern weil ich glaubte, hier konkrete Informationen über den Geschlechtsverkehr finden zu können. Doch gerade dies war nicht so einfach. Denn der Text war schwer und streckenweise überhaupt nicht zu verstehen. Es wimmelte in ihm von Fremdworten, die ich nicht kannte.

Glücklicherweise gab es in unserer Wohnung den Großen Brockhaus[2]. Ich machte mich ans Werk, ich schlug also die Fremdworte nach, die in dieser wissenschaftlichen oder eher pseudowissenschaftlichen Gebrauchsanweisung vorkamen: Vagina, Klitoris, Penis, Erektion, Koitus, Orgasmus, Ejakulation, Sperma. Die Lexikon-Lektüre wollte kein Ende nehmen, da sich in jedem dieser Artikel weitere Vokabeln fanden, über die ich unterrichtet sein wollte: Masturbation, Uterus, Menstruation, Syphilis[3] und viele andere.

So wurde der Große Brockhaus zu meinem Lehrbuch in Sa-

[2] Mehrbändiges Nachschlagewerk, umfangreiches Lexikon.
[3] Syphilis: vor dem Aufkommen von Aids die gefährlichste durch sexuelle Aktivitäten übertragbare Krankheit.

chen Sexualität – einem Lehrbuch, dessen Sachlichkeit mich freute und dessen Trockenheit mich enttäuschte. Aber es dauerte nicht lange, und ich konnte mich davon überzeugen, dass jene Auskünfte und Beschreibungen, die ich suchte und dringend brauchte, auch in Druckschriften ganz anderer Art zu haben waren – und dass sie dort meist weniger sachlich, aber dafür auch viel weniger trocken waren.

Ich könnte, dachte ich mir, mit dieser Gebrauchsanweisung meiner Cousine imponieren, einem hübschen und aufgeweckten Mädchen, bloß zwei Jahre älter als ich und keineswegs prüde. Sie war für das eng bedruckte Papier, das ich ihr zeigte und gleich großzügig überließ, sehr dankbar. Erfreulicherweise hatte sie das Bedürfnis, sich auf angemessene Weise zu revanchieren. Gewiss wollte sie mir bei dieser Gelegenheit beweisen, dass auch sie nicht hinter dem Mond lebe und dass sie, wohl vierzehn Jahre alt, schon beinahe erwachsen sei. Sie brachte mir also ein ziemlich dickes Buch, das ich mitnehmen durfte. Aber sie empfahl mir die Lektüre nur der von ihr angestrichenen Stellen.

Wieder zu Hause, schloss ich mich mit dieser Leihgabe, da ich etwas Unanständiges erwartete, im Badezimmer ein. Das war, wie sich bald herausstellte, gar nicht nötig. Es handelte sich nämlich um einen ernsten Roman, in dem freilich viele Passagen Sexuelles betrafen. Ich las zunächst nur diese am Rande vermerkten Stellen. Sie gefielen mir, ich fand sie aufschlussreich und zugleich reizvoll und sogar poetisch. Beides regte mich an – *was* gesagt war und *wie* es gesagt wurde.

Nachdem ich alles, was meiner Cousine aufgefallen war, mit roten Backen zur Kenntnis genommen hatte, entschloss ich mich, ihren Ratschlag zu ignorieren und das *ganze* Buch zu lesen. Ich habe es nicht bedauert. Vielleicht ist mir damals aufgegangen, worauf es in der Literatur ankommt – darauf nämlich, dass sich der Sinn und der Ausdruck, der Inhalt und die Form nicht voneinander trennen lassen. Nur sollte ich noch sagen, welches Buch mir zu den frühen Einsichten in das Sexuelle und den elementaren in das Literarische verholfen hat.

Es war der Roman »Narziss und Goldmund« von Hermann Hesse[4].

Als ich dieses Buch in den fünfziger Jahren noch einmal las, hat sich der Eindruck, den es einst auf mich gemacht hatte, nicht als nachhaltig erwiesen: Die etwas penetrante[5] Mischung aus deutschromantischer Tradition und weltfremder Innerlichkeit[6], aus sanfter Sentimentalität und wütender Zivilisationsverachtung schien mir nicht mehr erträglich. Ähnlich erging es mir mit einem anderen, alles in allem doch wichtigeren Roman von Hesse, dem »Steppenwolf«. Ich habe ihn, nicht ganz freiwillig, dreimal gelesen: In den dreißiger Jahren war ich entzückt, in den fünfziger Jahren enttäuscht, in den sechziger Jahren entsetzt.

Immerhin hat mich *ein* Buch Hesses, dessen »Seelenspeise« meiner Generation nur allzu gut mundete, auch später gerührt und beeindruckt: sein schon 1904 veröffentlichter Schülerroman »Unterm Rad«. Obwohl ich an der Schule nicht sonderlich gelitten habe und von Lehrern nie gequält wurde, gehörten düstere Schülerromane zu meiner Lieblingslektüre, zumal »Freund Hein« von Emil Strauß, Musils »Verwirrungen des Zöglings Törleß« und natürlich der letzte Teil der »Buddenbrooks«.[7] Aber es war wohl nicht nur die literarische Qualität

---

4 Deutscher Schriftsteller (1877–1962), dessen Romane »Narziss und Goldmund« (1930), »Der Steppenwolf« (1927) und »Unterm Rad« (Buchausgabe 1906; 1904 erschien ein Fortsetzungsabdruck in der »Neuen Zürcher Zeitung«) besonders bei jungen Lesern bis heute weltweit beliebt sind.

5 Aufdringlich, hartnäckig, durchdringend.

6 Tiefe des Gemüts, reiches Seelenleben, Nach-Innen-Gerichtetsein eines Menschen.

7 Der Roman »Freund Hein. Eine Lebensgeschichte« (1902) des deutschen Schriftstellers Emil Strauß (1866–1960), die Erzählung »Die Verwirrungen des Zöglings Törleß« (1906) des österreichischen Schriftstellers Robert Musil (1880–1942) und Thomas Manns Roman »Buddenbrooks« (1901; im letzten Teil wird vom Leben und Sterben des Knaben Hanno Buddenbrook erzählt) enthalten Schülergeschichten.

dieser Bücher, die mich damals begeisterte, sondern auch und vor allem das (mit dieser Qualität zusammenhängende) erstaunlich starke Identifikationsangebot, das gerade auf Halbwüchsige wirkte.

Die Aufklärung, zu der mir die Erlebnisse nicht so sehr des Intellektuellen Narziss als vielmehr des Künstlers Goldmund verhalfen, suchte ich zu ergänzen und zu vertiefen und war dankbar, wenn mir etwas Passendes auffiel. Dass Faust das Gretchen schwängert[8], war mir schon sehr früh zu Ohren gekommen, doch die Szene, in der dies geschieht, konnte ich in Goethes Text leider nicht finden. Damals schöpfte ich wohl zum ersten Mal den Verdacht, dass in der Literatur das Allerwichtigste zwischen den Zeilen, zwischen den Szenen enthalten sei. In den »Räubern« verblüffte mich Spiegelbergs derbe Erzählung vom Überfall auf ein Nonnenkloster.[9] Wie wird, fragte ich mich, unser Deutschlehrer mit dieser Szene fertig werden? Er machte es sich einfach, er übersprang sie.

Stark entzündete sich meine jugendliche Phantasie an den Romanen Jakob Wassermanns[10]. Er war ein Moralist mit der Schwäche für billigen Pomp, ein passionierter Psychologe mit dem Drang zur handfesten Kolportage[11]. Das Dämonische liebte er und das Dekorative, das Problematische und das Pikante. Er fand unzählige Leser, doch nur wenige ernste Kritiker. Aber ich gebe zu, dass seine meist redselig schwülstigen Romane mir damals durchaus gefielen, vielleicht auch der Sexualmotive wegen.

---

8 Im ersten Teil von Goethes »Faust«-Drama.

9 Spiegelberg, einer aus der Räuberbande in Schillers Drama, berichtet (in Szene II/3) begeistert vom Überfall, bei dem nicht nur das Silbergeschirr und Geld der Nonnen entwendet wurde, sondern auch Vergewaltigungen stattfanden (»und meine Kerls haben ihnen ein Andenken hinterlassen, sie werden ihre neun Monate daran zu schleppen haben«).

10 Deutscher Schriftsteller (1873 –1934).

11 Literarisch unbedeutender Text, der vordergründig auf Spannung und billige Effekte abzielt; bisweilen auch positiv verstanden.

In Wassermanns »Gänsemännchen« bewegte mich eine Situation so nachhaltig, dass ich mich noch nach vielen Jahren an sie erinnern konnte. Ein Mann will seine Freundin nackt sehen. Sie löscht das Licht. Sie zieht sich aus, er hört das Rascheln ihrer Kleider. Sie öffnet das Ofentürchen, die Glut lässt ihren Unterleib, insbesondere die Schamhaare, dunkelrot aufleuchten. Man wird zugeben: sehr aufregend, zumal, wenn man dreizehn oder vierzehn Jahre alt ist. Jetzt habe ich diese Passage im »Gänsemännchen«[12] gesucht. Es stellte sich heraus, dass ich sie in meinem Gedächtnis über sechzig Jahre lang richtig aufbewahrt habe, nur die Schamhaare gibt es bei Wassermann nicht, sie gehen auf das Konto meiner pubertären Einbildungskraft.

Nicht weniger erregte mich eine Stelle in Flauberts »Madame Bovary«[13]. Der Gutsbesitzer Rodolphe Boulanger, der von einem Besuch bei den Bovarys zurückkehrt, meditiert über das dort Erlebte: »Er sah Emma immer wieder vor sich, im selben Saal und ebenso gekleidet, wie er sie vorhin gesehen hatte, und in Gedanken entkleidete er sie.« Diese wenigen schlichten Worte – »und in Gedanken entkleidete er sie« – schreckten mich auf und prägten sich für immer ein.

Heute weiß ich, warum sie so wirken konnten: Überraschend hatte ich erfahren, dass die gelegentlichen Vorstellungen meiner Phantasie keineswegs ungewöhnlich waren, dass es also schon vor mir Männer gab, die auf die Idee gekommen waren, eine Frau in Gedanken zu entkleiden. Ich begriff, dass sich in der Literatur etwas finden und erkennen ließe, dessen Bedeutung nicht zu überschätzen sei – man könne sich selber finden, seine eigenen Gefühle und Gedanken, Hoffnungen und Hemmungen.

Etwa zur gleichen Zeit las ich in einem Roman von Zola[14],

---

[12] Wassermanns Roman »Das Gänsemännchen« erschien 1915.
[13] Roman (1857) des französischen Schriftstellers Gustave Flaubert (1821–1880).
[14] Émile Zola: französischer Schriftsteller (1840–1902).

wie ein Mädchen zum ersten Mal die Menstruation erlebt. Das interessierte und irritierte mich sehr. Aber ich bedauerte, dass Ähnliches über die Erlebnisse von Knaben in der Literatur nicht zu haben war, dass man also nirgends lesen konnte, wie ein Knabe die erste Erektion erlebt oder den ersten Samenerguss. Alfred Döblin[15], der seine Jugend freilich noch im neunzehnten Jahrhundert erduldet und erlitten hat, berichtet, er habe eine nackte Frau zum ersten Mal als Student der Medizin im Alter von 23 Jahren gesehen – es war eine weibliche Leiche im Anatomiesaal[16]. Nein, so schlecht erging es mir nicht, doch auch mir wurde der Anblick einer nackten Frau spät zuteil – erst kurz vor dem Abitur.

1936 starb – im Alter von 88 Jahren – mein Großvater, der Rabbiner. Seit mindestens fünf Jahren war er blind. Gleichwohl wünschte er, dass die Folianten[17] mit den hebräischen Schriften seiner Väter vor ihm auf dem Tisch lagen, damit er sie immer wieder berühren konnte. Da er also keine Zeitungen zu lesen imstande war und auch seit einiger Zeit nicht mehr die Wohnung verließ, fiel es uns nicht schwer, ihm die Existenz des »Dritten Reiches« zu ersparen. Wer ihn besuchte, wurde ermahnt, dieses Thema strikt zu meiden.

Als er auf dem jüdischen Friedhof in Weißensee bestattet wurde – ich war zum ersten Mal bei einer solchen Zeremonie –, verwunderte mich, dass er nicht, wie ich erwartet hatte, in einem Sarg beerdigt wurde, sondern in einer gewöhnlichen Kiste. Man erklärte mir den Grund: Vor Gott seien alle Menschen gleich, daher sei es unzulässig, die einen in schönen und verzierten, gar prächtigen Särgen ins Grab zu versenken, andere aber, jene aus bedürftigen Familien, in einfachen oder womöglich schäbigen. Deshalb sei es bei den Juden, jedenfalls bei

---

15 Siehe Seite 71, Fußnote 41.

16 Anatomie: Körperbau, Wissenschaft vom Bau der Lebewesen. Im Anatomiesaal wird diese Wissenschaft den Medizinstudenten am Beispiel von Leichen nahe gebracht.

17 Foliant: großes, unhandliches Buch.

den gläubigen, seit Jahrtausenden üblich, alle ihre Toten auf die gleiche Weise zu behandeln, sie stets in schlichten, schmucklosen Holzkisten aus ungehobelten Brettern zu begraben. Da die Literatur meinen Sinn für Symbole[18] geschärft hatte, gefiel mir diese archaische Sitte, deren Pathos[19] angesichts des Todes mir Respekt einflößte.

Von den sechs Geschwistern meiner Mutter fehlte bei der Beerdigung nur ihr jüngster Bruder, damals 36 Jahre alt, ein gutaussehender, ein eleganter, ein, wie manche Familienmitglieder meinten, gar zu eleganter und wohl etwas protziger Mann. Er war Rechtsanwalt, seine Kanzlei befand sich Unter den Linden – was die Familie als unangemessen, als Zeichen seines Übermuts wertete. In zweierlei Hinsicht fiel er aus dem Rahmen. Er hatte eine Schwäche für Pferderennen, die Wetten ließen ihn gelegentlich in ernste finanzielle Nöte geraten. Überdies war er, anders als seine vier Brüder, mit einer Nichtjüdin liiert und später verheiratet, mit einer effektvollen Dame, die als Schauspielerin gelten wollte. Aber niemand hat sie je auf der Bühne oder auf der Leinwand gesehen.

Dieser Onkel verließ Deutschland unmittelbar nach der nationalsozialistischen Machtübernahme – in größter Eile, angeblich irgendwelcher Schulden wegen. Mit einem mexikanischen Pass war er nach Frankreich gezogen. Den Krieg hat er als Angehöriger der Fremdenlegion[20] in Nordafrika überlebt. Das klingt recht abenteuerlich, wenn nicht dramatisch. Aber er hat es in der Fremdenlegion nicht so schlecht gehabt: Er hat dort die Bibliothek verwaltet.

[18] Zeichen, (sprachliche) Sinnbilder, Worte, die auf etwas nicht direkt Wahrnehmbares verweisen oder einen tieferen Zusammenhang andeuten.

[19] Starker Gefühlsausdruck, feierliche Ergriffenheit.

[20] Militärische Truppe, die sich überwiegend aus angeworbenen Ausländern zusammensetzt und oft in fernen Ländern eingesetzt wird. Besonders bekannt ist die französische Fremdenlegion, die 1940 zunächst aufgelöst und 1946 neu gegründet wurde.

Nach der Bestattung des Großvaters überlegten die Brüder meiner Mutter, wer ihren Vater beerben solle. Aber er, der ganz arme Rabbiner, hatte nichts, gar nichts hinterlassen – nur eine goldene Uhr, ein Geschenk zu seiner Konfirmation, der Bar-Mizwa, im Jahre 1861. Die Brüder meinten, er habe keines seiner Enkelkinder mehr geliebt als mich, ich solle die Uhr erhalten. Ich nahm sie nicht ohne Stolz entgegen und besaß sie noch im Warschauer Getto. Ebendort musste ich diese schöne, altmodische Uhr, so Leid es mir tat, verkaufen. Aber ich brauchte dringend Geld – um eine Abtreibung bezahlen zu können.

Der Tod meines Großvaters veränderte unser Leben. Die monatlichen Zuwendungen der Brüder meiner Mutter blieben nun aus, es ging uns materiell immer schlechter. So wurde sein geräumiges Zimmer gründlich renoviert und schnell vermietet. Die Frau, die nun einzog, hat mich gleich, sagen wir, beunruhigt. Die fast dreißigjährige, schlanke und hochgewachsene Blondine, die, wenn ich mich recht entsinne, aus Kiel stammte – jedenfalls verriet ihr Aussehen die norddeutsche Herkunft. Sie war, wie man damals sagte, eine Arierin. Sie kleidete sich meist etwas extravagant: Gern trug sie lange, ziemlich enge schwarze Hosen aus Samt oder Kunstseide und ein dunkelrotes oder violettes, ungefähr bis zu den Knien reichendes Jackett, das an einen Frack erinnerte. Diese Garderobe ging wahrscheinlich auf das Vorbild jener Schauspielerin zurück, die eine ganze Generation von Männern und Frauen fasziniert hatte, deren Name aber jetzt, in den Jahren des »Dritten Reichs«, nicht mehr öffentlich genannt werden durfte – auf das Vorbild Marlene Dietrichs[21]. Von Beruf war die hellblonde Untermieterin Fotografin, sie arbeitete in der Werbeabteilung einer großen Firma. Ihr Vorname war durchaus nicht extravagant – sie hieß,

---

[21] International angesehene deutsche Schauspielerin und Sängerin (1901–1992), die viele Jahre in den USA lebte, 1937 die amerikanische Staatsbürgerschaft erhielt und eine erklärte Gegnerin des Nationalsozialismus war.

wie die berühmteste Geliebte der deutschen Literatur, ganz einfach Lotte[22].

Liebe – was ist das? 1991 wurde ich von einer deutschen Illustrierten gebeten, diesen Begriff zu definieren. Allerdings durfte es nur ein Satz sein. Die Aufgabe reizte mich, doch das angebotene Honorar schien mir allzu karg. Ich sei – teilte ich der Redaktion mit – bereit, das Gewünschte zu schreiben, doch müssten es mindestens zwei Maschinenseiten sein. Ein einziger Satz über dieses Thema mache viel mehr Mühe, da sei das Fünffache des angebotenen Honorars angemessen. Also: je kürzer der Text, desto höher das Honorar. Man war einverstanden. Ich schrieb: »Liebe nennen wir jenes extreme Gefühl, das von der Zuneigung zur Leidenschaft führt und von der Leidenschaft zur Abhängigkeit; es versetzt das Individuum in einen rauschhaften Zustand, der zeitweise die Zurechnungsfähigkeit des Betroffenen, des Getroffenen einzuschränken vermag: Ein Glück ist es, das Leiden bereitet, und ein Leiden, das den Menschen beglückt.«

Habe ich diese Lotte geliebt? Sicher bin ich nicht. Aber zum ersten Mal in meinem Leben ging mein Interesse an einer Frau bald in eine wachsende Sympathie über, in eine intensive Zuneigung, die zwar noch keine Leidenschaft war und die auch nicht zur Abhängigkeit führte – und die mich dennoch in einem bis dahin unbekannten Maße beschäftigte. In einen Rausch wurde ich nicht versetzt. Doch ahnte ich, was Liebe ist, genauer, was sie sein kann.

Mit ihr, der anmutigen und etwas scheuen Fotografin, führte ich lange Gespräche – meist in ihrem Zimmer oder auf unserem Balkon. Ich wundere mich noch heute, dass sie für mich so viel Zeit hatte. Warum wohl? Vielleicht deshalb, weil sie in eine Lebenskrise geraten war und jemanden benötigte,

[22] Gemeint ist hier die Figur der Lotte in Goethes weltberühmtem Roman »Die Leiden des jungen Werther« (1774), später auch aufgegriffen von Thomas Mann in dem Roman »Lotte in Weimar« (1939).

der ihr zuhörte. Wenn es Tolstoj[23] drängte, sich auszusprechen, mietete er eine Kutsche und ließ sich eine Stunde lang durch die Stadt fahren. Was er unbedingt erzählen wollte, erzählte er nun – dem Kutscher. So war ich möglicherweise der Kutscher jener Lotte: Die Aufnahmefähigkeit und Neugierde des Sechzehnjährigen gefielen ihr, seine vorsichtigen Fragen waren ihr willkommen. Dass er sie offensichtlich bewunderte, störte sie keineswegs.

Mir aber schmeichelte ihr Vertrauen. Alles, was sie mir über ihre Vergangenheit berichtete oder, häufiger noch, andeutete, empfand ich als ein freigebiges Geschenk. Dass das Erzählen über sich selber eine unerhörte Gabe sein kann, eine solche, die der Hingabe gleichkommt oder sich nähert – ich erlebte es zum ersten Mal. Hinzu kommt, dass diese Lotte mich, wie niemand vor ihr und ganz ohne Einschränkung, ernst nahm, mich ohne jedes Aufheben wie einen Gleichberechtigten, wie einen Erwachsenen behandelte. Ich sah darin jene Anerkennung, die ich, wie vermutlich die meisten Halbwüchsigen, dringend brauchte und die es mir erleichterte, meine isolierte Existenz zu ertragen. Dafür war ich ihr dankbar. Ich begann zu begreifen, dass Liebe immer auch mit dem Bedürfnis nach Selbstbestätigung zu tun hat und dass es keine Liebe ohne Dankbarkeit gibt. Sie muss nicht aus Dankbarkeit entstehen, aber sie führt zu ihr – oder erlischt.

Wir sprachen viel über Literatur, zumal über die französischen und russischen Romanciers[24] des neunzehnten Jahrhunderts, die sie gut kannte. Natürlich sprachen wir auch über deutsche Schriftsteller, häufig über die jetzt verbotenen oder zumindest unwillkommenen – über Schnitzler und Werfel, über Thomas und Heinrich Mann. Erst nach einiger Zeit fiel mir auf, dass ihre Aufmerksamkeit, ob wir uns über Stendhal oder über Balzac, über Dostojewski oder Tschechow[25] unter-

---

[23] Siehe Seite 70, Fußnote 37.
[24] Romanschriftsteller.
[25] Anton Tschechow: russischer Schriftsteller (1860–1904).

hielten, vor allem auf weibliche Figuren gerichtet war und auf erotische Motive. Das war wohl das Geheimnis unserer Beziehung: Wir hatten das Bedürfnis, über die Liebe zu sprechen – allerdings aus ganz verschiedenen Gründen.

Ihr waren Enttäuschungen nicht erspart geblieben: Sie hatte sich vor einiger Zeit von einem Freund getrennt, sich, wie sie nachdrücklich betonte, von ihm trennen müssen. Wenig später war sie von einem Geliebten verlassen worden. Sie suchte Trost und Schutz – bei der Literatur. Und ich? Ich glaubte, über die Liebe Bescheid zu wissen, denn ich verfügte über eine verlässliche, eine ausgezeichnete Quelle. Dieser nie versiegenden Quelle konnte ich die schönsten und klügsten Worte über die Liebe entnehmen, aber eben nur Worte. Kurz: Die norddeutsche Blondine kam von der Liebe zur Literatur, ich wollte von der Literatur zur Liebe kommen. Wir trafen uns auf halbem Wege.

Die Balkongespräche machten mir abermals bewusst, dass wir, die stille Fotografin und der unruhige Gymnasialschüler, Bücher lesend, vor allem uns selber verstehen wollten. Da wir beide auf der Suche nach uns selbst waren, entstand eine Gemeinsamkeit, die unserer dialogischen Beziehung eine unverkennbar erotische Note gab, wenn auch beileibe keine sexuelle. Ich habe die Frau, mit der ich mich über die Liebe in der Literatur unterhielt, nie berührt, ich kam gar nicht auf die Idee, sie – wie es Rodolphe Boulanger mit Emma Bovary[26] getan hatte – in Gedanken zu entkleiden. Sie genügten mir: ihre Worte und Blicke, ihr Vertrauen und ihr Verständnis. Und je deutlicher sie, von Romanfiguren redend – immer sehr leise redend –, sich selber erkennbar machte, ja vielleicht entblößte, umso mehr fühlte ich mich belehrt und bereichert.

Es dauerte nicht lange, und in unserer Konversation tauchte –

---

[26] Titelheldin in Flauberts Roman »Madame Bovary«, die ihrem fürsorglichen Ehemann, einem Provinzarzt, untreu wird und sich am Ende umbringt.

unvermeidbar, so will es mir scheinen – ein Name auf, der die ohnehin spürbare Intimität sogleich vertiefte: der Name Fontane[27]. Ich kannte damals nur »Effi Briest« und »Irrungen, Wirrungen«, sie hingegen fast alle seine Romane. Doch steuerte sie schnell auf einen einzigen zu und kehrte zu ihm mehrfach zurück: »Der Stechlin« war es, der es ihr angetan hatte. Ihr Interesse galt aber nicht etwa dem Junker Dubslav von Stechlin, nicht seinem Sohn Woldemar oder anderen männlichen Figuren, sondern vornehmlich Melusine, der Gräfin von Barby.[28]

Die ansehnliche, die gescheite und geistreiche Melusine hat schon eine Ehe hinter sich, freilich eine, die rasch wieder geschieden werden musste. Sie war, wie es bei Fontane heißt, verheiratet und vielleicht auch nicht verheiratet gewesen. Das klingt geheimnisvoll, ist aber beinahe unmissverständlich: Auf ein sexuelles Versagen ihres Mannes wird hier angespielt, dies ist es, was sie tief gekränkt und verletzt haben muss. Damit hat wohl das ungewöhnliche Wesen Melusines zu tun. Wie sie das Aparte liebt, so verkörpert sie es selber. Nach Liebe sich sehnend und nach Glück, weckt sie, ob sie es will oder nicht, die Sehnsucht ebenso von Männern wie von Frauen. Sie ist eine stolze Frau, zurückhaltend und herausfordernd, kühl und warmherzig. Hinter Melusines betonter Selbstsicherheit verbirgt sich möglicherweise nichts anderes als Unsicherheit. Ob

---

[27] Siehe Seite 62, Fußnote 17.

[28] »Effi Briest« (1895), »Irrungen, Wirrungen« (1888), »Der Stechlin« (1899): berühmte Romane Fontanes. Im »Stechlin« steht der ehemalige Major Dubslav von Stechlin im Mittelpunkt – der äußerst handlungsarme und kunstvolle Roman ist ein Höhepunkt im umfangreichen Romanwerk des Schriftstellers, der dieses Buch selbst einmal launig kommentierte: »Zum Schluss stirbt ein Alter, und zwei Junge heiraten sich; – das ist so ziemlich alles, was auf 500 Seiten geschieht.« Von der eigenwilligen Romanfigur Gräfin Melusine stammt der viel zitierte Satz: »Alles Alte, soweit es Anspruch darauf hat, sollen wir lieben, aber für das Neue sollen wir recht eigentlich leben.«

es vielleicht ebendiese Widersprüche sind, die zu ihrem Charme beitragen, die ihre Attraktivität steigern?

Es war wohl gut, dass ich den »Stechlin« noch nicht kannte. So konnte ich die vielsagende Wiedergabe der Geschichte Melusines auf mich wirken lassen, ohne mich darum zu kümmern, ob sie dem Romantext wirklich entsprach oder ob die Erzählende, bewusst und unbewusst, das, was in ihrer Erinnerung geblieben war, mit neuen Zügen und Nuancen angereichert hatte. Ich konnte damals von meiner Dialogpartnerin lernen, wie es möglich ist, über sich selber ohne Exhibitionismus[29] zu sprechen – und gewiss habe ich auch einiges über die Liebe gelernt.

Unsere Gespräche wurden immer länger und, so will es mir heute vorkommen, immer schöner. Aber plötzlich war diese Balkonidylle in der Güntzelstraße in Wilmersdorf beendet. Die aparte Untermieterin kündigte ihr Zimmer, sie hatte es sehr eilig, sie war in Panik. Es war ihr sichtlich unangenehm, uns zu erklären, warum sie weggehen müsse. Der Grund war: Sie hatte Angst – und das hing mit mir zusammen.

Wenige Monate zuvor, im Herbst 1935, waren in Deutschland Gesetze verabschiedet worden, die die Juden endgültig ausgrenzten: Die Reichsregierung hatte die Emanzipation der Juden rückgängig gemacht. Unter Androhung hoher Zuchthausstrafen verboten die »Nürnberger Gesetze« die Eheschließung und auch die außerehelichen Beziehungen zwischen Juden und »Ariern«. Das alles war 1936 längst bekannt, Verurteilungen von Juden und Nichtjuden wegen »Rassenschande« waren an der Tagesordnung, die Zeitungen berichteten über die öffentliche und brutale Misshandlung und Verhöhnung jener, denen man vorwarf, gegen die Gesetze verstoßen zu haben.

Dennoch hatte die norddeutsche Fotografin, die »Arierin«, keine Bedenken gehabt, bei uns einzuziehen. Weil sie die Nationalsozialisten verachtete? Auch Leichtsinn mag dabei eine

---

[29] Lustvolle, auch krankhafte Zurschaustellung des eigenen (nackten) Körpers oder der eigenen Gefühle, Ansichten und Phantasien.

Rolle gespielt haben. Mein Vater und mein Bruder lebten damals schon in Warschau, aber ich war ja noch da, man konnte mich im Sinne der »Nürnberger Gesetze« belangen. Und ich konnte der Untermieterin zum Verhängnis werden. Man hatte sie jetzt nachdrücklich gewarnt, und sie zog daraus, sehr zu Recht, sofort die Konsequenzen. Sie verließ unsere Wohnung schon am nächsten Tag.

Ich habe sie erst 1952 wiedergesehen, in Warschau. Sie lebte in Ostberlin, verheiratet mit einem Kommunisten, der im »Dritten Reich« einige Jahre im Gefängnis gewesen war. Nun saßen wir uns wieder gegenüber: Sie, die nicht mehr als Fotografin arbeitete, sondern irgendeinen Posten in der DDR-Verwaltung[30] bekleidete, und ich, der ich nach einigen Umwegen zur Literatur zurückgekehrt war. In Gegenwart unserer (meist schweigenden) Ehepartner berichteten wir uns gegenseitig, was wir durchgemacht hatten. Dann war vom Kommunismus die Rede, von den Verhältnissen in der DDR und in Polen, von unseren Enttäuschungen, von unserem Missvergnügen.

Sie sprach so leise wie damals, und es schien mir, als sehnte sie sich wie eh und je nach Liebe und Glück, als würde sie diese Sehnsucht nach wie vor auf ihre Weise verkörpern – anmutig und reizvoll, jetzt freilich mit deutlich resignativen Zügen. Unvermittelt stellte sie mir eine Frage, die unsere beiden Ehepartner verwundern musste: Und wie ist es mit Fontane? Ich antwortete sachlich: Fontane kenne man in Polen überhaupt nicht, noch nie sei ein Buch von ihm übersetzt worden. Vielleicht werde es sich bald ändern, denn es sei mir unlängst gelungen, eine polnische Ausgabe seiner Erzählung »Schach von Wuthenow« durchzusetzen. Das sei doch immerhin ein Anfang.

---

[30] DDR: Abkürzung für Deutsche Demokratische Republik, die 1949 aus der sowjetisch besetzten Zone (Ostzone) entstand und als eigener deutscher Staat mit sozialistischer Prägung bis 1990 bestand (Wiedervereinigung mit der Bundesrepublik, das Gebiet der DDR ist seither mit dem Begriff »Neue Bundesländer« belegt).

Sie nickte lächelnd, etwas ironisch. Sie hatte verstanden, dass ich ihr ausgewichen war. So wiederholte sie ihre Frage deutlicher: Sie wollte wissen, wie ich jetzt zu Melusine stünde. Den Anwesenden musste diese Frage weltfremd vorkommen oder zumindest belanglos – und vielleicht auch meine Antwort. Ob ich Melusine noch liebe – sagte ich –, ich wisse es wirklich nicht. Wohl aber wüsste ich, dass ich sie nie vergessen würde.

Die Tür führte ins Nebenzimmer

An ihren Namen kann ich mich nicht mehr erinnern. Ich weiß auch nicht, wie es dazu gekommen war, dass sie mich zum Abendessen eingeladen hatte. Wahrscheinlich wollte sie jemandem einen Gefallen tun, vielleicht meiner Schwester oder meinem Schwager. Man hatte ihr wohl gesagt, da wohne in ihrer Nähe ein junger Mann, der am Theater geradezu leidenschaftlich interessiert sei und sich gern mit ihr über ihre Erfahrungen unterhalten möchte. Denn sie war Schauspielerin.

In Berlin hatte sie eine Schauspielschule absolviert, dann war sie beinahe zwei Jahre engagiert – in Hildesheim oder vielleicht gar in Braunschweig. Später hatte sie Aussicht, nach Hannover zu kommen, aber daraus wurde nichts mehr. Denn man schrieb mittlerweile das Jahr 1933, und sie war Jüdin. Bald heiratete sie einen offenbar vermögenden Kaufmann, der kein Jude war. Die Ehe wurde rasch wieder geschieden. Jetzt, Anfang 1938, lebte sie allein, zufällig ganz in unserer Nähe – in einer schön, aber eher anspruchslos eingerichteten Wohnung. So war sie auch gekleidet. Der enge hellbraune Pullover, das blaue Halstuch, der weite dunkelbraune Rock – alles schien sorgfältig ausgewählt und war dennoch unauffällig.

Was sie mir über das Theater erzählte, ernüchterte mich ein wenig: Dass man an den Provinzbühnen von Kunst nichts wissen wolle, dass vielmehr die Routine herrsche, dass keine Premiere hinreichend vorbereitet werde, dass die Schauspieler fortwährend neue Rollen lernen müssten und dass die Anfänger es besonders schwer hätten. Das alles wusste ich schon. Statt ihr aufmerksam zuzuhören, war ich, wohl etwas zu deutlich, an ihrem Pullover interessiert. Sie merkte es, natürlich. Aber ob ihr Lächeln ermunternd oder abweisend war, vermochte ich nicht zu beurteilen.

Sie bereite, sagte sie mir, ihre Auswanderung vor, die werde nun demnächst erfolgen. Wann und wohin ich denn emigrieren wolle? Ich müsse erst, antwortete ich zögernd, das Abitur machen, das werde in zwei Monaten abgeschlossen sein. Ja, und dann? Sonst hätte ich noch keinerlei Pläne. Ich schämte mich meiner Ratlosigkeit. Offenbar rührte sie die plötzliche Einsilbigkeit des bis dahin eher gesprächigen jungen Mannes. Sie sagte, nicht unfreundlich, dass ich wohl mehr an Shakespeare als an meiner Zukunft interessiert wäre.

Wir schwiegen beide, es entstand eine etwas unheimliche Pause. Um sie zu überbrücken, fragte ich sie, ob sie mir nicht etwas vorsprechen könne. Sie zierte sich nicht, sie war gleich einverstanden. Mit raschen Bewegungen machte sie das Deckenlicht aus und verschob ein wenig die Stehlampe. Nun stand sie vor dem Eckkamin, schweigend. Aber es dauerte nicht lange, und sie entschied sich für einen Text, der ihr offenbar für mich geeignet schien. Es war der Auftritt einer Geliebten, geschrieben von einem Neunzehnjährigen: der Monolog des jungen Mädchens aus Hofmannsthals kleinem Spiel »Der Tor und der Tod«[1]. So beginnt er:

> *Es war doch schön . . . Denkst du nie mehr daran?*
> *Freilich, du hast mir wehgetan, so weh.*
> *Allein was hört denn nicht in Schmerzen auf?*

Gewiss, dieser schwermütige Rückblick der Geliebten ist, um es vorsichtig auszudrücken, nicht frei vom Rührseligen, er ist bestimmt nicht die allerbeste Literatur. Dennoch liebe ich diese Verse, ich liebe sie wie Rilkes »Cornet«. Dass sie mich immer aufs Neue ergreifen, hat mit jener jungen Frau zu tun,

---

[1] Hofmannsthals kurzes Theaterstück (UA 1898) ist wenig bekannt – wurde aber von Marcel Reich-Ranicki in seinen »Kanon der deutschen Literatur« aufgenommen (die achtbändige Dramensammlung erschien 2004); in der hier beschriebenen Erfahrung dürften die Gründe dafür zu suchen sein.

von der ich sie im halbdunklen Zimmer zum ersten Mal gehört habe.

Nach den Worten »leise Lust«, mit denen der Monolog endet, kam sie auf mich zu und sah mich stumm und traurig an. Ich wartete, aber nichts geschah. Plötzlich sagte sie, sie wolle für mich noch ein Gedicht von Hofmannsthal sprechen, das schönste, das sie kenne. Sie meinte die »Terzinen über Vergänglichkeit«[2] mit der herrlichen zweiten Strophe:

Dies ist ein Ding, das keiner voll aussinnt,
Und viel zu grauenvoll, als dass man klage:
Dass alles gleitet und vorüberrinnt.

Als sie geendet hatte, riskierte ich, ziemlich unsicher, einige Bemerkungen, die mir zu Hofmannsthals Lyrik einfielen. Vermutlich waren sie banal, wenn nicht töricht. Sie ignorierte meine Bemühungen mit dem knappen Satz: Herr, es ist Zeit.[3] Ob ich das Rilke-Zitat erkannt habe, weiß ich nicht mehr. Ich nickte, und wir gingen in die Diele. Als ich meinen Mantel vom Hänger nehmen wollte, winkte sie ab und öffnete eine Tür; nicht eine, die ins Treppenhaus führte, sondern ins Nebenzimmer. Es war ziemlich dunkel in diesem Zimmer, das Licht kam von einer sehr kleinen Nachttischlampe, neben der breiten Couch.

Als ich später durch die menschenleeren Straßen nach Hause ging, schwirrte mir durch den Kopf ein einziger Vers, immer wieder derselbe: »Dies ist ein Ding, das keiner voll aussinnt.« Am nächsten Tag schrieb ich ihr einen kurzen Brief. Er blieb unbeantwortet. Drei Wochen später erhielt ich ein dünnes und schmales Postpaket – aufgegeben in Paris, doch ohne Absender.

---

[2] Von den drei Terzinen Hofmannsthals aus dem Jahr 1894 (Gedichten mit einer aus Italien stammenden Strophenform und einem bestimmten Reimschema) ist die erste mit dem Titel »Über Vergänglichkeit« versehen.

[3] Aus Rilkes 1902 in Paris entstandenem Gedicht »Herbsttag«.

Es enthielt das Bändchen der Insel-Bücherei mit Hofmannsthals »Der Tor und der Tod«. Die Widmung lautete: »Was hört
denn nicht in Schmerzen auf.« Da ich keine Adresse fand,
konnte ich ihr, die mir dieses Buch geschickt hatte, nicht danken. Aber ich danke ihr immer noch.

Der Schock, der nicht ausbleiben konnte, war rasch überwunden. Denn die Vorbereitungen für das Abitur nahmen
mich stark in Anspruch, und bald begann eine Freundschaft,
die, ohne mich zu erregen oder zu verwirren, für mich wichtig
wurde. Bei Bekannten meiner Eltern gab es eine Tochter
namens Angelika. Sie war fünfzehn oder sechzehn Jahre alt,
interessierte sich für Literatur und Theater und hatte auch
selber schon einiges geschrieben, was sogar gedruckt worden
war – in der »Jüdischen Rundschau«. Das stellte sich bald als
eine Übertreibung heraus: Ihre Gedichte und Prosastücke waren in der Tat gedruckt, doch bloß in der Kinderbeilage dieser
»Rundschau«. Ich fand die Arbeiten ziemlich wertlos, doch imponierte es mir, dass man sie veröffentlicht hatte. Vor allem
aber: Mir gefiel, was mir sofort auffiel – die Ernsthaftigkeit
dieses Mädchens.

Von Zeit zu Zeit trafen wir uns im Stadtpark Schöneberg,
wir unterhielten uns lange über die Dramen Schillers und
Kleists, über die Angelika ganz gut Bescheid wusste. Dann
führte ich sie in das Werk Shakespeares ein, was mir viel Spaß
bereitete. Schließlich landeten wir bei Heines erotischer Lyrik.
Das war das einzige Erotische, das es zwischen uns gab. Was
uns zusammengeführt hatte, war nicht nur die Liebe zur Literatur, es war auch die Ähnlichkeit unserer Situation. Befragt,
wie sie sich denn ihre Zukunft vorstelle, zögerte sie mit der
Antwort keinen Augenblick: Sie wolle eine Theaterschule besuchen und Schauspielerin werden. Auch ich konnte mit einer
klaren, einer entschiedenen Antwort dienen: Germanistik
wolle ich studieren und Kritiker werden.

Wir wussten beide, dass unsere Pläne weltfremd waren, dass
es sich um absurde Träumereien handelte. Wir lebten ja mitten
im »Dritten Reich«, wo Juden nicht studieren durften und

überhaupt keine beruflichen Chancen hatten. Aber schwärmen und phantasieren konnten wir sehr wohl: Sie sprach von den Rollen, die sie spielen, ich von den Dichtern, über die ich schreiben wollte. Als ich schon in Warschau war, zitierte ich in einem Brief an sie den Heine-Vers: »Mein Kind, wir waren Kinder...«[4] Bald brach der Krieg aus und der Kontakt mit ihr, mit Angelika Hurwicz, brach ab.

Als ich im Winter 1946 in Berlin war, gab es im Deutschen Theater den »Hamlet« mit Horst Caspar in der Titelrolle. Im Programm fiel mir der Name »Angelika Hurwicz« auf. Das konnte, dessen war ich sicher, nur sie sein. Sie hatte also überlebt, sie hatte ihren Willen durchgesetzt, sie stand auf der Bühne eines der besten deutschsprachigen Theater. Nun ja, bloß als Hofdame, also in einer stummen Rolle. Aber so fängt es in der Regel an. Erkennen konnte ich sie allerdings nicht – wohl deshalb, weil sie stark geschminkt war und eine Perücke trug.

Nach der Vorstellung wartete ich auf sie am Bühneneingang. Die Situation war mir etwas unheimlich. Denn ich trug die Uniform eines polnischen Offiziers, und überdies war es an diesem Eingang beinahe dunkel. Wird sie mich überhaupt erkennen? Steht vielleicht ein steifes, etwas peinliches Gespräch zweier Menschen bevor, die sich fremd geworden sind? Ein kühles Wiedersehen mit dem ersten, dem vorläufig einzigen Menschen, den ich vor dem Krieg in Berlin gekannt hatte und der nun wieder in Berlin war, würde mich mehr enttäuschen, als eine herzliche Begrüßung mich erfreuen könnte. Ich wollte Angelika Hurwicz sehen, aber ich fürchtete mich. Die Feigheit siegte: Ich wartete nicht mehr, ich ging nach Hause. Und obwohl ich noch einige Monate in Berlin war, habe ich sie nicht mehr gesucht.

4 Erste Zeile eines Gedichts, das Heine ursprünglich mit der Überschrift »An meine Schwester (Charlotte)« versehen hatte und später unter der römischen Ziffer XXXVIII in die Abteilung »Die Heimkehr« seiner bekanntesten Gedichtsammlung »Buch der Lieder« (1827) aufnahm.

Aber Anfang der fünfziger Jahre wurde ihr Name auch in Warschau bekannt, immer häufiger fand ich ihn in den Zeitungen aus der DDR. Andere deutsche Zeitungen gab es damals in Warschau nicht. Sie war also inzwischen eine arrivierte, eine berühmte Schauspielerin geworden. Ihren außerordentlichen Erfolg verdankte sie vor allem der Rolle der stummen Kattrin in Brechts »Mutter Courage«.

Im Dezember 1952 gastierte Brechts Theater, das »Berliner Ensemble«[5], in Warschau mit drei Stücken, darunter war auch die »Mutter Courage« – mit Helene Weigel und Angelika Hurwicz in den Hauptrollen. Aus diesem Anlass fand in der Botschaft der DDR ein Empfang statt. Geladen waren vor allem Kritiker: Man wollte ihnen die Gelegenheit geben, mit den Hauptdarstellern zu sprechen. Ich stand in einem nahezu leeren Raum, in dem mich vor allem der Bücherschrank interessierte. Lange konnte ich mich mit den überraschend sauberen Bänden nicht beschäftigen, denn ins Zimmer kam Angelika Hurwicz, geführt von einem der Warschauer DDR-Diplomaten. Er fragte artig: »Darf ich vorstellen?« Beide, sie und ich, sagten wir gleichzeitig: »Ist nicht nötig.« Wir haben dann miteinander geredet – ein wenig gleich in der Botschaft, erheblich mehr in den nächsten Tagen.

Wir gingen spazieren, wie einst in Berlin. Die Fremdheit, die ich befürchtete, war nicht zu spüren. Sie erzählte mir, wie es ihr ergangen war, wie sie es geschafft hatte, nicht vergast zu werden: Bei einer sudetendeutschen Wanderschmiere[6], einem

---

5 Von Brecht und Helene Weigel 1949 in Berlin gegründete und auf Brecht-Stücke spezialisierte Theatertruppe, die 1954 mit dem (seit 1892 existierenden) »Theater am Schiffbauerdamm« eine feste Spielstätte erhielt – durch dieses Angebot wollte die Regierung der DDR auch erreichen, dass Brecht in Ostdeutschland blieb. Nach Brechts Tod 1956 führte die Schauspielerin und Brecht-Witwe Weigel (1900–1971) das Theater bis zum eigenen Tod weiter.

6 Kleines Theater, das von Ort zu Ort zieht; Sudetendeutsche lebten in der Tschechoslowakei, bis Hitler durch das Münchener Abkommen von 1938 mit internationaler Billigung gestattet wurde, ein Teilgebiet

kleinen Familienunternehmen alten Stils, war sie engagiert gewesen. Als Schauspielerin? Ja, das schon – und sie hatte unentwegt neue Rollen zu lernen. Doch zugleich musste sie tun, was eben nötig war: soufflieren, Kulissen schieben, den Vorhang ziehen, an der Kasse sitzen und Ähnliches. Das sei nicht leicht gewesen, aber niemand habe sich um ihre Personaldokumente gekümmert, niemand habe es interessiert, ob sie denn vielleicht eine Jüdin sei. Dann hatte ich zu berichten, was mit mir in diesen Jahren geschehen war. Plötzlich schaute Angelika Hurwicz mich ein wenig verwirrt an, als sei ihr etwas peinlich: »Entschuldige« – sagte sie – »ich weiß ja gar nicht, was du machst. Was hast du denn für einen Beruf?« Ich antwortete knapp: »Nun ja, ich bin Kritiker geworden, ich schreibe über deutsche Literatur.«

Sie schwieg, und ich wusste nicht recht, wie ich dieses Schweigen verstehen sollte. Erst nach einer Weile begann sie langsam und nachdenklich zu reden: »Mitten im ›Dritten Reich‹ haben wir, zwei halbwüchsige Juden in einer verzweifelten, einer hoffnungslosen Situation, von einer Zukunft gesprochen, an die wir keinen Augenblick ernsthaft glauben konnten. Wie sollte denn damals eine Jüdin Schauspielerin und ein Jude Kritiker werden? Aber diesen Luxus haben wir uns doch geleistet – von einem Leben mit dem Theater und mit der Literatur zu träumen. Unsere Träume waren es wohl, die uns damals verbündet haben. Und es ist kaum zu fassen: Unsere Träume haben sich tatsächlich erfüllt. Während man die Unsrigen gemordet hat, wurden wir verschont: Wir wurden nicht erschlagen, nicht umgebracht, nicht ausgerottet, nicht vergast. Wir haben überlebt, ohne es verdient zu haben. Wir verdanken es nur dem Zufall. Wir sind die aus unbegreiflichen Gründen auserwählten Kinder des Grauens. Wir sind Gezeich-

des Landes zu übernehmen und als Sudetenland zu einem »deutschen Reichsgau« zu erklären (nach dem verlorenen Krieg fiel das Gebiet 1945 an die Tschechoslowakei zurück, die deutsche Bevölkerung wurde ausgewiesen und vertrieben).

nete, und wir werden es bleiben bis zu unseren letzten Tagen. Bist du dir dessen bewusst, weißt du das?« – »Ja«, sagte ich, »ich bin mir dessen bewusst.«

Mit unsichtbarem Gepäck

Je mehr sich die Abschlussprüfung näherte, desto größer wurde meine Angst. Nicht die Prüfung fürchtete ich, nicht eventuelle Schikanen der Lehrer und schon gar nicht der Mitschüler. Ich fürchtete auch nicht, mir, der ich als Jude leicht erkennbar bin, hätte auf der Straße oder in einem öffentlichen Verkehrsmittel etwas zustoßen können. Nein, ich hatte damals in Berlin – und das mag heute verwundern – keine Feindseligkeiten zu ertragen, jedenfalls habe ich keine bemerkt.

Wovor ich aber unentwegt Angst hatte, das waren weitere gegen die Juden gerichtete behördliche Anordnungen, solche zumal, die mein Leben hätten verdüstern, ja zur Hölle machen können. Täglich suchte ich in der Zeitung – wir abonnierten, da es das »Berliner Tageblatt« nicht mehr gab, die »Deutsche Allgemeine Zeitung« – vor allem Nachrichten über neue judenfeindliche Maßnahmen. Sie fanden sich immer wieder, aber vorerst nicht jene, die mich am meisten angingen: Mich verfolgte der Gedanke, man werde die Juden von den deutschen Schulen vertreiben oder sie zumindest vom Abitur ausschließen. Wie denn: kein Abitur? Das wäre für mich, davon war ich damals tatsächlich überzeugt, eine folgenschwere Katastrophe gewesen.

Schließlich wurden die wenigen 1938 noch im Fichte-Gymnasium verbliebenen jüdischen Schüler doch nicht entfernt, und wir wurden zur Prüfung zugelassen. Warum? Ich wusste es damals nicht, ich habe den Grund genau ein halbes Jahrhundert später erfahren: Er hatte mit einer persönlichen Entscheidung Hitlers zu tun. Ende 1936 wurde ihm vom Erziehungsminister Rust[1] der Entwurf eines »Judenschulgesetzes« vorgelegt, das

---

[1] Bernhard Rust (1883–1945): von 1934 an Reichsminister für Wissenschaft, Erziehung und Volksbildung.

die Absonderung der jüdischen Schüler nach rassischen Kriterien vorsah. Dies aber hätte dazu geführt, dass die im Sinne der »Nürnberger Gesetze« jüdischen Kinder, die christlichen Glaubens waren, nur jüdische Schulen hätten besuchen dürfen – wogegen der Primas[2] der katholischen Kirche im Reich, der Breslauer Kardinal Bertram, protestierte. Um die Beziehungen zur katholischen Kirche nicht zusätzlich zu belasten, zog es Hitler vor, das »Judenschulgesetz« zumindest zu verschieben.

Kaum weniger fürchtete ich, eines Tages werde man den Juden den Besuch der Theater und Opernhäuser verbieten. Damit wäre ich aus meinem wunderbaren Zufluchtsort verjagt worden, aus meinem elfenbeinernen Turm. In der Tat wurde den Juden seit dem 12. November 1938 der Zutritt – so in einer Bekanntmachung der Reichskulturkammer – zu »Theatern, Lichtspielunternehmen, Konzerten, Vorträgen, artistischen Unternehmen, Tanzvorführungen und Ausstellungen kultureller Art mit sofortiger Wirkung« untersagt. Da war ich allerdings nicht mehr in Berlin.

Was sollte aus mir werden? Diese Frage lastete auf meiner ganzen Jugendzeit, am stärksten naturgemäß im letzten Schuljahr und, noch schlimmer, nach dem Abitur. Für die anderen, die nichtjüdischen Schüler, war das Abitur die lange erwartete, die geradezu ersehnte Erlösung vom Schulzwang. Und für mich? Natürlich habe ich von allerlei Berufen geträumt. Dozent oder Professor für deutsche Literatur – das wäre, dachte ich mir, ein fabelhafter Beruf. Oder vielleicht eine Tätigkeit in der Dramaturgie[3]? Das schien mir unerhört reizvoll, weil beide Bereiche, denen mein intensivstes Interesse galt – die Literatur und das Theater –, vereint wären. Ein Ziel, aufs Innigste zu

---

[2] Oberhaupt (der Kirche), Ehrentitel eines mit Sonderrechten ausgestatteten Erzbischofs.

[3] Der Dramaturg eines Theaters unterstützt den Regisseur bei der Arbeit, dazu gehört vor allem, Theaterstücke (auch neue) zu lesen, auszuwählen und vorzuschlagen, die aufgeführten Stücke zu bearbeiten oder der entsprechenden Bühne anzupassen.

wünschen[4], das war ein anderer Beruf, einer, der im »Dritten Reich« verpönt war: Kritiker. Es waren Träumereien, deren ich mich schämte und über die ich mit niemandem zu sprechen wagte. Ich fragte meine Familienangehörigen, was mit mir geschehen solle? Niemand wusste eine Antwort. Mein Vater, mittlerweile in Warschau, war nicht imstande, sich um mich zu kümmern, meine Mutter war ratlos.

Meine fünf Berliner Cousins und Cousinen, allesamt ungefähr in meinem Alter, hatten es gut: Sie wurden auf Colleges in England geschickt. Dort haben sie den Zweiten Weltkrieg überlebt. Auch mich hätte man ohne weiteres nach England schicken können, aber dazu war Geld nötig, ein bestimmter, nicht einmal so hoher monatlicher Betrag, dessen Zahlung freilich garantiert sein musste. Doch davon konnte bei uns nicht die Rede sein.

Jeder Schüler, der die Reifeprüfung abzulegen wünschte, musste ein Gesuch einreichen, in dem er anzugeben hatte, was er nach der Schule zu tun gedenke. Ich schrieb, dass ich Germanistik und Literatur studieren wolle. Auf meinem »Zeugnis der Reife« heißt es denn auch: »Reich will auf der Universität studieren.« In der Tat hielt es meine Mutter für nicht ganz ausgeschlossen, dass ich als polnischer Staatsangehöriger das Studium an der Berliner Universität werde wenigstens beginnen können. Es war eine naive, eine weltfremde Vorstellung, die wohl damit zusammenhing, dass mein Bruder 1935 noch in Berlin promovieren konnte. So reichte ich ein Immatrikulationsgesuch[5] ein und bekam von der Friedrich-Wilhelm-Universität[6], wie nicht anders zu erwarten, einen abschlägigen Bescheid.

Um der Weltfremdheit die Krone aufzusetzen: Ich habe noch – von meiner Mutter gedrängt – um ein Gespräch mit dem Rektor der Berliner Universität nachgesucht. Es wurde mir, was mich

4 Formulierung aus dem Monolog des Prinzen Hamlet in Shakespeares Drama.
5 Antrag auf Aufnahme an eine Universität.
6 Universität in Berlin, nach dem Zweiten Weltkrieg in Humboldt-Universität umbenannt.

heute noch wundert, sofort bewilligt, er hat mich empfangen und war überaus höflich. Offenbar wollte er nicht sagen, dass Juden zum Studium nicht mehr zugelassen seien. Er hat sich daher bloß auf den Mangel an freien Studienplätzen berufen.

Was mir damals verweigert wurde, habe ich nie nachgeholt – ich habe nie an einer Universität studiert. Einen Universitäts-Hörsaal habe ich erst Jahrzehnte später zu sehen bekommen: 1961 in Göttingen. Ich hatte dort eine Vorlesung zu halten. So kenne ich die Hörsäle nur aus der Perspektive des Katheders[7]. Das Gebäude der Friedrich-Wilhelm-Universität – nach dem Zweiten Weltkrieg Humboldt-Universität genannt – habe ich seit jenem überflüssigen Besuch beim Rektor im Frühjahr 1938 nicht wieder betreten.

Schließlich gab es doch eine Tätigkeit für mich, allerdings eine, die mit allem, wofür ich mich interessierte, nichts gemein hatte: In einer Exportfirma in Charlottenburg, deren Teilhaber ein Jude war und die dennoch aus irgendwelchen Gründen immer noch existieren konnte, fand ich eine Stelle als Lehrling. Die Arbeit war anstrengend und langweilig, aber ich habe nicht darunter gelitten: Sogar eine solche Beschäftigung schien mir besser als gar keine.

Als ich meinen Chef fragte, was ich denn, sollte es mir gelingen, die Lehre zu Ende zu führen, können werde, antwortete er knapp: »Wenn es gut geht, Geschäfte machen.« Genau dies habe ich nie gelernt. Aber der, wie sich bald herausstellte, sehr kurzen Lehrzeit verdankte ich zweierlei: Sie bewahrte mich vor depressiven Stimmungen, und ich habe damals schnell gelernt, wie ein gut organisiertes Büro funktioniert.

Mittlerweile war auch meine Mutter nach Warschau gezogen. Ich lebte in einem winzigen möblierten Zimmer in der Spichernstraße in Charlottenburg, in der einst Brecht mit Helene Weigel gewohnt hatte. Die Situation der Juden hatte sich im Laufe der Jahre gründlich verändert, also verschlechtert. 1933 und 1934 hörten sie bisweilen von Nichtjuden, von Nach-

---

7 Rednerpult (des Lehrers oder Dozenten), Podium.

barn und Bekannten, freundliche und begütigende Worte, meist des Inhalts, es werde sich doch bald alles wieder ändern: »Sie müssen durchhalten.« Den Juden gefielen diese beruhigenden Sprüche aus den frühen Jahren sehr wohl, nur waren sie 1938 nicht mehr zu vernehmen, kein Jude konnte sich noch trösten, es werde nichts so heiß gegessen wie gekocht.

Verhaftungen, Misshandlungen und Folterungen ließen die Zahl der unverbesserlichen Optimisten rasch kleiner und die der Auswanderer immer größer werden. Im August 1938 wurde zum Entsetzen nicht nur der Juden die namentliche Kennzeichnung offiziell eingeführt: Jüdinnen wurde ein zusätzlicher Vorname aufgezwungen (»Sara«), den Juden der Name »Israel«. Überdies wurden die Pässe der Juden auf allen Seiten mit einem großen »J« gestempelt.

Zu den dramatischen und meist grausamen Vorgängen kamen solche hinzu, die unblutig waren, weil sie anderes bezweckten: Sie sollten nicht so sehr einschüchtern als vor allem demütigen. In den Parks und Grünanlagen gab es nunmehr gelbe Bänke mit der Aufschrift »Nur für Juden«. Es versteht sich, dass es nur wenige und ungünstig gelegene Bänke waren. In vielen Restaurants und Kaffeehäusern, in Hotels und Badeanstalten wurden Aufschriften »Juden sind hier unwillkommen« oder »Juden Eintritt verboten« angebracht. Es gab auch Lokale, in denen man es vorzog, auf solche Aufschriften am Eingang zu verzichten und stattdessen denjenigen Juden, die es wagten, diese Lokale dennoch zu betreten, leere Tassen hinzustellen, bisweilen mit einem Zettel: »Juden raus«. In manchen deutschen Städten waren die Verbotsschilder schon am Ortseingang zu sehen.

Eine große Rolle spielten in dieser Zeit die außenpolitischen Erfolge der Reichsregierung: Nach dem Anschluss Österreichs im März 1938[8] schien das Regime auf lange Sicht stabilisiert.

---

8 Der »Anschluss Österreichs« an das Deutsche Reich war die beschönigende Bezeichnung für Hitlers widerrechtliche Eingliederung der seit 1918 bestehenden selbstständigen Republik Österreich (Hitlers Heimat).

Gleichwohl stieg die Zahl der Juden, die ihre Emigration vorbereiteten, nur langsam an. Auch meine Schwester und ihr Mann Gerhard Böhm bemühten sich endlich, Deutschland zu verlassen. Sie wollten nach England. Es war ein vager Plan, für den selbst die geringsten Voraussetzungen fehlten. Und sie wollten, sollte ihnen die Emigration gelingen, mich nachkommen lassen. Aber die deutschen Behörden hatten mit mir anderes im Sinn.

Am 28. Oktober 1938 wurde ich frühmorgens, noch vor 7 Uhr, von einem Schutzmann[9], der ebenso aussah wie jene Polizisten, die auf den Straßen den Verkehr regelten, energisch geweckt. Nachdem er meinen Pass genauestens geprüft hatte, händigte er mir ein Dokument aus. Ich würde, las ich, aus dem Deutschen Reich ausgewiesen. Ich solle mich, ordnete der Schutzmann an, gleich anziehen und mit ihm kommen. Aber vorerst wollte ich den Ausweisungsbescheid noch einmal lesen. Das wurde genehmigt. Dann erlaubte ich mir, etwas ängstlich einzuwenden, in dem Bescheid sei doch gesagt, ich hätte das Reich innerhalb von vierzehn Tagen zu verlassen – und überdies könne ich auch Einspruch einlegen. Für solche Spitzfindigkeiten war der auffallend gleichgültige Schutzmann nicht zu haben. Er wiederholte streng: »Nein, sofort mitkommen!«

Dass ich alles, was ich in dem kleinen Zimmer besaß, zurücklassen musste, versteht sich von selbst. Nur fünf Mark durfte ich mitnehmen und eine Aktentasche. Aber ich wusste nicht recht, was ich in ihr unterbringen sollte. Ich steckte in der Eile nur ein Reservetaschentuch ein und vor allem etwas zu lesen. Ich war gerade mit Balzacs Roman »Die Frau von dreißig Jahren«[10] beschäftigt. Den nahm ich also mit. Sehr aufgeregt war ich offenbar nicht, denn ich dachte noch daran, meine Eintrittskarte für die nächste Premiere am Gendarmenmarkt – ge-

---

9 Veraltet für: Polizist im Außendienst.

10 Balzacs Roman, der sich aus sechs einzelnen Erzählungen zusammensetzt, wurde erstmals zwischen 1831 und 1834 in verschiedenen französischen Zeitungen gedruckt.

geben wurde Shaws »Arzt am Scheideweg«[11] mit Gründgens und Werner Krauss in den Hauptrollen – meiner Zimmerwirtin zu schenken. Nebenbei bemerkt: Es ist mir nicht viel entgangen, denn trotz der prominenten Besetzung war es, wie ich später hörte, eine nur mittelmäßige Aufführung.

Der Schutzmann ging mit mir, eher gemächlich, durch die noch dunklen Straßen. Viele Menschen eilten zur Arbeit, die Straßenbahn fuhr wie immer, die Läden wurden schon geöffnet, der Alltag begann, ein Berliner Tag wie jeder andere – nur nicht für mich. Warum? Jemand musste mich verleumdet haben, denn ohne dass ich etwas Böses getan hätte, bin ich verhaftet worden.[12] Ja, tatsächlich, ich wurde abgeführt. Aber es dauerte nicht lange, und wir, der Schutzmann und ich, waren am Ziel, im Polizeirevier meines Stadtteils.

Ich sah mich gleich inmitten von zehn oder vielleicht zwanzig Leidensgenossen: Es waren Juden und nur Männer, alle älter als ich, der Achtzehnjährige. Sie sprachen tadellos Deutsch und kein Wort Polnisch. Sie waren in Deutschland geboren oder als ganz kleine Kinder hergekommen und hier zur Schule gegangen. Doch hatten sie allesamt, das erfuhr ich bald, aus irgendwelchen Gründen einen polnischen Pass – ebenso wie ich.

Wir mussten eine oder zwei Stunden warten, dann wurden wir in »grünen Minnas«[13] zu einem Sammelplatz – es war eine höhere Polizeidienststelle am Sophie-Charlotte-Platz – abtransportiert. Unter freiem Himmel standen dort schon Hunderte von Juden, die, wie sich rasch herausstellte, ebenfalls polnische Staatsangehörige waren. Jetzt begriff ich, dass meine Vermutung falsch gewesen war: Nein, niemand hatte mich ver-

---

[11] Drama (UA 1906) von George Bernard Shaw.

[12] Anspielung auf den Anfangssatz in Kafkas Roman »Der Prozess« (1925): »Jemand musste Josef K. verleumdet haben, denn ohne dass er etwas Böses getan hatte, wurde er eines Morgens verhaftet.«

[13] Besonders in Berlin übliche volkstümliche Bezeichnung von Polizeiautos, in denen Gefangene abtransportiert werden.

leumdet. Aber ich gehörte einer Gruppe an, die verurteilt war – zunächst nur zur Deportation[14]. Es handelte sich um die erste von den Behörden organisierte Massendeportation von Juden. Ausgewiesen wurden aus Berlin nur Männer, aus anderen deutschen Städten auch Frauen: Insgesamt waren es rund 18 000 Juden.

Erst am späten Nachmittag, als es schon dunkel war, brachte man uns zu einem Nebengleis des Schlesischen Bahnhofs. Dort wartete ein langer Zug. Alles war genau vorbereitet, alles lief ruhig ab, es wurde weder gebrüllt noch geschossen. Offensichtlich sollte die Aktion der Bevölkerung nicht auffallen. Wohin der Zug fuhr, sagte man uns nicht, doch bald war klar, dass die Fahrt in Richtung Osten ging, also zur polnischen Grenze. Wir froren, denn die Waggons waren nicht geheizt, aber jeder hatte einen Sitzplatz. Verglichen mit späteren Transporten waren es noch menschliche, ja nahezu luxuriöse Bedingungen.

Ich las den Balzac-Roman, der mir schlecht vorkam, der mich überhaupt nicht interessierte. Ob ich vielleicht, fragte ich mich, zu aufgeregt sei, um einen Roman zu lesen, oder ob er wirklich nicht viel tauge? Ich hatte, wie man sieht, noch keine sehr ernsten Sorgen. An der deutschen Grenze mussten wir aus den Waggons steigen und uns in Kolonnen aufstellen. Es war vollkommen dunkel, man hörte laute Kommandos, zahlreiche Schüsse, gellende Schreie. Dann kam ein Zug an. Es war ein kurzer polnischer Zug, in den uns die deutschen Polizisten brutal hineinjagten.

In den Waggons war es drängend voll. Sofort wurden die Türen kräftig zugeschlagen und plombiert, der Zug fuhr ab. Jetzt blieben wir, die Ausgewiesenen, unter uns, darunter auch Frauen aus verschiedenen Städten. Sie hatte man meist mitten in der Nacht verhaftet, ihnen wurde häufig nicht erlaubt, sich anzuziehen: Sie waren nur mit einem Nachthemd und einem

---

[14] Deportieren: zwangsweise verschleppen.

142

Mantel bekleidet. Dicht vor mir stand ein dunkelhaariges Mädchen aus Hannover, wohl zwanzig Jahre alt. Mit Tränen in den Augen stellte sie mir Fragen, die ich nicht beantworten konnte. Es wurde immer enger. Plötzlich streichelte sie mich und drückte meine Hand an ihre Brust. Ich war überrascht, ich wollte etwas sagen. Jemand schob mich weg, sie rief mir zwei, drei Worte zu, vielleicht war es eine Adresse. Ich habe sie nicht verstanden.

Was würde in Polen aus mir werden? Je mehr wir uns dem (vorerst unbekannten) Ziel der Reise näherten, desto mehr irritierte mich die einfache Frage nach meiner Zukunft. Sie schien mir genauso düster, genauso undurchschaubar wie die Wälder, durch die wir jetzt langsam fuhren. Ruckartig hielt der Zug. Wir waren im polnischen Grenzort angelangt, durften aber nicht aussteigen. Erst nach einigen weiteren Stunden wurden die plombierten Waggontüren geöffnet.

Was sollte ich in dem Land machen, das mir vollkommen fremd war, dessen Sprache ich zwar verstand, doch nur mühselig und kümmerlich sprechen konnte? Was sollte ich in Polen anfangen, ich, der ich keinen Beruf hatte und auch keine Chance sah, dort einen zu erlernen? Mein Gepäck, das war jene Aktentasche mit dem Balzac-Roman und dem Reservetaschentuch.

Aber ich hatte noch etwas auf die Reise mitgenommen, was freilich unsichtbar war. Daran dachte ich nicht in jenem kalten Eisenbahnzug, der mich aus Deutschland deportierte. Ich konnte damals nicht ahnen, welche Rolle in meinem künftigen Leben diesem unsichtbaren, diesem, wie ich befürchtete, jetzt unnützen und überflüssigen Gepäck dereinst zufallen würde. Denn ich hatte aus dem Land, aus dem ich nun vertrieben wurde, die Sprache mitgenommen, die deutsche, und die Literatur, die deutsche.

ZWEITER TEIL

Von 1938 bis 1945

Die Poesie und der Krieg

So war ich nach Polen gekommen – in mein Geburtsland, das nun mein Exil wurde. Alles war mir hier fremd, und ein wenig fremd ist mir Polen immer geblieben. Dabei hatte ich es zunächst gar nicht so schlecht, mit Sicherheit besser als die meisten der im Herbst 1938 aus Deutschland ausgewiesenen Juden. Mein Bruder und meine Eltern hatten in Warschau eine gemeinsame Wohnung, in der sich auch noch seine zahnärztliche Praxis befand. So klein diese Wohnung auch war – natürlich fand sich Platz, um für mich ein Feldbett aufzustellen. Überdies konnte ich mich polnisch verständigen.

Aber ich wusste nicht, was ich tun sollte. Niemand wusste es. Vom Studium konnte keine Rede sein, schon aus finanziellen Gründen. Und wer sollte mich beschäftigen? Ich war ein arbeitsloser, ein überflüssiger Mensch. Immerhin erwies sich das Einzige, das ich konnte – Deutsch –, vorerst als nützlich. Ich gab ein wenig Deutschunterricht, vor allem Nachhilfeunterricht für Schüler, denen die Schule Schwierigkeiten bereitete. Damit verdiente ich nicht viel, doch genug, um mir ziemlich häufig Theater- und Konzertkarten, möglichst billige, versteht sich, beschaffen zu können.

Den ersten schönen Augenblick erlebte ich in Warschau in einem Konzertsaal. Es war ein Symphoniekonzert, dirigiert von einem jungen Mann, der aus Wien stammte und der noch heute bekannt ist, wenn auch eher als Musikwissenschaftler: Kurt Pahlen[1]. Das Konzert begann mit Mozarts »Kleiner Nachtmusik«[2] –

---

[1] Österreichischer Komponist, Dirigent und Musikwissenschaftler (1907–2003).
[2] Mozarts Orchesterwerk »Eine kleine Nachtmusik« (1787) ist eines der populärsten Stücke des österreichischen Komponisten.

sie war damals bei weitem nicht so abgegriffen wie heute –, und schon fühlte ich mich etwas besser, etwas weniger einsam. Als 1995 im Salzburger Großen Festspielhaus während einer Pause ein vornehmer Herr im Foyer auf mich zutrat, sich höflich vorstellte und sich sogleich bei mir für irgend etwas, was ich irgendwo geschrieben hatte, bedanken wollte, winkte ich rasch ab und sagte ihm, Kurt Pahlen: »Wenn hier jemand zu danken hat, dann bin ich es. Ihre Konzerte haben mir geholfen, ich habe Sie nie vergessen.« Zwei ältere Herrn im Smoking standen sich gerührt gegenüber.

Freudvoll und leidvoll[3] zugleich – das war meine Situation damals in Warschau. Ich hatte, was Arbeitslose immer haben: viel Zeit. So konnte ich mich auf die Suche machen. Wonach? Auch in Polen suchte ich die deutsche Literatur. Meine Bibliothek mit vielen nicht sehr guten Klassikerausgaben, mit zahllosen verramschten Büchern und jenen, die mir der liebenswürdige Chemiker vor seiner Auswanderung »geliehen« hatte, war in Berlin geblieben.

Doch was ich jetzt haben wollte, fand ich überraschend schnell: Ich war begierig zu erfahren, was Thomas und Heinrich Mann, Arnold und Stefan Zweig, Döblin und Joseph Roth, Werfel, Feuchtwanger und Brecht, was sie alle nach 1933, in der Emigration also, geschrieben hatten. Das war nicht schwierig, denn es gab damals in Warschau viele private Leihbibliotheken, und manche waren mit deutschen Büchern gut versorgt. Ein Freund meines Bruders, ein verkrachter Jurist mit einer heimlichen Liebe zur Literatur, schlug mir ein Tauschgeschäft vor: Ich sollte zwei- oder dreimal in der Woche mit ihm deutsche Konversation machen, er würde mich dafür in die Geschichte der polnischen Literatur einführen. Ich war gleich einverstanden, und ich habe es nie bedauert.

Solide oder gar gründlich sind meine Kenntnisse der polnischen Literatur bis heute nicht. Aber die Hinweise und Kommentare des verkrachten Juristen entbehrten nicht einer

3 Formulierung aus Goethes Drama »Egmont« (»Klärchens Lied«).

gewissen Systematik, die Sprache, die melodiös und verführerisch, aber gar nicht leicht ist, beherrschte ich zusehends besser. Bald war ich auch in der Lage, eine Entdeckung zu machen, mit der ich überhaupt nicht gerechnet hatte und die, wenig später, in meinem Leben eine nicht unwichtige Rolle spielen sollte. In den ersten Monaten des Jahres 1939 entdeckte ich die polnische Poesie, zumal die moderne, die zeitgenössische.

Mich verblüffte ihr elegischer, ihr schwermütiger Ton, den ihr Witz und ihre Ironie nie schwächen oder gar in Frage stellen. Mich entzückte, was diese Dichtung ebenso charakterisiert wie adelt: die eindringliche Passion und die beschwingte Perfektion. Mich begeisterte die selbstverständliche, die ganz natürliche Einheit von Vitalität und Musikalität. Zu meiner Verwunderung stand mir manches in den Versen dieser Poeten doch etwas näher als in jenen Rilkes oder Georges, die ich, von einigen Gedichten Rilkes abgesehen, eher bewundert als geliebt habe. Vielleicht hatte das damit zu tun, dass die Polen, die meist Lyriker und Satiriker zugleich waren, mich bisweilen an Heine erinnerten und hier und da an Brecht. Ihre Verse lesend, dachte ich auch – das liegt so nahe, dass ich mich etwas geniere, es zu sagen – an die Mazurken und Polonaisen von Chopin, an seine Präludien und Balladen.[4]

In der Tat: Neben dem Werk Chopins ist die Lyrik das Schönste, was die Polen zur europäischen Kunst beigetragen haben. Ich glaube dies nach wie vor. Allerdings hat sich Europa um die polnische Dichtung nie viel gekümmert. Das ist so bedauerlich wie verständlich, aber es ist das Unglück dieser Literatur: Denn der polnische Roman geht nur in wenigen Fällen über das Mittelmaß hinaus und das polnische Drama, wenn es nicht ein Versdrama ist, gleichfalls. Die polnische Poesie leistet aber den Versuchen, sie in eine andere Sprache zu übertragen, hart-

---

4 Mazurka: polnischer Nationaltanz; Polonaise: polnischer Tanz; Präludium: einleitendes Instrumentalstück; Ballade: vertontes Gedicht. Die Werke des polnischen Komponisten und Pianisten Frédéric Chopin (1810–1849) gelten bis heute als Meisterstücke der Klaviermusik.

näckigen Widerstand: Gewiss, wir haben auch ordentliche, beachtliche Übersetzungen ins Deutsche, wirklich gute Übersetzungen sind indes sehr selten.

Was mir an dieser Lyrik besonders reizvoll und anziehend schien, fand ich vor allem in den Gedichten der kurz nach dem Ersten Weltkrieg bekannt gewordenen Poeten, die man in ihrem Vaterland nach der von ihnen gegründeten Zeitschrift die »Skamandriten« nannte. Der größte unter ihnen war ein Dichter von unvergleichbarer Vielseitigkeit: Julian Tuwim[5], geboren 1894 als Sohn eines jüdischen Buchhalters in Lodz[6]. In den zwanziger Jahren stieg er zu dem am meisten geschätzten und gerühmten und zugleich zu dem am häufigsten attackierten Lyriker und Satiriker Polens auf. Dass er nicht vergast wurde, verdankte er lediglich dem Umstand, dass es ihm gelungen war, rechtzeitig nach Frankreich zu fliehen und von dort in die Vereinigten Staaten.

Anfang der fünfziger Jahre habe ich mit ihm gelegentlich im Café des Polnischen Schriftstellerverbands in Warschau plaudern dürfen. Tuwim war ein stiller, überaus liebenswürdiger Mensch. Aber je bescheidener er sich gab – und es war eine etwas zu deutlich betonte, eine wohl kokette Bescheidenheit –, desto mehr hatte ich den Eindruck, dass der schlanke, anmutige Herr, 56 oder 57 Jahre alt, sich dezent in Szene setzte und also eine Rolle spielte.

Doch bin ich ziemlich sicher, dass ich mich dieses Eindrucks im Gespräch etwa mit Heine oder Rilke, mit Stefan George oder gar mit Else Lasker-Schüler ebenfalls nicht hätte erwehren können. Sollte es etwa zutreffen, dass die Lyriker mehr als die Dramatiker oder die Romanciers zum Komödiantentum im Alltag neigen? Das ist eine nicht ganz falsche und doch etwas riskante Vermutung. Denn Gerhart Hauptmann oder Thomas Mann gehören ja durchaus nicht zu den Lyrikern, aber bei ihnen war unübersehbar, was wir zwar belächeln, doch gerade

[5] Polnischer Schriftsteller (1894–1953).
[6] Stadt in Polen.

diesen beiden rasch zu verzeihen bereit sind – ausgeprägte Eitelkeit und bares Komödiantentum.

In einem dieser Gespräche fragte ich Tuwim nach seinem Verhältnis zur deutschen Literatur. Er antwortete, anders als sonst, sehr wortkarg: Die Sprache der Deutschen sei ihm unverständlich und deren Literatur unbekannt. Das war offensichtlich unwahr. Ich dachte an ein Wort aus dem »Faust«: »Ich höre doppelt, was er spricht, / Und dennoch überzeugts mich nicht.« Denn schließlich sprachen gebildete Juden, die vor dem Ersten Weltkrieg in Lodz aufgewachsen waren, nahezu alle Deutsch. Auch hatte er – ich erlaubte mir, dies respektvoll zu bemerken – einiges aus dem Deutschen übertragen, so Gedichte von Hebbel und Gottfried Keller sowie Possen von Nestroy und, besonders schön, Lyrik von Heine. Aber das sei doch, antwortete er kühl, in einer ganz anderen Zeit gewesen – und wechselte rasch das Thema.

Eine Freundin, der ich nachher über dieses Gespräch berichtete, meinte: »Es erstaunt mich, dass du dich wunderst. Viele seiner Angehörigen wurden von Deutschen ermordet, auch seine Mutter. Das ist für ihn noch kein Grund, etwas Abfälliges über die deutsche Sprache oder die deutsche Literatur zu sagen. Aber er will damit nichts, gar nichts mehr zu tun haben. Er hat dir das nicht deutlicher gesagt, denn er ist ein taktvoller Mensch, und natürlich weiß er, womit du dich beschäftigst; er wollte dich nicht kränken. Vielleicht hat er sich im Stillen über dich ein wenig gewundert. Das ist alles.«

Wenn ich mit Tuwim Kaffee trank, konnte ich auch nicht für einen Augenblick vergessen, dass der mir gegenübersitzende vornehme Herr ein genialer Poet war, überdies einer, dem ich sehr viel verdankte. Ähnliches habe ich nur noch ein einziges Mal erlebt – im Gespräch mit Bertolt Brecht. Tuwim starb während eines Urlaubs in dem Kurort Zakopane in der Hohen Tatra, Ende Dezember 1953 – er wurde nicht einmal sechzig Jahre alt. Die Beerdigung fand in Warschau statt. Der Sarg, auf einem großen, offenen Wagen aufgestellt, wurde langsam durch die trübe Stadt gefahren. Ihm folgten viele weitere Autos mit den wenigen Angehörigen Tuwims und mit vielen, auffallend vielen Vertretern des Staates und der Behörden. Am Ende fuhr ein Autobus mit Mitgliedern des Polnischen Schriftstellerverbands, die an der Beisetzung teilnehmen wollten.

Einen regelrechten Trauerzug gab es nicht, die Überführung des Leichnams zum Friedhof war also kein Schauspiel. Dennoch und trotz des Frostes säumten viele Menschen die Straßen. Es waren vorwiegend Frauen. Alle hatten sie – und das schien mir das Ungewöhnliche – ihre Kinder mitgebracht. Denn zu Tuwims Werk gehören über dreißig Gedichte für Kinder. Ihr Erfolg war außergewöhnlich: Es gab und gibt in ganz Polen nur wenige Kinder, die nicht das eine oder andere dieser Gedichte auswendig können. Nun also erwiesen sie dem toten Poeten die letzte Ehre.

Auf dem Friedhof waren Hunderte, wenn nicht Tausende Menschen versammelt. Es sprach Polens Ministerpräsident. Von seiner Trauerrede habe ich, da ich ziemlich weit hinten stand, nicht viel verstehen können. Aber es fiel mir auf, dass die Schriftsteller, mit denen ich im Autobus gekommen war, Tränen in den Augen hatten. Sie gaben sich keine Mühe, dies zu verbergen – dabei ist es doch in diesem Gewerbe üblich, Rührung nicht zu zeigen, sondern zu bewirken.

Als ich mich 1939 zum ersten Mal mit polnischer Dichtung beschäftigte, hat sie mich, zusammen mit der deutschen Exilliteratur, gerettet, genauer: vor einer Depression bewahrt. Die zahnärztliche Praxis meines Bruders ging gut, er hatte sehr viel zu tun und konnte den größten Teil des Lebensunterhalts unserer Familie aufbringen. Mein Vater plante die Gründung einer neuen Firma, er führte allerlei Verhandlungen, und schließlich wurde diese Firma tatsächlich gegründet – in dem hierzu am wenigsten geeigneten Augenblick: im Juli oder August 1939. Die Sache brachte, wie nicht anders zu erwarten war, Spesen – und sonst nichts. Meine Mutter führte den Haushalt. Ich aber war ein Nichtstuer, wenn auch nicht unbedingt ein Faulenzer: Denn ich las unentwegt Romane und Gedichte – und hatte keinerlei Aussicht für die Zukunft. Natürlich litt ich darunter, wenn auch nicht lange. Die Weltgeschichte erlöste mich. Denn es war gekommen, was viele befürchteten und nicht wenige erhofften: der Krieg.

Die höchst gespannte Lage im August 1939 – das Stichwort hieß »Nervenkrieg« – schien uns entsetzlich, das sei, meinten beinahe alle, gar nicht mehr auszuhalten. Doch gab es auch ruhige, vernünftige Menschen, die uns warnten: Ihr werdet euch nach diesem Nervenkrieg noch zurücksehnen. Die Nachricht vom deutschen Überfall auf Polen[7] haben wir dann, so unwahrscheinlich dies auch anmuten mag, mit Erleichterung, mit befreitem Aufatmen zur Kenntnis genommen. Und als am 3. September Frankreich und Großbritannien Deutschland den Krieg erklärten, konnte sich das Volk vor lauter Glück kaum beherrschen: Die Stimmung war – und nicht nur in Warschau – enthusiastisch. Ich schickte meiner Schwester, die zusammen mit ihrem Mann seit wenigen Wochen in London lebte, gleich eine Postkarte: Es werde gewiss nicht leicht, ja vielleicht schrecklich werden, aber wir seien guten Mutes, denn an der Niederlage Deutschlands hätten wir nicht den geringsten Zweifel. Die Postkarte ist nie angekommen.

Ob das nun für oder gegen mich spricht: Des Sieges der Alliierten[8] war ich den ganzen Krieg über sicher, da gab es keinen Augenblick der Ungewissheit. Sogar an den unentwegt sonnigen, für uns aber düstersten Tagen unmittelbar nach der Eroberung von Paris[9] kam meine Überzeugung für keinen Augen-

---

[7] Die deutsche Wehrmacht begann, unter dem Decknamen »Fall Weiß«, am frühen Morgen des 1.9.1939 ohne Vorwarnung oder förmliche Kriegserklärung den Überfall auf Polen, der zwei Tage später die Kriegserklärung Frankreichs und Englands gegen Deutschland nach sich zog und sich so zum Weltkrieg ausweitete. Am 27.9. kapitulierte Warschau, die Hauptstadt Polens.

[8] Verbündete Staaten im Krieg, in diesem Fall Zusammenschluss der Kriegsgegner des Deutschen Reiches: England, Frankreich, später auch die Sowjetunion, die USA u. a.

[9] Die kampflose Besetzung von Paris durch deutsche Truppen am 14.6.1940.

blick ins Wanken. War das nur Wunschdenken? Nein, wahrscheinlich nicht. Woher nahm ich also diese Sicherheit? Daran war wohl das preußische Gymnasium schuld, das mir immer wieder, auch im Deutschunterricht, beigebracht hatte, dass in der Geschichte der Menschheit letztlich stets die gerechte Sache triumphiere.

So sicher ich war, dass der Krieg mit der Niederlage Hitlers und der Seinen enden werde, so sehr befürchtete ich – und sagte es meinen Freunden damals immer wieder –, dass den Juden Grausames bevorstehe. Ich habe das, was dann tatsächlich geschehen ist, weder vorausgesagt noch vorausgeahnt, nur meinte ich, dass man einem Regime, das die »Kristallnacht«[10] – sie fand wenige Tage nach meiner Deportation statt – organisiert hatte, auch das Schrecklichste zutrauen könne und müsse.

Die Freude über den Kriegsbeitritt der Alliierten wurde bald von Panik abgelöst. Noch unlängst hatte man in polnischen Zeitungen lesen können, das deutsche Heer sei unzureichend ausgerüstet, viele Offiziere und Soldaten seien Hitlergegner und somit potenzielle Deserteure[11]. Allen Ernstes wurde die Ansicht geäußert, der jämmerliche Zustand der meisten polnischen Chausseen und Wege würde den Vormarsch der deutschen Tanks und Panzerwagen erschweren, wenn nicht gar unmöglich machen – und somit Polen zum Vorteil ausschlagen. Doch kam alles anders, als die unverbesserlichen polnischen Optimisten lauthals prophezeit hatten: Die deutschen Armeen triumphierten, und gleich hörte man in Warschau von ungeheuerlichen Grausamkeiten der deutschen Soldaten: Sie würden in den besetzten polnischen Ortschaften den Männern, zumal den Juden, die Zungen abschneiden und bisweilen auch die Hoden. Wenige glaubten an diese Gerüchte. Gleichwohl verbreiteten sie Furcht und Schrecken.

Am 7. September teilte ein Oberst des polnischen General-

---

[10] Siehe Seite 34, Fußnote 45.
[11] Fahnenflüchtige, Überläufer.

stabs über den Rundfunk mit, dass sich die deutschen Panzer Warschau näherten. Er appellierte an alle waffenfähigen Männer, die Stadt sofort zu verlassen und sich in östliche Richtung zu begeben. Dem entnahm man, dass eine Verteidigung der polnischen Hauptstadt überhaupt nicht geplant sei, dass vielmehr das Oberkommando der polnischen Armee es für richtiger halte, sich zurückzuziehen und eine Verteidigungsfront irgendwo östlich der Weichsel zu errichten. Die überwiegende Mehrheit der jungen Männer folgte sofort diesem Aufruf und verließ Warschau in größter Eile – meist ohne Gepäck und ohne zu wissen, wohin sie fahren oder gehen sollten. Ein heilloses Chaos brach über die Stadt herein. Die Regierung und das Oberkommando der Armee, erfuhr man bald, seien schon nach Rumänien geflohen und jener Oberst des Generalstabs habe eigenmächtig und verantwortungslos gehandelt. Die Stadt solle keineswegs den Deutschen kampflos in die Hände fallen, sondern um jeden Preis verteidigt werden.

Meinem Bruder und mir bot sich überraschend die Chance, Warschau mit einem Auto zu verlassen. Verwandte hatten zusammen mit mehreren Bekannten einen großen Lastwagen gemietet, mit dem sie wie alle anderen in östlicher Richtung fliehen wollten. Sie nahmen uns mit. Man konnte sich nicht vorstellen, dass die Deutschen ganz Polen besetzen würden, ein Teil des Landes würde vielleicht doch unter polnischer Verwaltung bleiben – und dort ließe sich eventuell überwintern. Nur überwintern? Das würde schon genügen, denn alle glaubten (ich ebenfalls), im Laufe des Jahres 1940, spätestens 1941 würden die Alliierten die Deutschen endgültig besiegen. Überdies meinten wir, durch die Flucht in den Osten könne man dem Bombardement Warschaus entgehen. Unsere Eltern allerdings blieben in der Stadt. Älteren Menschen, meinten wir, würden die Deutschen nichts antun.

Aber wohin wir in unserem Lastwagen auch kamen, die Unheil verkündenden schwarzen Vögel mit ihrer gefährlichen, ihrer alles zerstörenden Last, die deutschen Flugzeuge also – sie waren schneller als unser Auto, sie waren immer schon da gewesen, und wenn wir sie vorübergehend nicht sahen und nicht hörten, dann sahen wir doch ihr Werk: Leichen und Ruinen, vernichtete Dörfer und zerstörte Städte. Wir fuhren so rasch wie möglich durch die gerade heftig bombardierte, die brennende, die menschenleere Stadt Siedlce. Wir überquerten in der Nähe der Stadt Brest den Fluss Bug. Wir fuhren weiter, immer weiter, bis wir schließlich jenen trostlosen Landstrich erreichten, der »Pripjetsümpfe« heißt. Dort blieben wir in einem kleinen, jämmerlichen Dorf stecken.

Hier gab es keine Bomben, hier gab es nur Wiesen, Wälder und Weiden, Seen und Sümpfe und schäbige Bauernhütten. Immerhin konnte man in ihnen übernachten. Betten allerdings waren nicht vorhanden, die Bauern schliefen auf Bänken, die an den Wänden standen. Bänke, Schemel und Tische – das war das ganze Mobiliar. Keine Schränke, keine Kommoden? Nein, Derartiges brauchten diese Dorfbewohner offenbar nicht. Sie besaßen nichts, was man in Schränken oder Kommoden hätte unterbringen können. Das Zivilisationsgefälle zwischen dem westlichen und dem östlichen Teil Polens war sehr groß – das wusste man natürlich. Dass es so enorm war, dass es in Polen Gegenden gab, in denen die Menschen nicht anders lebten als im Mittelalter, das habe ich erst im September 1939 erfahren.

Dort, in der unheimlichen Stille dieses Dorfes, waren wir von der Welt abgeschnitten. Kein Radio, keine Telefone, keine Zeitungen. Auf der Suche nach Lektüre fragte ich die Bauern, ob sie denn keine Bibel hätten, kein Gebetbuch. Nein, sagten sie verwundert, so etwas hätten sie nie gehabt, Bücher könne man vielleicht bei dem Herrn Pfarrer finden, der freilich in der Stadt wohne, etwa zwanzig Kilometer entfernt. Wozu sollten denn für sie Bücher gut sein? Sie waren wie ein nicht geringer Teil des polnischen Volkes Analphabeten.

Zu unserer Gruppe gehörte auch eine Achtzehnjährige, die vor drei Monaten das Abitur gemacht hatte. Wir gingen zusammen spazieren, auf schmalen, engen Pfaden zwischen feuchten Wiesen. Wir mussten aufpassen, dass wir nicht in einen Sumpf gerieten. Doch bald achteten wir nicht mehr auf die umliegenden Sümpfe, wir achteten aufeinander. Aber wir sind von unserem Pfad nicht abgekommen. Da sie wusste, dass ich aus Deutschland gekommen war, erzählte sie mir, in ihrer Schule habe man im Deutschunterricht eine besonders schöne Novelle behandelt, eine Liebesgeschichte, sehr zart und sehr traurig. Da sei ein Gedicht[12], das ihr besonders gefalle. Es beginne so:

Heute, nur heute,
Bin ich so schön;
Morgen, ach morgen
Muss Alles vergehn!

Das Vergänglichkeitsmotiv, ganz einfach, scheinbar kunstlos ausgedrückt, hatte diese Achtzehnjährige beeindruckt. Das verwunderte mich nicht, denn ich wusste aus eigener Erfahrung, dass für dieses Motiv besonders empfänglich jene Menschen sind, die es gerade entdeckt hatten.

Ein wenig prahlend, wenn auch nicht übertreibend, sagte ich beiläufig, ich hätte alle Gedichte und Novellen dieses Autors gelesen. Sie bat mich, ihr etwas über ihn zu erzählen. Er sei – erzählte ich ihr – ein stiller Jurist gewesen, ein kleiner Beamter und ein ganz großer Liebender, ein ungewöhnlicher freilich, der sich in sehr junge Mädchen verliebte. Einmal, als er schon verlobt war, wollte er sogar mit einer erst dreizehnjährigen Blondine anbändeln, die er später – inzwischen war seine erste Frau gestorben – geheiratet hat.

So sprachen wir in den öden und wüsten Pripjetsümpfen über Theodor Storm und über »Immensee«. Da fiel mir der Vers[13] ein:

[12] Die zitierten Verse finden sich in Storms Novelle »Immensee« (1851/52); vom Autor wurden sie später – unter dem Titel »Lied des Harfenmädchens« – auch in die Sammlung der Gedichte aufgenommen.

[13] Es handelt sich um die letzten beiden Zeilen von Storms 1848 erstmals gedrucktem Gedicht »Abseits«.

Kein Klang der aufgeregten Zeit
Drang noch in diese Einsamkeit.

Und wir sprachen über die Liebe. Deutsche und polnische Verse zitierend, gingen wir nebeneinander. Dass der Pfad enger wurde, sehr eng – es störte uns nicht. Wir kamen uns immer näher. Plötzlich blickte ich ihr in die Augen, und ich sah Tränen. Da habe ich getan, was am nächsten lag, was am einfachsten war. Ich habe sie geküsst, ihre feuchten Augen und dann wohl auch ihren Mund. Als ich in den blauen, den klaren Himmel aufblickte, da sah ich ungeheuer oben, nein, keine weiße Wolke, an die sich Brecht erinnert, als er an Marie A.[14] dachte; dort sah ich drei oder vier Flugzeuge. Sie flogen so hoch, dass wir sie nicht fürchteten. Doch war er wieder da, der Klang der aufgeregten Zeit.

Aber sie schauten, dessen war ich sicher, anders aus als jene, die Adolf Hitler nach Polen geschickt hatte. Wir gingen schnell zurück, zu den Unsrigen. Auch sie waren verwirrt, auch sie meinten, es seien keine deutschen Flieger, vielleicht kämen sie aus der Sowjetunion. Was hatte Stalin im Sinn? Wollte er Polen verteidigen und beschützen? Wozu sonst hätte er seine Flugzeuge hierher geschickt? Etwa um den Deutschen, den Siegern, zu helfen? In unserer elenden Einsamkeit war nichts, gar nichts zu erfahren. Es wurde also beschlossen, dass drei von unserer Gruppe mit unserem Lastwagen ins nächste, angeblich größere Dorf fahren sollten, um sich zu erkundigen, was denn los sei. Einen hatte man ausgewählt, weil er als der politisch umsichtigste Kopf galt, einen zweiten, weil er gut Russisch sprechen konnte, und schließlich mich, falls eine Verständigung mit Deutschen erforderlich sein sollte.

---

[14] Anspielung auf Brechts 1920 entstandenes Gedicht »Erinnerung an die Marie A.«; die betreffenden Zeilen lauten: »Und über uns im schönen Sommerhimmel / War eine Wolke, die ich lange sah / Sie war sehr weiß und ungeheuer oben / Und als ich aufsah, war sie nimmer da.«

In jenem nächsten Dorf wartete auf uns eine Überraschung: Ein mit der Schreibmaschine geschriebener Anschlag über die Ermordung von Hitler, Göring und Goebbels, über die Kapitulation Deutschlands und das Ende des Krieges. Wir haben es gern gelesen, aber glücklich waren wir nicht. Denn wir glaubten kein einziges Wort. Die Dorfbewohner, die wir befragten, zuckten mit den Achseln. Sie sagten uns, in einer etwas weiter weg gelegenen Ortschaft sei eine vor zwei Tagen einmarschierte russische Abteilung stationiert, dort würden wir vielleicht Auskunft erhalten.

Wir fuhren hin, fanden aber bloß einen Wachtposten vor einem Haus, das offenbar als Kaserne diente. Von diesem Soldaten wollten wir wissen, in welcher Eigenschaft die Russen hier seien, ob sie für oder gegen die Polen, für oder gegen die Deutschen Partei nähmen. Aber er war wortkarg und machte einen grimmigen Eindruck. Schließlich belehrte er uns, recht selbstzufrieden, wie uns schien: »Wir sind für das Proletariat[15] und für die Freiheit.« Da waren wir so klug als wie zuvor.[16]

Auf dem Rückweg trafen wir versprengte polnische Soldaten. Auch sie erzählten uns von der Kapitulation – doch nicht Deutschlands, sondern Warschaus. Die Stadt sei vollkommen zerstört. Und die Russen? Hitler und Stalin seien ein Herz und eine Seele und hätten Polen unter sich aufgeteilt. Wir fuhren rasch in unser Dorf zurück. Die Beratung mit meinem Bruder dauerte nur wenige Minuten: Wir waren uns gleich einig, dass es keinen Sinn habe, in Ostpolen zu bleiben oder weiter zu fliehen, dass wir in dieser neuen Situation keine andere Wahl hätten, als schleunigst nach Warschau zurückzukehren und zu sehen, ob unsere Eltern noch am Leben seien.

Am nächsten Morgen wurden wir mit dem Lastwagen unse-

---

[15] Siehe Seite 111, Fußnote 1.

[16] Anspielung auf den Monolog von Faust in Goethes Drama »Faust«: »Habe nun, ach! Philosophie, / Juristerei und Medizin / Und leider auch Theologie / Durchaus studiert, mit heißem Bemühn. / Da steh ich nun, ich armer Tor! / Und bin so klug als wie zuvor.«

rer Gruppe zur nächsten Chaussee gebracht. Langsam kamen wir voran, in westlicher Richtung – mit Pferdewagen, mit Transporten der zerfallenden polnischen Armee und streckenweise zu Fuß. In Brest war eine Brücke über den Bug heil geblieben, im Fluss trieben aufgeschwemmte Kadaver von Pferden und Rindern. Auf der Landstraße war der Verkehr so dicht wie unlängst noch auf den Hauptstraßen Warschaus – der Verkehr in beiden Richtungen: Die einen wollten nach Hause, obwohl dort jetzt die Deutschen waren; die anderen in den allem Anschein nach schon sowjetisch besetzten Teil Polens. Je mehr wir in westlicher Richtung vorankamen, desto häufiger hörten wir, Warschau sei in einem so schrecklichen Zustand, dass man viele Straßen überhaupt nicht wiederfinden könne. Das letzte Stück des Weges, beinahe vierzig Kilometer, mussten wir zu Fuß gehen.

In der Tat machte die einstige polnische Hauptstadt den Eindruck eines einzigen Trümmerfelds: Die meisten Häuser waren zerstört, die anderen schienen, da keine Fenster heil geblieben waren, ebenfalls ruiniert und unbewohnt. Mein Bruder und ich – wir waren vollkommen erschöpft, wir hatten seit bald einer Woche nur sehr wenig geschlafen, aber wir wollten uns nicht ausruhen. So müde wir auch waren, wir gingen, je mehr wir uns dem Ziel näherten, immer schneller. Mit jeder Stunde, mit jeder Minute wuchsen unsere Aufregung und unsere Furcht. Jetzt standen wir vor dem Haus, in dem wir gewohnt hatten, ja, dieses Haus gab es noch, es war nur teilweise zerstört: Die Wohnung unter der unsrigen lag in Schutt und Asche.

Wir würden es nun erfahren: Ob sie, unsere Eltern, noch lebten oder nicht. Unsere Wohnung, das sahen wir jetzt, war bloß zur Hälfte erhalten. Zitternd klopften wir an die Tür, doch niemand öffnete uns, erregt klopften wir noch einmal, noch ungeduldiger und lauter. Plötzlich hörten wir zögernde Schritte, die Tür wurde langsam und offenbar ängstlich geöffnet. Vor uns standen zwei, wie uns schien, sehr alte Menschen, die uns in der Dunkelheit nicht erkannten und denen offenbar der Schreck die Sprache verschlagen hatte – meine Mutter und mein Vater.

Die Jagd ist ein Vergnügen

Kaum hatte sich Warschau ergeben, kaum war die Wehrmacht in die Stadt einmarschiert, da ging es gleich los, da begann schon das große Gaudium[1] der Sieger, das unvergleichliche Vergnügen der Eroberer – die Jagd auf die Juden.

Nach dem blitzschnellen, dem großartigen Triumph bot sich den ausgelassenen und begreiflicherweise abenteuerlustigen deutschen Soldaten auf den Straßen einiger Viertel der polnischen Hauptstadt ein überraschender Anblick. Was ihnen noch nie untergekommen war, dem begegneten sie hier auf Schritt und Tritt: Sie sahen verwundert und verblüfft zahllose orientalische, jedenfalls orientalisch anmutende Individuen mit ungewöhnlich langen Schläfenlocken[2] und mit dichten, struppigen Bärten. Exotisch war auch deren Kleidung: schwarze und schmucklose, beinahe immer bis zu den Knöcheln reichende Kaftane und ebenfalls schwarze, meist runde Mützen oder Hüte.

Aber man konnte sich mit diesen finsteren und doch sehr lebhaften Fremdlingen, anders als mit den Polen, ohne Mühe verständigen: Sie sprachen ein für deutsche Ohren sonderbar und eher hässlich klingendes Idiom[3]. Doch im Unterschied zum Polnischen war diese Sprache, das Jiddisch, wenn sie nicht gar zu schnell gesprochen wurde, ganz gut zu verstehen. Warum die Sprache der Juden, so unschön sie auch sein mochte, für deutsche Ohren eben doch verständlich war, darüber mach-

---

[1] Belustigung, Spaß (aus dem Lateinischen).
[2] Auffällige lange Haarlocken (Peies) an den Schläfen, bei Juden Zeichen strenger Gläubigkeit.
[3] Eigentümliche Redeweise oder Wortwahl (einer bestimmten Region oder sozialen Gruppe).

ten sich die Soldaten keine Gedanken – es sei denn, es war unter ihnen ein Germanist, den die meist gutturalen Laute[4] an die größten deutschen Dichter einer längst entschwundenen Epoche erinnerten, an die Verse des Walther von der Vogelweide und des Wolfram von Eschenbach.[5] Denn auf ihrer Wanderung quer durch Europa hatten die Juden im Mittelalter die Sprache der deutschen Stämme, das Mittelhochdeutsch, mitgenommen und, wenn auch versetzt mit hebräischen, slawischen[6] und anderen Elementen, erhalten und bewahrt.

Die jungen Soldaten sahen also zum ersten Mal in ihrem Leben orthodoxe Juden[7]. Sympathien weckten diese unheimlichen Bewohner Warschaus bei ihnen nicht, vielmehr Abscheu und vielleicht Widerwillen. Aber die Soldaten mochten auch eine unbewusste Zufriedenheit empfinden, wenn nicht gar eine gewisse Genugtuung. Denn während sie zu Hause, in Stuttgart, Schweinfurt oder Stralsund, die Juden von den rein-rassigen Deutschen, den Ariern, in der Regel nicht zu unterscheiden vermochten, konnten sie jetzt endlich jene sehen, die sie bisher nur als Karikaturen in deutschen Zeitungen kannten, zumal im »Stürmer«.

Hier waren sie, die arglistigen und abstoßenden Feinde des deutschen Volkes, die Untermenschen, vor denen der Führer beschwörend zu warnen pflegte und über die noch häufiger und noch viel anschaulicher der kleine Doktor sprach, der Reichsminister Goebbels. Jetzt begriffen die siegreichen Solda-

---

4 In der Kehle gebildete tiefe Laute.

5 Walther von der Vogelweide: mittelhochdeutscher Lyriker (vermutlich um 1170 in Niederösterreich geboren und um 1230 gestorben); Wolfram von Eschenbach: mittelhochdeutscher Epiker und Liederdichter (um 1170 geboren, nach 1220 gestorben).

6 Zu den indogermanischen Sprachen zählende Sprachfamilie, der u. a. die russische, bulgarische, tschechische und polnische Sprache angehören.

7 Strenggläubige Juden, die sich auch äußerlich als Mitglieder ihrer Religion zu erkennen geben: durch die stets getragene Kopfbedeckung (Kippa), Schläfenlocken u. a.

ten, was man ihnen seit Jahren erklärt und gepredigt hatte: Die vielen Juden auf den Straßen Warschaus – das waren die schrecklichen asiatischen Horden, die die Europäer bedrohten und die den Ariern, den Deutschen vor allem, nach dem Leben trachteten.

Dass diese Untermenschen, die freilich eher einen ängstlichen als widerborstigen Eindruck machten, Waffen trugen, war sehr unwahrscheinlich, doch musste es auf jeden Fall geprüft werden: Täglich fanden nun Razzien[8] statt, nie wusste man, welches Viertel gerade an der Reihe war. Die Waffen, die die gut gelaunten Soldaten angeblich suchten, konnte man bei den frommen Juden, wie sehr man sich auch bemühte, nicht finden. Aber sie besaßen anderes, was diesen deutschen Männern, die jetzt eifrig für Ordnung sorgten, durchaus willkommen war: Ringe und Brieftaschen und etwas Bargeld und gelegentlich auch goldene Taschenuhren.

Indes ging es nicht nur darum, die Juden zu berauben. Sie, die Feinde des Deutschen Reichs, sollten auch bestraft und erniedrigt werden. Das war nicht schwer zu machen: Die Soldaten hatten bald gemerkt, dass man orthodoxe Juden besonders schmerzhaft demütigen konnte, wenn man ihnen die Bärte abschnitt. Zu diesem Zweck hatten sich die unternehmungslustigen Okkupanten[9] mit langen Scheren versorgt. Aber die feigen Juden flohen und verbargen sich in Höfen und Häusern. Das half ihnen nicht viel, sie wurden rasch ergriffen. Von wem? Von den deutschen Soldaten? Gewiss, auch von ihnen, doch häufiger noch von jenen, die ihnen, den neuen Herrn, sofort zu Diensten standen: von polnischen Rowdies und Nichtstuern aller Art, oft von Halbwüchsigen, die glücklich waren, dass sie eine fröhliche und auch abwechslungsreiche Betätigung gefunden hatten.

War es ihnen gelungen, einen fliehenden Juden zu fassen,

---

[8] Razzia: gezielte polizeiliche oder militärische Durchsuchung von Gebäuden, Straßenzügen oder Stadtvierteln.
[9] Besatzer, Besatzungsmacht.

dann schleppten sie ihn grölend zu den Deutschen, die gleich ans Werk gingen: Beherzt schnitten sie die langen Judenbärte ab, die sie bisweilen erst einmal mit einer brennenden Zeitung anzündeten. Das war besonders sehenswert. Kaum war der Bart auf den Damm gefallen, da johlten die vielen Schaulustigen, manche klatschten Beifall. Die beflissenen Hilfswilligen gingen nicht etwa leer aus: Mitunter fand sich für sie eine Banknote oder ein Ring.

Bald wurden auch die assimilierten, die europäisch gekleideten Juden ausgeraubt – und da es den Deutschen schwer fiel, sie von den Nichtjuden zu unterscheiden, konnten sich die polnischen Helfer wiederum nützlich machen: Die meisten kannten nur ein einziges deutsches Wort – »Jude« –, aber das reichte ja für ihre Aufgabe. Bestritt ein aufgegriffener Mann, Jude zu sein, dann lautete das Kommando: »Hosen runter!« – und es stellte sich bald heraus, ob er beschnitten[10] war oder nicht. Übrigens wussten die Opfer solcher Razzien nicht, wann sie heimkehren würden – nach einigen Stunden, nach einigen Tagen oder nie.

Oft wurden die von der Straße mitgenommenen Juden – und auch Jüdinnen – in ein deutsches Dienstgebäude getrieben, das gereinigt werden musste. Wenn Lappen zum Aufwischen des Fußbodens nicht zur Hand waren, dann wurde den Jüdinnen, zumal den besser aussehenden, befohlen, ihre Schlüpfer auszuziehen. Die ließen sich auch als Lappen verwenden. Für die Soldaten war das ein Heidenspaß – den übrigens ihre Kameraden bereits im März 1938 ausprobiert hatten: in der Ostmark[11], vor allem in Wien.

Den vielen Straßenrazzien folgten schon im Oktober 1939 Überfälle auf die Wohnungen von Juden. Sie fanden meist nach zwanzig Uhr statt, wenn die Häuser geschlossen waren.

---

[10] Beschneidung: bei Männern die Entfernung der Vorhaut am Penis (aus religiösen, rituellen oder hygienischen Gründen).

[11] Von 1938 bis 1945 im »Dritten Reich« üblicher Name für das »angeschlossene« Österreich (als Teil eines »Großdeutschen Reiches«).

So hörten wir eines Abends, wie an das Tor unseres Hauses ungewöhnlich laut geklopft wurde. Da wusste man schon: Das sind die Deutschen. Der erschrockene Hausmeister öffnete sofort, doch bald fiel ihm ein Stein vom Herzen. Denn diese Soldaten begehrten nur deshalb Einlass, weil sie einen jüdischen Zahnarzt brauchten. Damit war mein Bruder gemeint. Das Interesse für seine Person hatte allerdings keinen medizinischen Grund: Die jungen Männer benötigten Gold – und sie vermuteten es bei einem Zahnarzt.

Gleich pochten sie, wiederum sehr kräftig, an unsere Wohnungstür. Das war so üblich: Von der Klingel machten derartige Besucher keinen Gebrauch, weil das energische Klopfen mit einem Gewehr oder einer anderen Waffe jene, die man heimsuchen wollte, wirkungsvoller in Schrecken versetzte. Mein Bruder öffnete die Tür und sagte höflich, wenn auch etwas zu laut: »Was wünschen Sie?« Ich stand neben ihm. Im halbdunklen Treppenhaus sahen wir drei Soldaten in den Uniformen der Wehrmacht, alle nur wenig über zwanzig Jahre alt. Sie schrien »Hände hoch«, ihre Waffen waren auf uns gerichtet. Ob hier Untergrundkämpfer versteckt seien – wurden wir in rüdem Ton gefragt. Unsere verneinende Antwort schien sie nicht zu überraschen. Dann richteten sie ihre Pistolen mit grimmiger Miene auf unseren Kleiderschrank und forderten mich auf, ihn zu öffnen. Freilich waren auch hier Widerstandskämpfer nicht zu finden. Nun schauten die militärischen Ordnungshüter hinter die Gardinen, immer mit gezogener Waffe.

Dann gingen sie unvermittelt zur Sache über. Nicht mehr brüllend, sondern leise drohend wollten sie wissen, wo mein Bruder sein Gold aufbewahre und meine Mutter ihren Schmuck. Einer von ihnen bedrohte meine Mutter, mein Bruder wagte es, vorsichtig zu protestieren, und bekam zu hören: »Maul halten.« Gleichsam als Entschuldigung sagte er, jeder Sohn habe doch nur eine Mutter. Der Soldat ließ sich vernehmen: »Und jede Mutter hat nur einen Sohn.« Die Situation war komisch und gefährlich zugleich. Niemand von uns wagte es, auch nur zu lächeln, geschweige denn, den Soldaten darauf aufmerksam zu machen, dass dies nicht ganz stimme. Er hätte ja, von den frechen Juden gereizt, von seiner Waffe Gebrauch machen können: Was immer er uns angetan hätte, er war ja niemandem Rechenschaft schuldig.

Kaum eine Minute später war alles vorbei. Die drei Soldaten hatten nicht ohne Eile unsere Wohnung verlassen – mit der ersehnten Beute, versteht sich. Ich konnte mich des Eindrucks nicht erwehren, dass es Anfänger waren, die uns überfallen hatten: Ob sie eine solche Szene schon im Kino gesehen hatten und sie bei uns einfach nachspielten? Jedenfalls war das Gold weg und der Schreck ließ nach – aber nicht nachlassen wollte der Glaube meiner Mutter an die deutsche Ordnung und die deutsche Gerechtigkeit.

In dieser Hinsicht ähnelte sie manchen Juden in Polen, älteren vor allem und assimilierten: Sie glaubten tatsächlich, die deutsche Besatzung würde auch diesmal nicht viel anders sein als jene im Ersten Weltkrieg. Letztlich würden die Okkupanten die Juden in Ruhe lassen, vielleicht sogar mehr oder weniger korrekt behandeln. Und die Razzien und Überfälle gleich in den ersten Tagen und Wochen nach der Eroberung Warschaus? Das seien brutale Willkürakte, die ohne Wissen der Vorgesetzten erfolgten und die sich sehr bald nicht mehr wiederholen würden.

Am nächsten Morgen machte sich meine Mutter auf den Weg, ich begleitete sie. Es dauerte nicht lange, und wir fanden die deutsche Kommandantur[12]. Hier wollte sie sich beschweren und die Rückgabe des ihrem Sohn entwendeten Goldes und ihres Eheringes erbitten. Sie war wirklich überzeugt, dass ihr das gelänge. Aber wir konnten nicht einmal das Gebäude der Kommandantur betreten: Ein leutseliger Wachtposten empfahl uns, schleunigst das Weite zu suchen.

Diese Soldaten, die immer wieder Wohnungen von Juden überfielen, wollten sich bereichern. Doch sollte man ein ganz

---

[12] Dienstgebäude eines Kommandanten, Befehlshabers einer Truppe.

anderes Motiv nicht unterschätzen: Sie taten etwas, was ihnen augenscheinlich Freude bereitete. Zu dieser Vergnügungssucht kam oft jene Neigung zum Sadismus[13] hinzu, die sie in der Heimat immer verbergen mussten und die sie im feindlichen Polen, davon waren unzählige Deutsche in Uniform überzeugt, nicht zu unterdrücken brauchten: Hier hatten sie auf nichts und niemanden Rücksicht zu nehmen, hier unterlagen sie keiner Aufsicht und keiner Kontrolle. Anders als am Rhein oder Main konnten sie endlich tun, wovon sie immer schon geträumt hatten: die Sau rauslassen.

Ende November 1939 erschienen in unserer Wohnung wieder einmal deutsche Soldaten, jetzt aber zwischen zehn und elf Uhr vormittags. Sie wollten – anders als ihre schneidigen Vorgänger – weder Geld noch Gold, vielmehr benötigten sie Arbeitskräfte, also vor allem junge Männer. Sie nahmen uns gleich mit: meinen Bruder, der die zahnärztliche Behandlung eines vor Schreck erstarrten Patienten unterbrechen musste, und mich. Auf der Straße stand schon eine Kolonne von dreißig oder vierzig Juden. Da wir etwas besser angezogen waren als die anderen, wurden wir mit spöttischen Zurufen an die Spitze dieses Zuges kommandiert.

Wir mussten nun losmarschieren, ohne zu wissen, wohin und wozu. Unsere Bewacher und Antreiber, meist meine Generationsgenossen, also zwanzig, höchstens fünfundzwanzig Jahre alt, machten sich einen Spaß daraus, uns zu schikanieren und bald auch zu quälen. Sie befahlen uns zu tun, was ihnen gerade einfiel: schnell zu rennen, plötzlich stehen zu bleiben und dann wieder ein Stück zurückzurennen. Wenn auf unserem Weg eine große Pfütze war (es gab sie im zerstörten Warschau überall) und wir sie zu umgehen versuchten, wurden wir sofort gezwungen, durch diese Pfütze mehrfach hin- und zurückzulaufen. Unsere Kleidung sah bald erbärmlich aus – und eben darauf kam es diesen Soldaten an. Dann sollten wir sin-

---

[13] Lust am Quälen, an Grausamkeiten.

gen. Wir sangen ein populäres polnisches Marschlied, aber unsere Bewacher verlangten ein jiddisches Lied.

Schließlich befahlen sie uns – und dieser Einfall schien ihnen sehr zu gefallen –, im Chor zu brüllen: »Wir sind jüdische Schweine. Wir sind dreckige Juden. Wir sind Untermenschen« – und Dergleichen mehr. Ein etwas älterer Jude stellte sich taub. Jedenfalls hat er nicht mitgebrüllt – vielleicht weil er zu schwach war oder weil er den Mut hatte, gegen diese Demütigung zu protestieren. Der Soldat schrie »Lauf!«, der Alte lief einige Schritte, der Soldat schoss in seine Richtung, der Jude fiel hin und blieb auf dem Straßendamm liegen. Verletzt? Getötet? Oder nur vor Schreck hingefallen? Ich weiß es nicht, niemand von uns durfte sich um ihn kümmern.

Und ich? Hatte mich dieser deutsche Barbar in der Uniform der Wehrmacht beleidigt oder erniedrigt oder gedemütigt? Ich glaubte damals, er könne mich gar nicht beleidigen, er könne mich nur verprügeln oder verletzen oder auch töten. Ich meinte, es sei richtiger, diesen grausamen Zirkus schweigend, brüllend und singend mitzumachen, als den Tod zu riskieren. Ungewöhnlich war das alles nicht. Es spielte sich beinahe täglich ab, in beinahe jeder polnischen Stadt. Ungewöhnlich vielmehr war, was ich an jenem Vormittag, unmittelbar nach diesem Marsch zur Arbeit, noch erlebt habe.

Nach zwanzig oder dreißig Minuten waren wir am Ziel angelangt, einem kurz vor dem Krieg erbauten, großzügigen Studentenheim am Narutowicz-Platz. Das riesige Gebäude wurde jetzt als deutsche Kaserne benutzt. Unsere Aufgabe war es, das ganze Untergeschoss, in dem sich zu unserem Leidwesen auch ein Schwimmbad befand, gründlich zu reinigen. Unsere Bewacher teilten uns mit, sie würden uns allesamt, sollten wir nicht gut und schnell genug arbeiten, mit einem kräftigen Tritt in das Schwimmbad befördern. Ich hielt das für durchaus möglich.

Aus irgendeinem Grund wollte einer dieser lustigen, dieser brutalen Soldaten etwas von mir wissen. Er war, das hörte ich sofort, aus Berlin. Ein Gespräch mit ihm hätte vielleicht nützlich sein können. So wagte ich ein vorlautes Wort: Ich sei ebenfalls aus Berlin. Schüchtern fragte ich ihn, wo er denn wohne. »Gesundbrunnen« – antwortete er unwillig. Dort hätte ich, erlaubte ich mir zu bemerken, schöne Fußballspiele gesehen. In der Tat habe ich mich in meiner frühen Schulzeit für Fußball interessiert, nur vorübergehend, aber noch wusste ich über die wichtigeren Berliner Mannschaften gut Bescheid. Sein Verein, rühmte sich der Soldat, sei Hertha BSC. Rasch nannte ich die Namen der damals berühmten Spieler – und das hat mich gerettet.

Er war erfreut, in Warschau, in dieser ihm fremden Welt, jemanden gefunden zu haben, mit dem er sich über Hertha BSC und die Konkurrenzmannschaften unterhalten konnte. Derselbe junge Mann, der uns vor kaum einer halben Stunde sadistisch geschunden und uns gezwungen hatte zu brüllen, wir seien dreckige Judenschweine, er, der uns noch vor wenigen Minuten mit der Pistole in der Hand gedroht hatte, er würde uns gleich ins eiskalte Wasser des Schwimmbads jagen – dieser Kerl benahm sich jetzt ganz normal, ja nahezu freundlich. Ich brauchte überhaupt nicht mehr zu arbeiten, auch mein Bruder wurde besser behandelt, er profitierte von meinen verblüffenden Informationen. Nachdem dieser Fußball-Enthusiast[14] aus Berlins Norden beinahe eine Stunde mit mir geplaudert hatte, durften wir, mein Bruder und ich, nach Hause gehen.

So war es: Jeder Deutsche, der eine Uniform trug und eine Waffe hatte, konnte in Warschau mit einem Juden tun, was er wollte. Er konnte ihn zwingen, zu singen oder zu tanzen oder in die Hosen zu machen oder vor ihm auf die Knie zu fallen und um sein Leben zu flehen. Er konnte ihn plötzlich erschießen oder auf langsamere, qualvollere Weise umbringen. Er konnte einer Jüdin befehlen, sich auszuziehen, mit ihrer Unterwäsche das Straßenpflaster zu säubern und dann vor aller Augen zu urinieren. Den Deutschen, die sich diese Späße leisteten, ver-

[14] Enthusiast: jemand, der sich leidenschaftlich für etwas begeistert.

darb niemand das Vergnügen, niemand hinderte sie, die Juden zu misshandeln und zu morden, niemand zog sie zur Verantwortung. Es zeigte sich, wozu Menschen fähig sind, wenn ihnen unbegrenzte Macht über andere Menschen eingeräumt wird.

Deutsche Besucher gab es in unserer kleinen Wohnung jetzt immer häufiger. Ende Januar 1940 wünschten zwei oder drei Soldaten meinen Bruder zu sehen, wahrscheinlich wollten sie ihn verhaften. Zufällig war er nicht zu Hause. Also warteten sie auf ihn. Es handelte sich aber nicht etwa um einen der alltäglichen Übergriffe und Eigenmächtigkeiten, denn das ganze Haus war umstellt, niemand durfte es verlassen oder betreten. Nur um ein kleines, neun- oder zehnjähriges Mädchen, die Tochter unseres Hausmeisters, die auf dem Hof Ball spielte, kümmerten sich die Wachtposten überhaupt nicht. Diesem kleinen Mädchen hatte aber seine Mutter gesagt, es solle, weiterhin Ball spielend, unauffällig auf die Straße gehen, dem Herrn Doktor entgegenlaufen und ihn warnen. So geschah es. Mein Bruder kehrte sofort um und verbarg sich in der Wohnung von Freunden. Inzwischen warteten die Soldaten ruhig und geduldig – ziemlich lange, wohl zwei oder drei Stunden. Dann wurden sie abgezogen; die treuherzige Frage meiner Mutter, ob sie heute noch wiederkommen würden, verneinten sie entschieden. Tatsächlich kamen sie nicht wieder.

Wenige Tage später erfuhren wir den Hintergrund. Einem jungen Polen jüdischer Herkunft, der an mehreren erfolgreichen Aktionen einer patriotischen[15] Widerstandsorganisation teilgenommen hatte, war es auf abenteuerliche Weise gelungen, aus dem Warschauer Gestapo-Gefängnis zu fliehen. Daraufhin wurden über hundert Personen – sowohl Juden als auch Nichtjuden – als Geiseln genommen, und zwar ausschließlich Akademiker: Rechtsanwälte und Ingenieure, Ärzte und Zahnärzte. Auf dieser Liste stand auch der Name meines Bruders.

War der Gesuchte in seiner Wohnung nicht anzutreffen,

[15] Vaterlandsliebend.

dann hat man in der Regel als Ersatzperson einen beliebigen sich dort aufhaltenden Mann mitgenommen: ein Familienmitglied oder einen Besucher oder einen Handwerker, der hier gerade etwas reparierte. Alle im Rahmen dieser Aktion verhafteten Personen wurden hingerichtet. Mein Bruder indes blieb verschont: Ein kleines, Ball spielendes Mädchen hatte ihm das Leben gerettet.

Warum wurde ich nicht, wie das in den meisten anderen Fällen geschehen war, anstelle meines Bruders verhaftet und ermordet? Eine vernünftige Frage – so will es scheinen. Dennoch ist sie absurd, und sie war auch nur am Anfang der Okkupationszeit[16] denkbar, als wir die Besatzungsmacht und ihre Methoden noch nicht hinreichend kannten, als wir noch nicht wussten, dass die Deutschen, die unser Geschick in ihren Händen hatten, nahezu alle unberechenbare Wesen waren, fähig zu jeder Gemeinheit, jedem Frevel[17], jeder Untat. Noch hatten wir nicht begriffen, dass dort, wo sich zur Barbarei und zur Grausamkeit Zufall und Willkür gesellen, die Frage nach Sinn und Logik weltfremd und müßig ist.

---

[16] Okkupation: militärische Besetzung eines fremden Gebiets oder Staates.

[17] Missetat, Versündigung gegen religiöse oder gesetzliche Vorschriften.

Der Tote und seine Tochter

Es war am 21. Januar 1940, kurz nach dreizehn Uhr. Meine Mutter rief mich in die Küche. Sie blickte aus dem Fenster und war offensichtlich beunruhigt, doch, wie immer, ganz beherrscht. Auf dem Hof sah ich mehrere Nachbarn, etwa acht oder zehn an der Zahl. Sie gestikulierten lebhaft. Etwas musste geschehen sein, etwas Aufregendes.

Noch standen wir erschrocken und unschlüssig am Fenster, da läutete schon jemand an unserer Wohnungstür: Der Doktor solle sofort kommen, denn der Herr Langnas habe sich aufgehängt; vielleicht könne man noch etwas machen. Aber mein Bruder war gar nicht zu Hause. Bevor ich auch nur einen Augenblick überlegen konnte, was ich tun sollte, sagte meine Mutter: »Geh sofort dahin, der Langnas hat doch eine Tochter, ihrer muss man sich jetzt annehmen.« Schon auf der Treppe, hörte ich die Stimme meiner Mutter: »Kümmere dich um das Mädchen!« Ich habe diesen Satz, diese Ermahnung – »Kümmere dich um das Mädchen!« – nie vergessen, ich höre sie immer noch.

Die Tür zur Wohnung, in der die aus Lodz nach Warschau geflüchtete Familie Langnas kürzlich Unterkunft gefunden hatte, war halb offen. In der Diele bemühten sich zwei oder drei Personen um die laut und, wie mir schien, feierlich, ja salbungsvoll klagende Frau Langnas. An der Wand lehnte, völlig aufgelöst, die Neunzehnjährige, um derentwillen ich gekommen war. Wir kannten uns schon, doch nur ganz flüchtig: Die Menschen, die zusammen in einem Haus wohnten, lernten sich damals rasch kennen. Um zwanzig Uhr war die von den deutschen Behörden verhängte Polizeistunde, danach durfte man das Haus nicht mehr verlassen.

Man wollte unbedingt wissen, was sich auf der Welt abspielte: Davon hing ja, das war schon bald allen klar, unser Leben ab. Nur konnte man der einzigen zugelassenen Tageszeitung in polnischer Sprache, einem erbärmlichen und allgemein verachteten Presseorgan, abgesehen von den Meldungen des Oberkommandos der Wehrmacht so gut wie nichts entnehmen – und der in deutscher Sprache erscheinenden »Warschauer Zeitung« kaum mehr. Alle Rundfunkapparate hatten wir schon im Oktober 1939 abliefern müssen. Also war man auf die von Mund zu Mund gehenden Nachrichten angewiesen, die nicht immer zutrafen, und auf die sich unentwegt verbreitenden Gerüchte, die nicht immer falsch waren.

Das ständige Bedürfnis nach Neuigkeiten, wenn schon nicht erfreulichen, so doch wenigstens beruhigenden, ähnelte bald einer Sucht. Eben damit hatten die gegenseitigen abendlichen Besuche innerhalb eines Hauses zu tun: Man traf sich bei einem der Nachbarn, um das Allerneueste zu erfahren. »Was gibt es Neues?« – lautete die stereotype Frage. Ich habe sie mir bis heute nicht abgewöhnt. So war ich auch, meinen Vater begleitend, wenige Tage zuvor eine Stunde oder zwei im Zimmer der Familie Langnas gewesen. Dort hatten sich an diesem Abend einige Personen versammelt – um sich gegenseitig zu bestätigen, dass die Deutschen ernste Sorgen hätten, dass sie mit den Juden im Generalgouvernement[1] vielleicht doch nicht so grausam umsprängen, dass der Triumph der Alliierten sicher sei und dass das Ganze nicht mehr lange dauern könne.

Damals also habe ich jene Neunzehnjährige zum ersten Mal gesehen. Da ich mich aber an der allgemeinen Unterhaltung beteiligen wollte, konnte ich ihr nur wenig Aufmerksamkeit zuwenden. Doch das genügte, um mich von zweierlei zu überzeugen: Sie konnte Deutsch, und die Literatur war ihr offenbar

---

[1] Nach dem deutschen Feldzug gegen Polen wurden 1939 die westlichen Teile des von der Wehrmacht besetzten Landes als »eingegliederte Ostgebiete« dem Deutschen Reich einverleibt und die Mitte Polens als »Generalgouvernement« mit gut 12 Millionen Einwohnern deutscher Verwaltung unterstellt.

nicht gleichgültig. Das weckte mein Interesse, das sich vorerst noch in Grenzen hielt, das machte sie mir, neben anderen Umständen, sympathisch. Wie denn – nur sympathisch? Ja, in der Tat. Das hatte einen einfachen Grund: Ich war gerade von einer anderen Geschichte stark in Anspruch genommen. Einer erotischen, einer sexuellen? Gewiss. Aber ich erinnere mich an diese Geschichte mit gemischten Gefühlen. Sie ist banal und ein wenig peinlich, und überdies lässt sich schwer darüber reden – vielleicht deshalb, weil sie immer wieder passiert ist und schon unzählige Male erzählt wurde, besonders schön von Österreichern: von Schnitzler etwa, Hofmannsthal und Stefan Zweig bis zu Joseph Roth. Aber vergessen kann ich dieses Erlebnis auch nicht.

Reife Dame verführt einen ehemaligen Schulfreund ihres Sohnes, einen Neunzehnjährigen, der sich aber bald von ihr abwendet – natürlich um einer Jüngeren willen. So ließe es sich zusammenfassen. Die Dame stammte aus Sankt Petersburg, war Anfang der zwanziger Jahre nach Berlin geflüchtet und im Sommer 1939 nach Warschau geraten. Sie war, nun knapp über vierzig, eine originelle und effektvolle Person, die man für eine Bühnenfigur mitten im trüben Alltag halten konnte. Ihre Garderobe, ihre temperamentvolle Gestikulation, ihr stets etwas pathetischer Tonfall – alles war theatralisch. Sie spielte unentwegt eine Rolle – und sie spielte sie, obwohl sie bisweilen outrierte[2], gar nicht schlecht. Sie hatte das dringende, das kaum verborgene Bedürfnis, möglichst allen Menschen ihrer Umgebung zu imponieren[3]. Jetzt wollte sie vor allem mich beeindrucken. Und obwohl ich manches durchschaute, gelang ihr dies auf Anhieb.

Theatralisch klang auch ihr Name: Tatjana. Genauer: Sie hat sich dieses schönen, in Deutschland durch die russische Literatur des neunzehnten Jahrhunderts populär gewordenen Na-

---

[2] Outrieren: übertreiben, übertrieben darstellen.
[3] Beeindrucken.

mens ohne Reue bemächtigt. Ihr besonders hellblondes Haar war vermutlich kräftig gebleicht, ihre hellblauen Augen fielen durch ihre Größe auf. Ich habe nie schönere gesehen – oder sind sie nur in meiner Erinnerung so schön und groß geworden? Gern sprach sie von dem Luxus, in dem sie einst in Petersburg aufgewachsen war, und von den bedeutenden Männern, die sich in Berlin um ihre Gunst bemüht hatten. Beides war wohl stark übertrieben.

Ihr Bruder sei in der Sowjetunion, erzählte sie mir hinter vorgehaltener Hand, eine Person höchsten Ranges, er sei Mitglied des Zentralkomitees[4] oder Minister oder beides zugleich, doch riskiere sie ihr Leben, wollte sie mir seinen jetzigen Namen verraten. Ich war ziemlich sicher, dass sie diesen geheimnisvollen Bruder erfunden hatte. Was sie aber nicht erfunden hatte, das war ihr außerordentliches Charisma[5]. Authentisch überdies war ihre bewundernswerte Gabe, die Menschen ihrer Umgebung, keineswegs nur mich, zumindest zeitweise zu faszinieren.

Diese Tatjana besuchte ich nun beinahe täglich, stets von fünf bis sieben Uhr nachmittags. Für meine regelmäßigen Besuche hatte sie sich einen Vorwand ausgedacht: Sie beherrschte vier Sprachen, die fünfte aber, Englisch, nur dürftig. Ich sollte mit ihr englische Prosa lesen. Ich schlug Joseph Conrad vor und Galsworthy.[6] Ihr war alles recht. Denn darauf kam es ihr überhaupt nicht an: In Sachen Literatur überließ sie die Entscheidung mir. Aber eben nur in Sachen Literatur. Sonst behielt sie, forsch und energisch, die Initiative. Ich hatte nichts dagegen.

Jeder Nachmittag nahm ungefähr den gleichen Verlauf: Es gab zunächst Kaffee und vorzügliche Kuchen und auch noch andere Leckerbissen, die damals in Warschau sehr teuer, doch erhältlich waren. Dann lasen wir englische Prosa, doch so rich-

---

[4] Führungsgremium der kommunistischen Partei.
[5] Auffällige Ausstrahlung und Anziehungskraft eines Menschen.
[6] Joseph Conrad: englischer Schriftsteller polnischer Herkunft (1857–1924); John Galsworthy: englischer Schriftsteller (1867–1933).

tig konzentrieren konnten wir uns auf die Lesung nicht; sie dauerte denn auch in der Regel nicht lange. »An jenem Tage lasen wir nicht weiter«, berichtet Francesca da Rimini in der »Göttlichen Komödie«[7]. Für uns, dieses ungleiche Paar, galt: »An *jedem* Tage lasen wir nicht weiter.«

Der Geschichte dieser Verführung verdankte ich viele, sehr viele Erfahrungen. Eines Tages erzählte sie mir, sie habe seit langer Zeit nur lesbische Verhältnisse gehabt, gelegentliche Versuche mit Männern hätten nichts daran geändert. Ich sei der Erste, der ihr die Rückkehr zum männlichen Geschlecht ermöglicht habe. Das sollte mir schmeicheln. Aber es verfehlte seine Wirkung, weil ich sofort den Verdacht hatte, es sei frei erfunden. Dass Frauen nicht selten mit solchen Bekenntnissen ihren Partnern Genugtuung bereiten wollen, habe ich damals noch nicht gewusst.

Nach zwei, drei Monaten begann mir Tatjanas melodramatische[8] Selbstinszenierung, deren Zeuge ich täglich sein musste, ein wenig auf die Nerven zu gehen, ich wurde des zunächst so aufregenden Minnediensts[9] allmählich überdrüssig. Was ich damals zu empfinden begann, begriff ich erst später: Ich sehnte mich insgeheim nach einer ganz anderen Beziehung, nach einer jungen Frau, vielleicht nach einer Gleichaltrigen. Es mag sein, dass ich mir dessen an jenem 21. Januar bewusst wurde, als mir pötzlich die Aufgabe zufiel, mich um ein weinendes Mädchen zu kümmern.

Nach diesem Tag wurden meine Besuche bei der Frau, die mir die ersten Monate der Besatzungszeit erleichtert und verschönert hatte, seltener und hörten bald ganz auf. Wenige Wochen später traf ich sie zufällig auf der Straße. Sie sagte sofort: »Du hast mich allein gelassen, wegen einer Jüngeren.« Ich wollte schon antworten: »So ist das Leben.« Im letzten Augen-

---

7 Epos des italienischen Schriftstellers Dante Alighieri (1265–1321).
8 Gespielt gefühlvoll, übertrieben leidenschaftlich.
9 Veraltet für: Liebesdienst, Verehrung einer Frau, Werbung um eine Frau.

blick habe ich mich beherrscht und ihr den Gemeinplatz erspart. Sie hat mein Schweigen richtig verstanden. Ich erschrak. Denn in ihren großen blauen Augen sah ich Tränen.

»Wer am meisten liebt, ist der Unterlegene und muss leiden« – diese schlichte und harte Lehre aus dem »Tonio Kröger« hatte sich mir, als ich die Liebe nur aus der Literatur kannte, fest eingeprägt. Aber erst jetzt begann ich sie zu begreifen. Ich wusste nicht, was ich sagen sollte. Ich schaute mich um, ob nicht irgendeine Gefahr sich näherte, eine Razzia etwa. Dann hätte ich sofort fliehen können. Aber alles blieb ruhig, nur ich war unruhig und zerstreut. Mir fiel nichts anderes ein als zu murmeln, ich hätte es leider eilig. Sie lächelte traurig und verständnisvoll, wenn nicht gar mit einer Spur von Neid. Rasch ging ich weg, bemühte mich aber, nicht zu schnell zu gehen: Sie sollte nicht merken, dass ich wegrennen, dass ich fliehen wollte.

Erst im Februar 1946 traf ich sie wieder: in Berlin, in einem Café am Kurfürstendamm. Sie war niedergeschlagen. Das habe schon Gründe, über die sie nicht sprechen wolle und dürfe. Sie tat wieder einmal geheimnisvoll. Ich stellte keine Fragen, und das mag sie enttäuscht haben. Sie trug im Ausschnitt ein nicht kleines ovales Schmuckstück, vielleicht aus Bernstein. Es hing an einem Goldkettchen, das sie schon in Warschau getragen hatte. Überraschend nahm sie es ab und reichte es mir herüber – mit einer etwas theatralischen Geste. Ich sah sie fragend an. Sie sagte bedeutungsvoll: »Schau dir die Rückseite an.« Zu meiner Überraschung sah ich da auf einem goldenen Plättchen graviert:

Plaisir d'amour ne dure qu'un moment,
Chagrin d'amour dure toute une vie.[10]

---

[10] Die Freude der Liebe dauert nur einen Augenblick, der Schmerz der Liebe ein ganzes Leben (im Original eigentlich »toute la vie«: das ganze Leben): Anfang eines volkstümlichen Liedtextes des französischen Autors Jean-Pierre Claris de Florian (1755–1794).

Aber stimmt es denn, was diese poetische Inschrift behauptet? Sollte die Freude, die die Liebe bereitet, wirklich nur kurz und vergänglich sein und der Kummer ein ganzes Leben dauern? Oder ist es vielleicht gerade umgekehrt? Ich schwieg, das Gespräch wollte nicht mehr in Gang kommen. Wir verabschiedeten uns – ganz ohne Groll und, wie mir schien, mit Dankbarkeit auf beiden Seiten. Ich ging, sie wollte noch in dem Café bleiben.

Als ich schon auf der Straße war, rief sie mich zurück. Aber wir wechselten nur noch wenige Worte. »Bleibst du in Warschau?« – »Ja.« – »Und du glaubst wirklich, die Politik sei dein Beruf?« – »Ja.« – »Du machst einen Fehler. Dein Platz ist in Deutschland und nicht in Polen, dein Beruf ist die Literatur und nicht die Politik.« – »Die Literatur ist überhaupt kein Beruf, sondern ein Fluch.« – »Hör auf mit Zitaten. Ich bin nicht Lisaweta Iwanowna, und du bist nicht Tonio Kröger[11]. Ich rate dir noch einmal: Verlasse Polen…« Ich habe diesen Ratschlag befolgt. Aber erst viel später, erst zwölf Jahre nach diesem Gespräch.

Ohne Eile ging ich den Kurfürstendamm in Richtung Halensee. Plötzlich wurde mir bewusst, dass ich während des ganzen Gesprächs mit Tatjana an Tosia gedacht hatte. Und wieder kam mir, wie unzählige Male im Laufe der vergangenen Jahre, jener Tag in den Sinn, der mein Leben änderte, jener 21. Januar 1940, der Tag, an dem ihr Vater, der Herr Langnas aus Lodz, seinem Leben ein Ende gesetzt hatte.

Er war noch ein Kind, als seine Eltern starben. Ein Onkel sorgte für seinen Lebensunterhalt, sonst blieb er sich selber überlassen. Ein Selfmademan also und kein alltäglicher: Obwohl still und zurückhaltend, obwohl von seinen Ellenbogen keinen Gebrauch machend, war er geschäftstüchtig. Er wurde ein erfolgreicher und wohlhabender Kaufmann, Mitinhaber einer florierenden Textilfabrik. Dennoch war sein Selbstbe-

---

[11] In Thomas Manns Erzählung »Tonio Kröger« (1903) führt Lisaweta Iwanowna, eine russische Malerin, mit dem Titelhelden ein wichtiges Gespräch über Fragen der künstlerischen Arbeit.

wusstsein nicht stark ausgeprägt – und vielleicht hing sein Tod damit zusammen.

Kurz nach dem Einmarsch der Wehrmacht wurde er enteignet. Das Betreten seiner Fabrik, die nun ein Treuhänder verwaltete, war ihm untersagt. Am nächsten Tag hat ihn auf der Piotrkowska, der Hauptstraße von Lodz, ein deutscher Soldat geohrfeigt, ein kräftiger junger Mann in bester Laune. Warum? Vielleicht hat er von dem Juden Langnas den Hitlergruß erwartet. Aber vielleicht kam es ihm gar nicht darauf an, nur hat er, weil er von seinem Vorgesetzten geärgert worden war, das Bedürfnis gehabt, jemanden zu prügeln. Damit begann der psychische Zusammenbruch des Herrn Langnas: Kaum nach Hause gekommen, sagte er, ihm bliebe jetzt nichts anderes übrig, als Selbstmord zu verüben – und sprach davon in den nächsten Wochen immer häufiger.

Später, als Lodz Litzmannstadt genannt und dem »Reichsgau Wartheland« angeschlossen wurde, flüchtete die Familie, ähnlich wie viele andere Juden aus Lodz, nach Warschau. Auch dort waren bei Herrn Langnas Anzeichen einer tiefen Depression zu beobachten, doch von Selbstmordabsichten sprach er nicht mehr. Man glaubte schon, er habe die Krise überwunden. Am 21. Januar gingen seine Frau und seine Tochter in die Stadt, um etwas zu besorgen. Nach einer knappen Stunde kehrten sie zurück. Es war zu spät: Der von einem fröhlichen deutschen Soldaten geohrfeigt worden war, hing an seinem Hosengürtel. Die beiden Frauen schrien auf, die Tochter war dann schneller als die Mutter: Sie rannte aus dem Zimmer in die Küche, um ein Messer zu holen. Doch ihre Kraft reichte nicht aus, den Gürtel zu durchschneiden. Erst der Notarzt schaffte es, der sonst nichts mehr tun konnte. Da war ich schon in dieser Wohnung, von der weinenden Tochter des Toten in ein anderes Zimmer geführt. Jetzt saß ich neben ihr, neben Teofila Langnas, die ihrem ein wenig prätentiös[12] klingenden Vornamen das schlichte Diminutiv[13] Tosia vorzog.

[12] Siehe Seite 39, Fußnote 63.   [13] Verkleinerungsform.

179

So unvergleichbar unsere Situation – wir waren ihr beide nicht gewachsen, wir waren beide überfordert. Sie wusste seit zehn Minuten, dass sie keinen Vater mehr hatte. Sie weinte, sie konnte nichts sagen. Und ich, was sollte ich einem Mädchen sagen, das sich vor zehn Minuten vergeblich bemüht hatte, ihren Vater vom Gürtel loszuschneiden? Wir, beide neunzehn Jahre alt, waren gleichermaßen ratlos. Ich war mir der Dramatik des Augenblicks bewusst, aber mir fiel nichts anderes ein, als den Kopf der Verzweifelten zu streicheln und ihre Tränen zu küssen. Sie nahm es, glaube ich, kaum wahr.

Um sie wenigstens für Augenblicke abzulenken, fragte ich, was sie denn eigentlich in Lodz getan hatte. Sie antwortete stammelnd. Ich verstand, dass sie vor einem halben Jahr das Abitur gemacht hatte und in Paris Grafik und Kunstgeschichte studieren sollte. Daraus war nun, des Kriegsausbruchs wegen, nichts geworden. Ich meinte, ich müsste ihr jetzt etwas sagen.

Vor einigen Jahren, noch in Berlin, hatte mir der Film »Traumulus« gefallen, wohl deshalb vor allem, weil in der Verfilmung dieses kurz nach der Jahrhundertwende geschriebenen Stücks von Arno Holz und Oskar Jerschke[14] die Hauptrolle, den Lehrer, der nicht ohne Grund »Traumulus« genannt wird, Emil Jannings[15] spielte. An der Leiche seines Lieblingsschülers, der Selbstmord verübt hat, erklärt dieser Lehrer – so ungefähr hatte ich es im Gedächtnis behalten –, wir seien dazu da, das Leben nicht von uns zu werfen, sondern zu bezwingen. Eine schwülstige Phrase, gewiss, aber sie schien mir noch erträglicher als die unheimliche Stille oder die übliche Redewendung: »Das Leben geht weiter.«

Dann aber tat ich etwas Ungehöriges, etwas, was mich selber überraschte, was ich in dieser Situation noch vor zehn Sekun-

---

14 Arno Holz (1863–1929), Oskar Jerschke (1861–1928): deutsche Schriftsteller; das gemeinsam verfasste Drama »Traumulus« wurde 1904 uraufgeführt und 1935 verfilmt.
15 Deutscher Schauspieler (1884–1950).

den für ganz unmöglich gehalten hätte: Ich fasste sie plötzlich an, ich griff zitternd nach ihrer Brust. Sie zuckte zusammen, aber sie sträubte sich nicht. Sie erstarrte, ihr Blick schien dankbar. Ich wollte sie küssen, ich unterließ es.

Am nächsten Tag wurde Tosias Vater beerdigt. Noch wurden Juden beerdigt, noch – denn bald gab es für sie, wie es in Celans »Todesfuge« heißt, nur »ein Grab in den Lüften«[16]. Da man sich an die Selbstmorde von Juden vorerst nicht gewöhnt hatte, waren viele Menschen zum Friedhof gekommen, zumal der stille Herr Langnas in seiner Heimatstadt nicht nur zu den angesehenen, sondern auch zu den beliebten Kaufleuten gehört hatte.

Ich begleitete und stützte Tosia. Am offenen Grab stand ich neben ihr. Ein Freund ihres Vaters fragte etwas verwundert, wer denn eigentlich der junge Mann sei, der sich offensichtlich der Tochter des Toten annahm. Vielleicht hielt er es für unpassend oder etwas ungehörig. Aber wir beide, sie und ich, wir machten uns keine Gedanken darüber. Wir empfanden es schon als selbstverständlich, dass wir an diesem düsteren, diesem regnerischen Tag im Januar 1940 zusammen waren. Und wir blieben zusammen.

[16] Die »Todesfuge« (1947/48) ist das bekannteste Gedicht des in Rumänien geborenen, in Paris freiwillig aus dem Leben geschiedenen deutschsprachigen Schriftstellers Paul Celan (1920–1970); die betreffende Gedichtzeile lautet: »wir schaufeln ein Grab in den Lüften da liegt man nicht eng«.

Erst »Seuchensperrgebiet«, dann Getto

Die Endlösung war noch nicht beschlossen, ja man kannte dieses Wort noch nicht. Aber zu den Willkürakten, die den Juden den Alltag zur Hölle machten, kamen sogleich systematische Aktionen der Behörden hinzu. Deutsche Bürokraten waren am Werk, fleißige Schreibtischtäter. Sie verfolgten mit anderen Mitteln die gleichen Ziele wie jene, die die Juden, wo immer sie sie fanden, überfielen, ausraubten und peinigten. Unentwegt gab es im Generalgouvernement Polen neue Gesetze und Verfügungen, neue Anordnungen und Verordnungen, Erlasse und Weisungen. Wozu alle diese Maßnahmen in Wirklichkeit dienen sollten, haben wir damals weder gewusst noch geahnt, und wir hätten es, hätte uns jemand hierüber informiert, mit Sicherheit nicht geglaubt. Denn nichts anderes wurde mit diesen Maßnahmen vorbereitet als die Vernichtung aller Juden, ihre »Ausrottung«.

Schon wenige Wochen nach dem Einmarsch der Wehrmacht in Warschau verfügte die SS, dass die Juden ab sofort nur in einem bestimmten Teil der Stadt wohnen und sich aufhalten durften. Ein Getto also wurde angeordnet. Verheimlichen konnte man diese Rückkehr zum Mittelalter[1] nicht, aber doch offiziell beschönigen oder tarnen. Daher wurde das Wort »Getto« sorgfältig vermieden – ebenso in den plakatierten Bekanntmachungen wie in den Zeitungen, es tauchte auch niemals im Briefwechsel mit den verschiedenen deutschen Dienststellen auf. Was errichtet werden sollte, hieß stets »der jüdische Wohnbezirk«.

---

[1] Schon im Mittelalter wurden in verschiedenen europäischen Städten gesonderte Gettos, abgegrenzte Wohngebiete, für die jüdische Bevölkerung eingerichtet.

Die Juden hatten innerhalb von drei Tagen in die nördlichen, meist hässlichen und vernachlässigten Viertel Warschaus umzuziehen. Gleichzeitig sollten die dort lebenden Nichtjuden diese Viertel verlassen und ebenfalls mit Sack und Pack umziehen. Unter den Betroffenen, Juden wie Nichtjuden, brach Panik aus, die Stadt geriet in Aufruhr. Offenbar war sich die SS der Folgen, die sich aus ihrer Anordnung ergaben, überhaupt nicht bewusst.

In den für die Juden vorgesehenen Bezirken befanden sich Fabriken und Betriebe, die Nichtjuden gehörten. Was sollte damit geschehen? Dass eine moderne Großstadt ein kompliziertes Gebilde ist, aus dem sich nicht ohne weiteres ganze Stadtteile herauslösen und isolieren lassen – das war ja beabsichtigt –, davon hatten jene, von denen die Geschicke der größten jüdischen Gemeinde Europas abhingen, keine Ahnung. Was sie wollten, ließ sich auf die Schnelle nicht machen: Die SS-Führer sahen sich genötigt, die Getto-Anordnung wieder zurückzuziehen.

Die Okkupationsbehörden hatten sich in aller Öffentlichkeit blamiert. Doch konnten die Juden nicht aufatmen: Es war klar, dass die deutschen Instanzen[2] nicht daran dachten, auf ihren Plan zu verzichten. Die Sache war nur aufgeschoben – und es war ziemlich sicher, dass sie sich für ihre Fehlentscheidung grausam rächen würden, an den Juden, selbstverständlich.

Wie konnte es zu einer offensichtlich improvisierten und die deutschen Machthaber kompromittierenden[3] Anordnung kommen? Die Antwort ist sehr einfach: Die in Warschau amtierenden und mit großen Vollmachten ausgestatteten SS-Führer waren Menschen von kümmerlicher Bildung. Schon die von ihnen verfassten Briefe oder Notizen ließen dies erkennen. Oft handelte es sich bloß um Unteroffiziere; wenn es aber bisweilen Offiziere waren, dann meist nur solche, deren Rang dem

[2] Instanz: hier im Sinne von Verwaltung, Behörde.
[3] Kompromittieren: jemanden (oder sich selbst) bloßstellen.

eines Leutnants oder Oberleutnants in der Wehrmacht entsprach – und sie wurden während ihres Dienstes in Warschau in der Regel nicht befördert.

Vorerst gab es also kein Getto in Warschau. Umso mehr schien es der SS und den vielen deutschen Behörden angebracht, die Juden auf andere Weise schleunigst auszusondern, auszugrenzen und zu demütigen. Ab 1. Dezember 1939 mussten im Generalgouvernement alle Juden im Alter von über zehn Jahren – im Distrikt[4] Warschau war die Altersgrenze zwölf Jahre –, auf dem rechten Arm eine mindestens zehn Zentimeter breite weiße Binde mit einem blauen Davidstern tragen. Den vielen Warschauern, ob nun Deutsche oder Polen, die das Bedürfnis hatten, Juden auf den Straßen zu überfallen, war diese Kennzeichnung sehr willkommen – und sie wurde auch richtig begriffen: Die Juden waren vogelfrei[5].

Kam einem Juden ein uniformierter Deutscher entgegen, dann hatte er ihm sofort Platz zu machen. Die Anordnung war unmissverständlich. Nicht geklärt war hingegen die Frage, wie sich ein Jude darüber hinaus angesichts eines Deutschen zu verhalten hatte: Sollte er ihm etwa den deutschen Gruß[6] entbieten? Ich habe dies einmal nicht getan und wurde prompt von dem Soldaten, der nicht älter war als ich, geprügelt. Ein andermal habe ich, um der zu befürchtenden Züchtigung vorzubeugen, einen Soldaten sehr wohl gegrüßt, was mir übrigens nichts ausmachte, weil ich ja daran schon seit der Berliner Schulzeit gewöhnt war. Doch der junge Herrenmensch[7] brüllte mich wütend an: »Bist du mein Kamerad, dass du mich grüßt?« – und schlug kräftig auf mich ein.

---

4 Gebiet, Region.
5 Recht- und schutzlos.
6 Auch als »Hitler-Gruß« bekannt: Bezeichnung für die offizielle Grußform im »Dritten Reich« mit auf Schulterhöhe erhobenem rechten Arm und den Worten »Heil Hitler« (auch Grußformel in Briefen).
7 Jemand, der über andere Menschen herrschen will und sich selbst als höherwertig betrachtet.

Sofort wurden besonders gekennzeichnete Lebensmittelkarten für Juden eingeführt. Die Zuteilungen waren erheblich kleiner als die für die nichtjüdische Bevölkerung. Die Auswirkungen waren voraussehbar und geplant: Die Unterernährung und der fatale[8] gesundheitliche Zustand der meisten Juden ließen nicht lange auf sich warten. Die Seifenzuteilungen waren überaus spärlich, die Seife enthielt viel Sand in grauer Farbe. Wer sich mit ihr gewaschen hatte, war schmutziger als vorher.

Eine der vielen Aktionen, die die konsequente Aussonderung der Juden bezweckten, war eine besondere Volkszählung: Jeder Jude musste einen sehr langen und ausführlichen Fragebogen ausfüllen. Weshalb war den deutschen Behörden an genauen Auskünften gelegen – nicht nur über den Geburtsort und das Geburtsdatum, sondern auch über die Fremdsprachenkenntnisse und die Schulbildung, über den Militärdienst und die berufliche Laufbahn und viele andere Umstände?

Die Fragen nach dem Zweck dieser Erhebung wurden mit der knappen Losung »Ordnung muss sein« beantwortet – eine wenig überzeugende Erklärung, da diese »Ordnung« nur bei Juden erwünscht war. Also befürchtete man das Schlimmste – ausnahmsweise zu Unrecht: Die Riesenaktion hat die Juden zwar viel Mühe und viel Geld gekostet, doch niemandem Schaden zugefügt. Die Volkszählung war, wie sich bald zeigte, vollkommen überflüssig. Denn die deutschen Behörden haben nie Zeit oder Lust gehabt, deren Ergebnisse auszuwerten. Wozu auch? Um Juden zu morden, brauchten sie weder ihre Namen noch ihr Alter zu kennen, weder ihren Beruf noch ihren Bildungsgrad und all die anderen Informationen, die in den Fragebögen angegeben werden mussten.

Für mich allerdings war das Ganze wichtig und folgenreich. Die Erhebung hatte in Warschau, ähnlich wie in anderen Städten des Generalgouvernements, die Jüdische Kultusgemeinde durchzuführen. Damit es klar war, dass es sich jetzt um eine

[8] Verhängnisvoll, Verderben bringend.

nicht nur konfessionelle[9] Institution handeln sollte, wurde sie von den deutschen Behörden sofort umbenannt: Sie hieß jetzt »Ältestenrat der Juden« und bald, was wohl verächtlicher klingen sollte, »Judenrat«. Für die Volkszählung, die etwa zwei Wochen in Anspruch nahm, benötigte man Hunderte von Büroangestellten, darunter auch solche, die Deutsch konnten. Ich folgte dem Ratschlag von Bekannten und meldete mich, obwohl ich wenig Hoffnung hatte, zumal sich viele Arbeitslose bewarben und ich noch sehr jung war. Dennoch ging ich hin und stand nun inmitten der vielen Kandidaten, die man im großen Saal des Gemeindegebäudes versammelt hatte. Diejenigen, die vorgaben, des Deutschen mächtig zu sein, schickte man zu einem Prüfer. Meine Prüfung dauerte nicht länger als eine Minute – ich war akzeptiert, doch nur für zwei Wochen.

Aber daraus ergab sich wenig später eine ständige Tätigkeit. Ich wurde vom »Judenrat« angestellt, um dessen Korrespondenz in deutscher Sprache zu führen. Dieser »Judenrat« hatte zwei generelle Aufgaben. Er musste das jüdische Viertel, aus dem einige Monate später das geschlossene Warschauer Getto hervorging, verwalten. Er war also eine Art Magistrat[10] einer ungewöhnlichen Großstadt: Schleunigst mussten die notwendigen kommunalen Einrichtungen[11] geschaffen werden. Die andere Aufgabe bestand darin, die Juden und deren unterschiedlichste Belange den Behörden gegenüber, vornehmlich den deutschen, aber auch den polnischen, zu vertreten.

Der Briefwechsel mit den deutschen Instanzen wuchs schnell. Immer mehr Schriftstücke mussten alltäglich übersetzt werden: bisweilen aus dem Deutschen ins Polnische, meist aber aus dem Polnischen ins Deutsche. Ein besonderes Referat[12] wurde

9 Glaubensdinge bzw. die religiöse Gemeinschaft betreffend.
10 Stadtverwaltung, öffentliches Amt.
11 Von den Kommunen (Gemeinden, Städten) errichtete bzw. eingerichtete und unterhaltene Gebäude oder Institutionen (wie Krankenhäuser, Polizei, Feuerwehr).
12 Abteilung einer Behörde, Fachgebiet e. Referenten (Sachbearbeiters).

nötig. Man nannte es »Übersetzungs- und Korrespondenzbüro«
und beschäftigte dort vier Personen: einen jungen Juristen,
eine ziemlich bekannte polnische Romanautorin, Gustawa
Jarecka[13], eine professionelle Übersetzerin und mich. Ich, der
Jüngste, der zehn bis fünfzehn Jahre jünger war als die anderen, wurde zum Chef dieses Büros ernannt. Weil man mir or-
ganisatorische Fähigkeiten zutraute? Vor allem wohl deshalb,
weil ich, was nun kein Kunststück war, besser Deutsch konnte
als jene, die plötzlich meine Untergebenen waren.

Ich wurde also, zum ersten Mal in meinem Leben, gebraucht.
Ganz unverhofft hatte ich eine feste Anstellung mit einem
Monatsgehalt – wenn auch einem bescheidenen. Ich war zufrieden – nicht zuletzt deshalb, weil ich zum Unterhalt der
Familie ein wenig beitragen konnte. Und ich freute mich auf
die nicht unheikle Aufgabe. Nur eine Frage, möge das nun zu
meinen Gunsten oder Ungunsten sprechen, beunruhigte mich
überhaupt nicht – die Frage nämlich, ob ich, über keinerlei
Erfahrungen verfügend, der Sache gewachsen sein würde. Damals konnte ich nicht wissen, dass sich diese Situation in meinem beruflichen Leben noch mehrfach wiederholen sollte:
Immer wieder sah ich mich vor Aufgaben gestellt, für die ich
nicht im Geringsten vorbereitet war.

So begann ich als ein Autodidakt[14] – und ich bin ein Autodidakt geblieben. Nach meinem Abitur hat sich nie jemand bemüht, mir etwas beizubringen. Was ich kann, habe ich selber
gelernt. Darauf bin ich nicht stolz, und ich empfehle das niemandem zur Nachahmung. Der Not gehorchend, nicht dem
eignen Trieb[15], bin ich ein Autodidakt geworden. Ich hätte es
wahrscheinlich viel leichter im Leben gehabt, hätte ich einige

---

13 Polnische Schriftstellerin (1908–1943).
14 Jemand, der sich ein bestimmtes Wissen selbst, ohne die Hilfe von
   Lehrern aneignet.
15 Häufig zitierter Eröffnungssatz aus Schillers Drama »Die Braut von
   Messina« (UA 1803), in dem Isabella, die Fürstin von Messina, zu der
   Formulierung greift: »Der Not gehorchend, nicht dem eignen Trieb«.

Jahre an einer Universität studiert. Es ist möglich, dass manche, seien es bedauerliche, seien es vorteilhafte Eigentümlichkeiten meiner literarkritischen Arbeiten mit diesem Autodidaktentum zusammenhängen.

Meine Tätigkeit als Chef des Übersetzungs- und Korrespondenzbüros wurde von Tag zu Tag aufschlussreicher und aufregender. Da die gesamte Korrespondenz zwischen dem »Judenrat« und den deutschen Behörden durch meine Hände ging, hatte ich wie nur wenige Einblick in das aktuelle Geschehen. Eines der wichtigen Themen des Briefwechsels waren die sanitären Verhältnisse im jüdischen Teil der Stadt. Da die Juden aus den umliegenden kleineren Orten systematisch (meist ohne Hab und Gut) nach Warschau umgesiedelt wurden, nahm die Bevölkerung rasch zu: Bald waren es 400 000, später sogar rund 450 000 Menschen.

Die Krankenhäuser waren in einem beklagenswerten Zustand und obendrein überfüllt. Die meisten Medikamente konnte man nicht erhalten, auch Kohle und Koks gab es kaum oder nur für viel Geld – und dabei war der Winter 1940 besonders streng. Es fehlte auch warme Kleidung. Überdies war ein beträchtlicher Teil der jüdischen Bevölkerung unterernährt. So ist es nicht verwunderlich, dass schnell Seuchen ausbrachen, vor allem Typhus[16].

Der »Judenrat« hat sofort die deutschen Sanitätsbehörden alarmiert. In vielen Briefen, Gesuchen und Denkschriften[17] wurde über die rasche, die erschreckende Ausbreitung der Typhusepidemie ausführlich berichtet. Zahlreiche statistische Angaben sollten die Adressaten überzeugen, dass die Epidemie eine große Gefahr war, und zwar für die ganze Stadt Warschau. Es wurde dringend um Hilfe gebeten.

Die Reaktion war unbegreiflich, vorerst jedenfalls: Die meis-

[16] Gefährliche, fieberhafte Infektionskrankheit (ansteckende Krankheit).
[17] Schriftstück über eine wichtige Angelegenheit von allgemeinem Interesse, zumeist an eine offizielle Stelle (Behörde, Regierung) gerichtet.

ten Briefe, die ich übersetzte und schrieb – und ich bemühte mich um eine ebenso sachliche wie anschauliche Darstellung –, blieben unbeantwortet, die zuständigen deutschen Behörden wollten von alledem, was sich in diesem Teil Warschaus abspielte und worauf der »Judenrat« immer wieder hinwies, nichts wissen. War ihnen die Verbreitung der Epidemie etwa gleichgültig? Nein, keineswegs, sie war ihnen vielmehr willkommen.

Im Frühjahr 1940 erhielt der von den Juden bewohnte Bezirk eine neue Bezeichnung: »Seuchensperrgebiet«. Der »Judenrat« hatte ihn mit einer drei Meter hohen Mauer zu umgeben, die oben noch mit einem ein Meter hohen Stacheldrahtzaun versehen werden sollte. An den Eingängen zu diesem Terrain, dessen Grenze die Juden nicht überschreiten durften, wurden Tafeln mit einer deutschen und einer polnischen Inschrift aufgestellt: »Seuchensperrgebiet – Nur Durchfahrt gestattet«.

Die Behörden teilten allen Ernstes mit, es seien menschenfreundliche Motive, die sie veranlassten, diese Mauern anzuordnen: Sie seien dazu da, die Juden vor Überfällen und Ausschreitungen zu schützen. Gleichzeitig war in den für die polnische Bevölkerung bestimmten Zeitungsartikeln und anderen Veröffentlichungen zu lesen, die Besatzungsmacht sei gezwungen, die Juden zu isolieren, um die deutsche und die polnische Bevölkerung der Stadt vor Typhus und anderen Krankheiten zu bewahren.

Die verzweifelten Bemühungen des »Judenrats«, die Verbreitung der Epidemien einzuschränken, ergaben wenig oder nichts. Denn die deutschen Instanzen verweigerten jede Hilfe. Statt die leicht erkennbaren Ursachen der Seuche zu bekämpfen, hörten sie nicht auf, die christliche Bevölkerung Warschaus gegen die Juden aufzuhetzen. Als propagandistisches[18] Leitmotiv diente die Gleichsetzung der Juden mit Läusen. Sehr bald wurde klar, was die Deutschen in Warschau anstrebten:

[18] Abgeleitet von »Propaganda« (siehe Seite 51, Fußnote 20).

Nicht die Epidemien sollten liquidiert werden, sondern die Juden.

Am 16. November 1940 wurden die 22 Eingänge (später waren es nur noch fünfzehn) geschlossen und von da an Tag und Nacht von jeweils sechs Posten bewacht: zwei deutschen Gendarmen, zwei polnischen Polizisten und zwei Angehörigen der jüdischen Miliz[19], die »Jüdischer Ordnungsdienst« hieß. Diese Miliz war nicht uniformiert, doch leicht erkennbar: Die Milizionäre trugen neben dem für alle verbindlichen Armband auch noch ein zweites in gelber Farbe, ferner eine Uniformmütze und auf der Brust ein Metallschild mit einer Nummer. Bewaffnet waren sie mit einem Schlagstock.

So war aus dem »Seuchensperrgebiet«, aus dem offiziell »der jüdische Wohnbezirk« genannten Stadtteil ein riesiges Konzentrationslager geworden: das Warschauer Getto.

[19] Militärisch organisierte Polizei.

Die Worte des Narren

Von Zeit zu Zeit konnte man im Getto einen noch jungen, in Lumpen gehüllten Mann sehen, der, stets von belustigten Kindern und Halbwüchsigen begleitet, hüpfend und tänzelnd durch die Straßen lief. Die Passanten waren verwundert, begrüßten ihn jedoch mit Beifall. Sein Erkennungszeichen waren zwei jiddische Worte, die er laut ausrief und, wie ein Zeitungsverkäufer, rasch wiederholte: »Ale glach«, zu deutsch: »Alle gleich«. Ob es sich um einen Befund handelte, eine Voraussage oder eine Warnung, ob der Mann wahnsinnig war oder einen Wahnsinnigen spielte – das wusste niemand. Dieser unheimliche Mann, der Rubinstein hieß, aber »Ale glach« genannt wurde, war der Narr des Warschauer Gettos.

Waren denn wirklich alle gleich? Berühmte Wissenschaftler und primitive Lastenträger, vorzügliche Ärzte und erbärmliche Bettler, erfolgreiche Künstler und gewöhnliche Hausierer, reiche Bankiers und kleine Betrüger, tüchtige Kaufleute und biedere Handwerker, Orthodoxe, die keinen Augenblick an dem Glauben ihrer Väter zweifelten, und Konvertiten[1], die vom Judentum nichts wissen wollten und meist tatsächlich nichts wussten – sie alle fanden sich im Getto, sie waren zu Not und Elend verurteilt, sie mussten an Hunger und Frost, an Schmutz und Dreck leiden, sie schwebten in tausend Ängsten. Auf ihnen allen, ob jung oder alt, ob schlau oder dümmlich, lag ein düsterer, ein schrecklicher Schatten, dem man nicht entweichen konnte: der Schatten der Todesangst.

Dass aber diese sehr unterschiedlichen Menschen im Getto allesamt in der gleichen Situation waren und das Gleiche ertra-

---

[1] Jemand, der zu einem anderen Glauben übergetreten ist.

gen mussten, traf nun doch nicht zu, jedenfalls vorerst nicht. Wer Ersparnisse hatte, wer etwas besaß, was sich veräußern ließ, zumal Schmuck, Gold oder Silber, alte Leuchter oder andere rituelle Gegenstände[2], konnte sich Lebensmittel leisten, die für die meisten Bewohner unerschwinglich waren und für alle, ausnahmslos alle ganz unentbehrlich – denn mit den offiziellen Zuteilungen auszukommen war schlechthin undenkbar: Sie reichten gerade aus, um nicht am Hungertod zu sterben.

Viel hing von dem Beruf ab. Lehrer, Rechtsanwälte und Architekten hatten es besonders schwer. Denn es gab im Getto weder Schulen noch Gerichte, und es wurde auch nichts gebaut. Immerhin fanden viele Juristen eine Tätigkeit in der Verwaltung des Gettos oder in der Kommandantur des Ordnungsdienstes, also der (sehr unbeliebten) jüdischen Miliz. Ärzte und Zahnärzte hatten es entschieden besser, sie wurden ja immer benötigt. Das galt für Handwerker ebenfalls, vor allem für Tischler, Schlosser, Klempner, Elektrotechniker, auch für Schneider und Schuster.

Zugleich entstand ein neuer Beruf: der Schmuggler. Tausende von Juden, häufiger Männer als Frauen und eher jüngere Menschen, auch Halbwüchsige, gingen täglich zur Arbeit in großen deutschen Betrieben außerhalb des Gettos. Sie taten es freiwillig, obwohl die Entlohnung minimal war. Der Grund: Sie konnten aus dem Getto Verkäufliches mitnehmen, insbesondere Kleidungsstücke, gelegentlich auch Uhren oder Schmuck; alles wurde schnell zu Schleuderpreisen abgesetzt. Für den Erlös kauften sie Lebensmittel, die sie gegen Abend, wenn die jüdischen Kolonnen zurückkehrten, ins Getto schmuggelten.

Was sich an den Gettoeingängen ereignete, war unvorhersehbar, die deutschen Gendarmen verfuhren ganz und gar willkürlich: Mitunter haben sie den Grenzgängern alles, was sie am Leib trugen, Speck, Wurst oder auch nur Kartoffeln, brutal weggenommen. Es wurde bei diesen Kontrollen auch

[2] Für den religiösen Gebrauch bestimmte Gegenstände.

viel geschossen, an blutigen Opfern mangelte es nicht. Aber es gab auch Gendarmen, die sich anders verhielten: Ihnen war gleichgültig, was die armen Schlucker, diese jüdischen Amateurschmuggler, ins Getto mitbrachten.

Eine ungleich wichtigere Rolle spielten jedoch die professionellen Schmuggler: Juden proletarischer Herkunft, in der Regel große, derbe und stämmige Kerle, die vor dem Krieg ihren Lebensunterhalt meist als Lastträger oder ungelernte Industriearbeiter verdient hatten. Es waren Menschen, die das Risiko einkalkulierten und den Tod offenbar nicht fürchteten. Sie machten gemeinsame Sache mit polnischen Geschäftspartnern ähnlicher Provenienz[3] und mit den deutschen Wachtposten an den Eingängen zum Getto.

So wurden allnächtlich Lebensmittel in riesigen Mengen transportiert: Hunderte von Säcken mit Mehl und Reis, mit Erbsen und Bohnen, mit Speck und Zucker, mit Kartoffeln und Gemüse. Diese Säcke haben die Schmuggler an bestimmten Stellen rasch über die Mauer geworfen oder durch Öffnungen in der Mauer hinübergereicht. Danach haben sie diese Löcher wieder provisorisch[4] geschlossen. Bisweilen erfolgte die Lieferung mit Pferdefuhrwerken oder Lastautos, die anstandslos die offiziellen Gettoeingänge passieren konnten – im Einvernehmen mit den (selbstverständlich bestochenen) deutschen Gendarmen.

Wer an diesem Schmuggel beteiligt war, verdiente viel Geld. Denn die Preise für Lebensmittel waren innerhalb der Mauern mindestens doppelt so hoch wie in den übrigen Stadtteilen Warschaus. Die waghalsigen jüdischen Schmuggler konnten also in Saus und Braus leben, sie gehörten zu jenen, die das Publikum der nicht zahlreichen und sehr kostspieligen Restaurants im Getto bildeten. Nur mussten sie mit einer großen Gefahr rechnen: Irgendwann dämmerte es ihren deutschen

3 Ursprung, Herkunft.
4 Vorläufig, behelfsmäßig.

Geschäftspartnern, es sei nicht empfehlenswert, jüdische Mitwisser zu haben. Viel klüger wäre es, sich des einen oder anderen schnell zu entledigen, etwa mit einem Pistolenschuss.

Mitten durch das Getto verlief eine der wichtigsten Warschauer Ausfallstraßen, die Ost-West-Achse. An ihr war die Wehrmacht stark interessiert, ganz besonders im Frühjahr 1941, also unmittelbar vor Ausbruch des deutsch-sowjetischen Krieges. Denn der ganze Verkehr vom Westen über Warschau nach dem Osten konnte nur über diese Straße geleitet werden. Man hat sie daher vom Getto abgesondert. Dadurch war der den Juden zugewiesene Wohnbezirk geteilt: Es gab jetzt das so genannte große und das kleine Getto, die durch eine Überführung, eine (übrigens vom »Judenrat« erbaute und finanzierte) Holzbrücke miteinander verbunden waren.

Den deutschen Posten an dieser Brücke bereitete es ein Vergnügen, die Juden, die dort vorbeigehen mussten (anders konnte man nicht vom kleinen Getto ins große gelangen und umgekehrt), auf besondere Art zu behandeln. Viele wurden ohne weiteres durchgelassen, andere sadistisch gequält. Ging etwa ein bärtiger, womöglich älterer Jude vorbei, wurde ihm befohlen: »Fünfzig Kniebeugen!« Keiner hat das ausgehalten, alle brachen nach zwanzig oder dreißig ohnmächtig zusammen. Wir wohnten einige Monate lang unmittelbar an dieser Holzbrücke. So habe ich den düsteren Zirkus, der sich dort beinahe täglich abspielte und an dem sich die Wachtposten offenbar nicht satt sehen konnten, oft vom Fenster aus beobachtet. An die nächtlichen Schüsse und Schreie hatte man sich bald gewöhnt.

Im Getto existierten, wer hätte das gedacht, auch Taxis, aber keine Autos und keine Pferdedroschken, sondern Rikschas. Das waren Fahrräder, auf denen findige Leute, in der Regel junge Techniker, einen breiten Sitz montiert hatten; er reichte für zwei Personen. Allerdings konnten sich eine Rikschafahrt nur jene wenigen leisten, die Geld hatten. Und öffentliche Verkehrsmittel? Innerhalb des Gettos fuhr eine Straßenbahn, die, wie im vorigen Jahrhundert, von Pferden gezogen wurde. Sie war immer brechend voll – und eben deshalb haben wir, meine

Freunde und ich, nie von ihr Gebrauch gemacht. Wir hatten Angst vor Läusen, den wichtigsten Überträgern des Fleckfiebers[5], wir gingen immer zu Fuß.

Freilich waren die meisten Straßen stets überfüllt – eine leere Straße habe ich im Getto nie gesehen, eine halb leere nur selten. Die gefürchtete Tuchfühlung mit anderen Fußgängern ließ sich nicht immer vermeiden: Auch auf der Straße konnte man sich also eine Laus holen und damit die in den meisten Fällen zum Tode führende Epidemie[6]. Man traf ihn im Getto auf Schritt und Tritt – den Tod. Das ist wörtlich gemeint: Am Straßenrand lagen, vor allem in den Morgenstunden, die mit alten Zeitungen nur dürftig bedeckten Leichen jener, die an Entkräftung oder Hunger oder Typhus gestorben waren und für deren Beerdigung niemand die Kosten tragen wollte.

Zum Straßenbild im Getto gehörten unzählige Bettler, die, an eine Hauswand gelehnt, auf der Erde saßen und laut jammernd um ein Stück Brot baten; ihr Zustand ließ vermuten, dass sie sehr bald nicht mehr sitzen, sondern liegen würden – von Zeitungen bedeckt. Viel Lärm machten die professionellen Straßenverkäufer und die armen Menschen, die irgendwelche Gegenstände, bisweilen Kleidungsstücke, zum Verkauf anboten, um sich etwas zu essen kaufen zu können. Charakteristisch waren auch die »Reißer«. So nannte man Halbwüchsige, die in der Nähe von Läden auf Passanten warteten, die dort Brot oder jedenfalls etwas Essbares gekauft hatten. Denen entrissen sie unversehens ihr Päckchen, rannten sofort weg oder bissen trotz der Papierverpackung an Ort und Stelle hinein.

Die Verarmung der Getto-Bewohner machte rasch Fortschritte – und die deutschen Behörden bemühten sich, diesen Prozess noch zu beschleunigen. So wurden 1941 alle im Besitz der Juden befindlichen Pelze mit Beschlag belegt – nicht nur Pelzmäntel, sondern auch Pelzkragen und Pelzmützen. Natür-

---

5 Infektionskrankheit mit fleckigem Hautausschlag.
6 Seuche, ansteckende Massenkrankheit.

lich wurde im Getto gestohlen, doch gab es keinen einzigen Mordfall – wohl aber einen Fall von Kannibalismus: Eine dreißig Jahre alte Frau, die vor Hunger dem Wahnsinn verfallen war, hat aus der Leiche ihres zwölfjährigen Sohnes einen Gesäßteil herausgeschnitten und zu verspeisen versucht. Als ich den Bericht hierüber ins Deutsche übersetzte, wurde ich darauf hingewiesen, dass diese Sache geheim gehalten werden müsse.

Nur ein einziges Auto gab es im Getto. Es war ein kleiner alter Ford, den der Obmann des »Judenrates«, der Bürgermeister des Gettos also, Adam Czerniaków, als Dienstwagen zur Verfügung hatte. Wenn sich sonst ein Wagen blicken ließ, flohen alle, die Straßen wurden gleich leer. Denn man konnte nicht ausschließen, dass die Insassen, Deutsche, versteht sich, diese unberechenbaren Wesen, plötzlich von ihren Waffen Gebrauch machen und wahllos nach links und rechts in die Menschenmenge schießen würden. Die Deutschen kamen in der Mehrzahl als Touristen. Sie wollten die exotische Welt der Juden besichtigen und hatten freilich oft das dringende Bedürfnis, die Juden zu verprügeln und bei Gelegenheit zu berauben.

Im Getto wurde auch gefilmt: Nicht wenige deutsche Soldaten und Offiziere wollten ein Souvenir nach Hause mitnehmen. Professionelle Filmleute, wohl Angehörige von Propaganda-Kompanien[7], waren ebenfalls am Werk. Ihre bevorzugten Motive waren Bettler und Krüppel, deren Anblick jüdischen Schmutz beweisen und Abscheu erregen sollte. Gedreht hat man auch gestellte Szenen: Erbärmlich, wenn nicht abstoßend aussehende Juden wurden von den Filmleuten in ein Getto-Restaurant gebracht. Dem Inhaber des Lokals wurde befohlen, für die unfreiwilligen Gäste den Tisch möglichst reich zu decken. Der Regisseur oder der Kameramann inszenierten ein Gelage: Es sollte zeigen, wie gut es den Juden gehe.

---

7 Einheit der Deutschen Wehrmacht, deren Aufgabe die Beschaffung von Bildern und Nachrichten für die nationalsozialistisch gelenkte Kriegsberichterstattung war.

Auch Sexualszenen hat man gedreht: Mit der Pistole in der Hand zwangen deutsche Dokumentarfilmer junge Männer, mit älteren und nicht gerade ansehnlichen Frauen zu koitieren und junge Mädchen mit alten Männern. Diese Filme, die man zum Teil nach dem Krieg in Berliner Archiven gefunden hat, wurden aber nicht öffentlich vorgeführt: Das Propaganda-Ministerium und andere deutsche Instanzen sollen befürchtet haben, die Aufnahmen könnten statt Ekel Mitleid hervorrufen.

Doch das Diktum[8] des mit sonderbaren Verrenkungen durch die Straßen springenden, des offenbar einem unbekannten Ziel zustrebenden Gettonarren traf nicht zu, der Alltag schien seine höhnisch gekreischte Losung zu widerlegen. Eine verschwindend kleine Minderheit, darunter vor allem die Schmuggler, hatte Geld genug, um beinahe wie vor dem Krieg zu leben. Größer war die Zahl jener, die sich zwar nicht satt essen konnten, aber deren Hunger erträglich war, die auf ihre Kleidung achteten und regelmäßig zum Friseur gingen, die sich also der im Getto überall zu beobachtenden Deklassierung[9] widersetzten.

In der Regel ging es den assimilierten Juden, die ausschließlich Polnisch sprachen, etwas besser als den orthodoxen und jenen vielen, die, wie immer ihr Verhältnis zur Religion war, dem Jiddisch sprechenden Milieu treu blieben. Kontakte zwischen diesen beiden großen Gruppen kannte man vor dem Krieg nur in Ausnahmefällen: Es waren Welten, die, ohne Berührungspunkte miteinander zu haben, sich gegenseitig wenig achteten, wenn nicht gar verachteten. Die Assimilierten warfen den Orthodoxen vor, dass sie in beinahe jeder Hinsicht rückständig seien, diese wiederum meinten, dass die Assimilierten sich vom Glauben und von der Tradition der Väter abwendeten, und zwar vorwiegend aus Gründen der Opportunität[10]. Das alles hat sich nach 1939 nicht geändert, es gab also in Warschau

8 Ausspruch.
9 Herabsetzung auf eine niedrigere (soziale) Stufe.
10 Zweckmäßigkeit in der jeweiligen Lage.

nach wie vor zwei getrennte jüdische Welten. Auch ich kannte im Getto Menschen aus dem jiddischen Milieu überhaupt nicht.

Meine Familie und ich zählten nicht zu den Privilegierten. Keiner von uns war je in einem der berüchtigten Luxusrestaurants. Aber unsere Not hielt sich in Grenzen. Mein Bruder hatte als Zahnarzt einen guten Ruf und also genug Patienten. Meine Arbeit im Amt des »Judenrates« fiel mir nicht schwer und langweilte mich überhaupt nicht. Übrigens kann ich mich nicht beschweren: Nie im Leben hat mich meine berufliche Arbeit gelangweilt.

Viele der Berichte und Gesuche, deren Übersetzung ich zu kontrollieren hatte, und viele der Briefe, die ich selber übersetzte, ließen mich das ganze Ausmaß der Not und des Elends im Getto erkennen. Bald begriff ich, dass ich in einer ungewöhnlichen Situation war: Ich hatte Zugang zu Dokumenten von historischer Bedeutung. Eines Tages geschah es, dass ein Mann, der mir als eine der stärksten Persönlichkeiten des Gettos in Erinnerung geblieben ist, in mein Büro kam und mich um ein kurzes Gespräch bat. Er fragte mich, ob ich bereit sei, ihm zu helfen. Ich hatte über ihn, den Historiker Emanuel Ringelblum, und seine konspirativen Aktivitäten nur Vages gehört, dass er aber Vertrauen zu mir hatte und meine Mitarbeit suchte, schmeichelte mir. Schon damals gab es das Untergrundarchiv, das er gegründet hatte und leitete.

Hier wurde alles gesammelt, was das Leben im Getto dokumentieren konnte: Bekanntmachungen, Plakate, Tagebücher, Rundschreiben, Fahrkarten, Statistiken, illegal erscheinende Zeitschriften, wissenschaftliche und literarische Arbeiten. Daraus sollten künftige Historiker Nutzen ziehen. Auf Grund dieser Materialien wurden auch Berichte für die polnische Untergrundbewegung und für die polnische Exilregierung[11] in

---

[11] Nach dem Einmarsch der deutschen Wehrmacht in Polen floh die polnische Staatsführung nach Rumänien. Der polnische General Władysław Sikorski bildete in Paris die polnische Exilregierung.

London verfasst. Es versteht sich, dass der Briefwechsel des »Judenrates« mit den deutschen Behörden für das Archiv von großer Bedeutung war. Ich hatte von allen wichtigeren Briefen und Berichten Kopien anzufertigen und sie einem der Mitarbeiter Ringelblums im Sekretariat des »Judenrates« auszuhändigen.

Das gesamte Archiv wurde in zehn Metallbehältern und zwei Milchkanistern vergraben, an drei verschiedenen Stellen. Von diesen drei Teilen hat man nach dem Krieg nur zwei gefunden, der dritte gilt als verschollen. Ringelblum wurde 1944 zusammen mit seiner Familie von der SS in Warschau aufgespürt und in den Ruinen des nicht mehr existierenden Gettos erschossen.

Ein stiller, unermüdlicher Organisator war er, ein kühler Historiker, ein leidenschaftlicher Archivar, ein erstaunlich beherrschter und zielbewusster Mann. Immer hatte er es sehr eilig, unsere wenigen Gespräche waren leise, knapp und ganz sachlich. Wenn ich es recht bedenke, habe ich ihn nur flüchtig gekannt. Aber ich sehe ihn immer noch vor mir, ihn, Emanuel Ringelblum, den schweigsamen Intellektuellen – wie ich immer noch den alarmierenden Ruf des plebejischen Narren höre, dessen Botschaft aus nur zwei Worten bestand.

Wenn die Musik der Liebe Nahrung ist

Die Juden im Warschauer Getto wurden gemartert. Ihnen ist Grauenhaftes widerfahren. Aber bisweilen auch Schönes und Wunderbares. Sie haben gelitten. Aber sie haben auch geliebt. Nur war die Liebe damals von besonderer Art. Bei Schnitzler sagt einmal eine Wienerin: »Geh, bleib jetzt bei mir. Wer weiß, ob wir morgen nochs Leben haben.«[1] Auf der Liebe im Getto lastete an jedem Tag und in jeder Stunde die Frage, ob wir morgen noch das Leben hatten. Unruhig war sie und schnell, ungeduldig und hastig. Es war die Liebe in den Zeiten des Hungers und des Fleckfiebers, in den Zeiten der schrecklichsten Angst und der tiefsten Demütigung.

Die Menschen, junge vor allem, drängten zueinander, sie suchten beieinander Schutz und Geborgenheit und auch Hilfe. Sie waren dankbar für Stunden oder vielleicht bloß für Minuten des Glücks. Ich weiß schon: Die schwebende Pein, von der Goethes Klärchen[2] singt, gehört immer zur Liebe, immer begleitet sie, häufiger unbewusst als bewusst, die Furcht, das Einzigartige, das kaum Fassbare könne so plötzlich zu Ende gehen, wie es begonnen hat.

Nein, nicht die Vergänglichkeit der Liebe hat damals die Liebenden irritiert, sondern die ständige, die pausenlose Bedrohung, die deutsche Bedrohung: In jedem Augenblick, und sei es im schönsten, hatte man damit zu rechnen, dass plötzlich Soldaten mit Gewehrkolben an die Wohnungstür pochten oder sie gleich einschlugen. Man musste befürchten, dass sie brutal ins

---

[1] In Schnitzlers um 1900 entstandenem (1903 teilweise, 1920 komplett uraufgeführtem) Drama »Reigen« spricht so eine Prostituierte, die »Dirne«, zum »Soldaten«.
[2] Die Geliebte des Titelhelden in Goethes Drama »Egmont« (UA 1789).

Zimmer drangen. Wenn es gut ging, hatte man eine Stunde oder zwei miteinander, füreinander.

Und die übliche Angst, die häufig, ob im Frieden oder im Krieg, das Zusammenleben junger Leute erschwerte, an der sie jedenfalls litten, die Angst vor der Schwangerschaft? Niemand wollte im Getto ein Kind haben. Aber nicht immer gelang es, die Schwangerschaft zu verhindern, zumal die Präservative, mit denen man sich behalf, nicht selten brüchig waren – was man oft erst merkte, wenn es schon zu spät war. Eine Schwangerschaft unterbrechen zu lassen war nicht schwer: Im Getto gab es viele Frauenärzte, sie waren hilfsbereit, ohne überhöhte Honorare zu verlangen.

Wir, Tosia und ich, hatten es nicht so schlecht. Sie bewohnte mit ihrer Mutter ein möbliertes Zimmer – und die Mutter hatte die schöne Angewohnheit, die Nachmittage meist außerhalb des Hauses zu verbringen. So konnten wir dort allein sein. Wir erzählten uns gegenseitig unser Leben (und obwohl wir kaum zwanzig Jahre alt waren, hatten wir schon manches zu erzählen), wir lasen Gedichte von Mickiewicz[3] und Tuwim, von Goethe und Heine. Sie wollte mich für die polnische Poesie gewinnen, ich wollte sie zur deutschen Dichtung bekehren und verführen. So gewannen wir einander, und bisweilen unterbrachen wir die Lektüre. Ohne Freuds Formulierung zu kennen, lernten wir die »Polarität von Lieben und Sterben«[4] kennen, die Verquickung von Glück und Unglück. Die Liebe war das Narkotikum, mit dem wir unsere Furcht betäubten – die Furcht vor den Deutschen.

Als ich nachher von ihr ging, als ich mich beeilte, um noch

---

3 Adam Mickiewicz (1798–1855): polnischer Schriftsteller.
4 Der österreichische Nervenarzt Sigmund Freud (1856–1939), Begründer der Psychoanalyse, schrieb 1922 in einem Brief an den von ihm bewunderten und als Geistesverwandten betrachteten Arthur Schnitzler: Die Art und Weise, wie der Schriftsteller sich mit der »Polarität von Lieben und Sterben« beschäftigt, berühre ihn »mit einer unheimlichen Vertrautheit«.

vor der Polizeistunde zu Hause zu sein, da konnte ich, von Not und Elend umgeben, nur daran denken, was ich gerade erlebt hatte. »Ist ein Traum, kann nicht wirklich sein« – diese Worte, die Sophie ganz am Ende des »Rosenkavalier«[5] singt, gingen mir durch den Kopf, ich wiederholte sie immer wieder, ich rief sie mir stumm zu, ohne recht wahrzunehmen, was sich um mich herum abspielte.

Plötzlich sah ich auf meinem Weg die Leiche eines Menschen, wohl eines verhungerten Bettlers – und ich sah in der Dämmerung neben der auf dem Bürgersteig liegenden Leiche einen nicht mehr jungen, in Lumpen gehüllten Mann stehen. Mit dem Blick auf den Verstorbenen sprach oder, richtiger gesagt, murmelte er etwas, was ich nicht verstand. Es muss das Kaddisch gewesen sein, das Totengebet der Juden. Die Passanten gingen schnell vorbei, als würden sie fliehen, ich folgte ihnen ebenfalls rasch, ich lief weiter, mit Hofmannsthals Versen im Kopf, aber ich musste mich umwenden. Die Leiche war inzwischen mit Zeitungspapier bedeckt. Ich hörte, ganz in der Nähe, Schüsse und Schreie, ich hatte Angst.

Als ich später im Bett lag und die deutschen Schüsse nicht aufhören wollten, dachte ich an Tosia und an die deutschen Gedichte, die ich ihr vorgelesen hatte, an die Verse, die uns vergessen ließen, was uns täglich bedrohte, was uns inmitten der grausamsten Barbarei stündlich bevorstehen konnte. Aber da gab es etwas, was auf uns noch stärker und noch tiefer wirkte als die Poesie, was uns bis ins Innerste aufwühlte, was uns berauschte. Es war die Musik.

 Juden galten immer schon als musikalisch, besonders jene aus osteuropäischen Ländern. Bei den Warschauer Philharmonikern, in den Orchestern der Warschauer Oper und des Polnischen Rundfunks, in den vielen Ensembles der Unterhaltungs-, Tanz- und Jazzmusik – überall fanden sich nicht wenige Juden.

5 Oper (UA 1911) des deutschen Komponisten Richard Strauss (1864–1949), Text: Hugo von Hofmannsthal.

Sie waren nun im Getto und allesamt arbeitslos. Da sie meist keine Ersparnisse hatten, wurde ihre Not von Tag zu Tag größer.

Damals konnte man überraschende Klänge hören: in einem Hof Beethovens Violinkonzert, im nächsten Mozarts Klarinettenkonzert, allerdings beide ohne Begleitung. Ich sehe sie immer noch vor mir – eine weißhaarige Frau, die ein Instrument spielte, das man auf einer Straße des Gettos wohl am wenigsten erwartet hätte: Erhobenen Hauptes gab sie auf einer Harfe etwas Französisches zum Besten, wohl Debussy oder Ravel.[6] Viele Passanten blieben verblüfft stehen, einige legten einen Geldschein hin oder eine Münze.

Bald kamen einige umsichtige Musiker auf eine Idee: Man könne doch im Getto ein Symphonieorchester organisieren. Um der holden Kunst zu dienen, um den Menschen Freude und Vergnügen zu bereiten? O nein, anderes hatten sie im Sinn: Sie wollten etwas verdienen, um den Hunger zu stillen. Es stellte sich rasch heraus, dass man im Getto ohne Schwierigkeiten ein großes Streichorchester gründen konnte: An guten Geigern und Bratschisten, Cellisten und Kontrabassisten war kein Mangel. Schwieriger war es mit den Bläsern. Mit Hilfe von Inseraten in der einzigen (übrigens sehr schlechten) Zeitung im Getto und auf Anschlagtafeln wurden geeignete Kandidaten gesucht: Es meldeten sich Trompeter, Posaunisten, Klarinettisten und Schlagzeuger aus den Jazzbands und den Tanzkapellen – rasch zeigte sich, dass sie, auch wenn sie nie in einem Symphonieorchester gearbeitet hatten, gleichwohl Schubert oder Tschaikowsky tadellos vom Blatt spielen konnten.[7]

Doch fehlten drei Blasinstrumente. Und so waren bald etwas sonderbare Anzeigen zu lesen: Hornisten, Oboisten und Fagottisten dringend gesucht. Da sich niemand meldete, musste man sich, wenn man Symphonien aufführen wollte, anders be-

---

[6] Claude Debussy (1862–1918), Maurice Ravel (1875–1937): französische Komponisten.

[7] Franz Schubert (1797–1828): österreichischer Komponist; Peter Iljitsch Tschaikowsky (1840–1893): russischer Komponist.

helfen: Die Oboenstimmen wurden von Klarinetten gespielt und die Fagottstimmen von Basssaxophonen – und das klang gar nicht so schlecht. Am schwierigsten hatte man es mit den Hörnern. Man entschied sich für eine allerdings höchst fragwürdige Lösung: Sie wurden mit Tenorsaxophonen ersetzt. Keinen Kummer hatten wir mit den Dirigenten: Es gab im Getto vier, sie alle beherrschten ihr Handwerk recht gut, einer war sogar ein hervorragender Musiker.

Simon Pullmann, 1890 in Warschau geboren, hatte am Konservatorium in St. Petersburg bei dem berühmten Leopold Auer Violine studiert, später war er als Geiger, Kammermusiker[8] und Dirigent vor allem in Wien tätig gewesen. Dass ihm eine große Karriere nicht gelungen war, mochte damit zusammenhängen, dass er nie gelernt hatte, von seinen Ellenbogen Gebrauch zu machen. Im Sommer 1939 besuchte er seine Familie in Warschau – und konnte Polen nicht mehr rechtzeitig verlassen. So fand sich Pullmann im Getto und galt bald und zu Recht als der bedeutendste unter den dort wirkenden Musikern.

Er war ein außergewöhnlicher Mensch: selbstbewusst und ehrgeizig, doch sehr still und zurückhaltend und immer besonders höflich. In den Orchesterproben, bei denen ich oft dabei war, habe ich nie von ihm ein ungeduldiges oder gar lautes Wort gehört. Bruno Walter[9] habe, wird erzählt, einen falsch blasenden Flötisten mit den Worten belehrt: »Hier empfehle ich fis[10].« Von dieser Art war auch Simon Pullmann. Es sei, meinte er, die Ehrenpflicht der Juden, sogar unter diesen schrecklichen Bedingungen gute Musik gut zu spielen. Er erlaubte keinen Pfusch, er ließ keine Ausrede gelten, er probte lange und gründlich und hat so die anderen Dirigenten, die vielleicht dazu neigten, fünfe grade sein zu lassen – und wer konnte es ihnen verübeln? –, gezwungen, unermüdlich zu arbeiten und ein hohes Niveau anzustreben.

---

[8] Kammermusik: für eine kleine Gruppe von Instrumentalmusikern.
[9] Deutscher Dirigent (1876–1962).
[10] Der Ton f mit einem Kreuz als Vorzeichen.

Da die Streicher des Orchesters den Bläsern hoch überlegen waren, konzentrierte sich Pullmann verständlicherweise zunächst auf Musik eben für Streicher. Man spielte Vivaldi und Boccherini, Bach[11] und Mozart – bis hin zur Serenade in C-Dur[12] von Tschaikowsky. Kummer gab es immer. Mal hatte man zwar das gesamte Notenmaterial für ein bestimmtes Werk, aber es fehlte die Partitur[13], mal hatte man die Partitur, aber es fehlten die Noten für die einzelnen Instrumente. Also musste man sie von Hand kopieren. Doch niemals fehlte es an Freiwilligen, die dies ohne Entlohnung machten.

Sehr beliebt waren fünf der brahmsschen[14] Walzer für Klavier zu vier Händen. Sie wurden von Theodor Reiss, einem im Getto lebenden Komponisten, für Streichorchester bearbeitet – nachdem er von Pullmann erhalten hatte, was sich der arme Mann nicht leisten konnte: Notenpapier. Die Uraufführung dieser Transkription[15] war überaus erfolgreich, Reiss wurde vom Dirigenten auf das Podium gebeten, wollte aber nicht nach vorn kommen. Man konnte gleich sehen, dass es sich nicht um das in solchen Situationen übliche Getue handelte. Schließlich kam er doch, verneigte sich rasch und linkisch und verschwand schnell wieder im Publikum. Er schämte sich seines Aufzugs: Er besaß offenbar kein Jackett, trug nur einen ungewöhnlich schäbigen Mantel.

Auch Kammermusik, vor allem Quartette und Quintette,[16] ließ Pullmann von seinem virtuosen Streichorchester spielen,

---

[11] Antonio Vivaldi (1678–1741), Luigi Boccherini (1743–1805): italienische Komponisten; Johann Sebastian Bach (1685–1750): deutscher Komponist.

[12] Tschaikowskys »Serenade für Streicher C-Dur« (1881).

[13] Notenmaterial, Zusammenstellung aller zu einem Musikstück gehörenden Stimmen.

[14] Johannes Brahms (1833–1897): deutscher Komponist.

[15] Übertragung, hier die Umarbeitung eines Musikstücks für mehr Instrumente als vom Komponisten ursprünglich vorgesehen.

[16] Quartett, Quintett: Kompositionen für vier bzw. fünf verschiedene Instrumente (oder entsprechende Musikergruppierungen).

und es spielte wunderbar: Beethovens Große Fuge op. 133, das Adagio aus Bruckners Quintett oder das Quartett von Verdi.[17] Zuweilen klagten die Musiker, denen das traditionelle Repertoire lieber gewesen wäre, Pullmann verlange von ihnen zu viel. Letztlich gaben sie immer nach – und haben es nicht bedauert.

Es lässt sich kaum vorstellen, mit welcher Hingabe damals geprobt, mit welcher Begeisterung musiziert wurde. Als wir 1988 im Zweiten Deutschen Fernsehen das »Literarische Quartett«[18] vorbereiteten, fragte man mich, welche Musik ich mir für den Vorspann und den Abspann wünsche. Ich bat um die ersten Takte des Allegro molto aus Beethovens Quartett opus 59, Nr. 3, C-Dur[19], das im Getto vom Streichorchester besonders oft und besonders gut aufgeführt wurde. Wann immer ich beim »Literarischen Quartett« diese Takte von Beethoven höre, denke ich an die Musiker, die sie im Getto gespielt haben. Sie wurden alle vergast.

Sosehr die Werke für Streichorchester im Vordergrund standen, die symphonische Musik[20] wurde, allen Hindernissen zum Trotz, keineswegs vernachlässigt. Man spielte Haydn und Mozart, Beethoven und Schubert, Weber[21] und Mendelssohn-Bartholdy, Schumann und Brahms, also, wie überall in der

---

[17] »Große Fuge« (1826): Einsätziges Streichquartett Beethovens; Adagio (langsam gespieltes Musikstück): hier der dritte Satz (in der seltenen Tonart Ges-Dur) aus dem einzigen Streichquintett (1879) des österreichischen Komponisten Anton Bruckner (1824–1896); Quartett von Verdi: das Streichquartett (1873) ist das Einzige des italienischen Komponisten Giuseppe Verdi (1813–1901).

[18] Die von Reich-Ranicki konzipierte und geleitete TV-Talkshow mit drei Gesprächspartnern lief von 1988 bis 2002 vier- bis sechsmal pro Jahr im Zweiten Deutschen Fernsehen und war die einflussreichste Literatursendung in dieser Zeit.

[19] Der vierte Satz von Beethovens Streichquartett (1805/06).

[20] Symphonie: Komposition für großes Orchester.

[21] Carl Maria von Weber (1786–1926), Robert Schumann (1810–1856): deutsche Komponisten; Hector Berlioz (1803–1869): französischer

Welt, vornehmlich deutsche Musik – doch auch Berlioz und Tschaikowsky, Grieg und Dvořák. Kurz und gut: Abgesehen von moderner Musik, die man nicht besetzen konnte, spielte man alles, was sich finden ließ. Wirklich alles?

Wenige Monate nach dem Einmarsch der Wehrmacht in Warschau lassen die deutschen Behörden das Denkmal Frédéric Chopins sprengen. Am 3. Juni 1940 untersagt das Propagandaamt für das Generalgouvernement Polen die Aufführung von Musikwerken, die mit der polnischen Nationaltradition zusammenhängen. Gezeichnet ist die Anordnung vom Stellvertreter des Generalgouverneurs Hans Frank, dem Staatssekretär Josef Bühler. Wie sich bald herausstellt, betrifft dieses Verbot auch das Gesamtwerk Chopins.

Im April 1942 wird die Verordnung eingeschränkt: Einige Werke Chopins sowie des in Polen nicht ohne Grund sehr geschätzten Komponisten Mieczysław Karlowicz – er lebte von 1876 bis 1909 – sind jetzt wieder genehmigt, doch gilt diese Verordnung, wie ausdrücklich vermerkt ist, nicht für den »jüdischen Wohnbezirk« in Warschau. So durfte im Getto weiterhin kein Takt von Chopin erklingen, nur bisweilen hat dieser oder jener junge Pianist, höchst leichtsinnig, als Zugabe ein weniger bekanntes Stück von ihm gespielt und dann die Frage, von wem das denn gewesen sei, ob nicht gar von Chopin, ironisch lächelnd mit dem Hinweis auf Robert Schumann beantwortet.

Zunächst veranstaltete man die Konzerte im Gebäude des alten Tanzlokals und Varietés »Melody Palace«, das zufällig an die Gettomauer grenzte. Später fand man einen besseren und größeren Saal: ein modernes Kino, das nie in Betrieb gewesen war, weil der Bau erst unmittelbar vor dem Zweiten Weltkrieg beendet wurde. Der Saal dieses Kinos »Femina« fasste neunhundert Plätze, man konnte ihn glücklicherweise leicht und rasch für Konzertzwecke herrichten.

Für Kammermusik – es gab im Getto drei Streichquartette,

Komponist; Edvard Grieg (1843–1907): norwegischer Komponist; Antonín Dvořák, (1841–1904): tschechischer Komponist.

und alle drei waren gut – und für Auftritte von Solisten verwendete man kleinere Säle, vor allem eine Volksküche, in der die Konzerte nachmittags stattfanden, kaum dass die (jämmerliche) Suppe ausgegeben war. Im Saal roch es nach Kohl und Rüben, aber man ließ sich nicht stören, man hörte Schubert oder Brahms. Im Winter waren die Säle oft nicht geheizt, dann saß man eben in Mänteln – die Zuhörer und die Musiker. Wenn der Strom abgeschaltet wurde, behalf man sich mit Karbid-Lampen[22].

Es gab auch Schwierigkeiten ganz anderer Art. Gehungert haben wir alle – mehr oder weniger. Nun können Geiger oder Cellisten, die hungrig sind, dennoch schön Geige oder Cello spielen. Für Trompeter oder Posaunisten, deren körperliche Anstrengung größer ist, gilt das nicht: Der Hunger beeinträchtigt die Leistung der Bläser. Daher hat ein vermögender Arzt im Getto das ganze Orchester vor den Konzerten (sie begannen meist um zwölf Uhr mittags) zu einem Frühstück eingeladen – damit die Bläser besser blasen konnten und die Streicher in besserer Laune waren.

Neben Solisten, die schon vor dem Krieg in Polen anerkannt waren, debütierten[23] im Getto auch junge Geiger, Pianisten oder Sänger. Ich erinnere mich an einen besonders sympathischen und intelligenten Musiker namens Richard Spira, neunzehn oder zwanzig Jahre alt. Er spielte Beethovens Klavierkonzert in Es-dur im Getto zum ersten Mal mit einem Orchester. Sein Lehrer, einer der bedeutendsten polnischen Klavierpädagogen, wohnte damals in Warschau, aber, da er kein Jude war, natürlich außerhalb des Gettos. So konnte Spira ihn, obwohl sie kaum zwei Kilometer voneinander entfernt waren, nicht auf-

---

[22] Im 19. und am Anfang des 20. Jahrhunderts waren Karbid-Lampen nicht nur im Bergbau eine weit verbreitete Lichtquelle; Karbid reagiert mit Wasser unter Bildung von Äthin (dem eigentlichen Brennstoff der Lampe).

[23] Erstmals öffentlich auftreten, zum ersten Mal ein Werk vorlegen oder aufführen.

suchen, und der Lehrer durfte nicht zu ihm kommen. Aber noch gab es im Getto Telefone, wenn auch wenige. Das war die Lösung: Spira spielte seinem Lehrer das ganze Konzert am Telefon vor und erhielt von ihm in stundenlangen Gesprächen genaue Unterweisungen. Der Triumph des Schülers war zugleich, der Gettomauer zum Trotz, der seines Lehrers.

Die erfolgreichste, die populärste Figur des Musiklebens im Getto war eine ganz junge schwarzhaarige Frau mit mädchenhafter Anmut, eine Sopranistin, die vor dem Krieg noch niemand kannte: Marysia Ajzensztadt, gerade zwanzig Jahre alt. Die schöne und reizvolle Sängerin debütierte mit Arien von Gluck[24] und Mozart, mit Liedern von Schumann und Brahms. Um ihren Unterhalt zu verdienen, trat sie sehr bald auch in einem Café auf (in den Kaffeehäusern gab es keinen Kaffee, aber in manchen musikalische Darbietungen), wo sie Johann Strauß sang und Franz Lehár.[25] Das Publikum in dem täglich überfüllten Café war begeistert – und die Kritik ebenfalls.

Kritik? In der Tat: Die von den deutschen Behörden genehmigte, im Warschauer Getto in polnischer Sprache zweimal wöchentlich erscheinende Zeitung »Gazeta Zydowska« veröffentlichte auch Konzertrezensionen. Der Kritiker, Wiktor Hart, bewunderte Marysia Ajzensztadt. Ihr Gesang – schrieb er – »zeugt von höchster Kunst, von Maß und Einfachheit, sie hat es in kürzester Zeit zu wahrer Meisterschaft gebracht«. Wer war dieser enthusiastische Wiktor Hart? Wenn heute sein Name in zeitgeschichtlichen Büchern auftaucht, dann steht in Klammern ein Fragezeichen oder es heißt: »nicht ermittelt«. Doch zwischen uns sei Wahrheit[26]: Ich war es.

---

[24] Arie: Sologesangsstück mit Instrumentalbegleitung; Christoph Willibald Gluck (1714–1787): deutscher Komponist.

[25] Johann Strauß (1825–1899), Franz Lehár (1870–1948): österreichische Komponisten.

[26] Mit den Worten »zwischen uns sei Wahrheit«, die seine Aufrichtigkeit unterstreichen sollen, nähert sich Orest der Titelheldin in Goethes Drama »Iphigenie auf Tauris«.

Ein Bekannter, der in der »Gazeta Zydowska« für das Feuilleton zuständig war, wusste, dass ich mich für Musik interessierte, und fragte mich, ob ich ihm einen Rezensenten empfehlen könnte. Ich empfahl ihm einen stillen Mann, der ein ordentlicher Geiger und ein vorzüglicher Musikkenner war. Er schrieb drei oder vier schöne Besprechungen und wurde dann krank. Man bat mich, ihn zu vertreten. Ich zögerte, denn ich hatte ja nie im Leben Kritiken publiziert. Ich hatte Angst. Aber die Aufgabe gefiel mir. So stimmte ich zu, vorerst nur für zwei oder drei Wochen. Doch kam es anders, und ich schrieb regelmäßig die Konzertbesprechungen in dieser Zeitung – bis es keine Konzerte mehr gab. Ganz wohl war mir dabei nicht. Zwar hatte ich vor dem Krieg schon viel Musik gehört (meist im Rundfunk und von Schallplatten). Auch verfügte ich über ziemlich gute Kenntnisse der Musikgeschichte. Dass ich aber erfahrene und zu einem nicht geringen Teil längst anerkannte Künstler öffentlich beurteilte, wenn auch mit Gewissensbissen – das war schon ein starkes Stück, genauer: eine Frechheit. Ich wusste es, ich tat es dennoch. Wenn ich heute meine damaligen Artikel lese, schäme ich mich. Es geht nicht um den Stil, obwohl ich, man kann es kaum glauben, Beethoven einmal einen »Titanen«[27] genannt habe und Schubert einen »großen Meister«. Derartiges lesend, erröte ich noch heute. Schon gar nicht geht es darum, dass der zwanzigjährige Rezensent bisweilen etwas reichlich lobte und rühmte. Aber wozu habe ich dies und jenes beanstandet und getadelt? Wozu habe ich Musikern, die sich redlich mühten, Schmerzen bereitet?

Vielleicht kann zu meiner partiellen Entlastung beitragen, dass ich, dessen bin ich ganz sicher, nie leichtfertig geschrieben habe und mich überdies von dem Kenner, den ich zunächst nur für kurze Zeit vertreten sollte, regelmäßig habe beraten lassen. Aber wenn ich bedenke, was diese jüdischen Musiker kurz

[27] Titan: griechische Sagengestalt, Riese, auch jemand, der durch außergewöhnliche Leistungen, besonders auf geistigem, künstlerischem Gebiet, beeindruckt.

nach den Konzerten erlitten haben, tut mir jedes skeptische oder gar negative Urteil, das ich damals gefällt habe, noch heute Leid. Manche Äußerungen sind mir nicht mehr verständlich. So schreibe ich respektvoll über eine Aufführung von Haydns Symphonie mit dem Paukenschlag, die jedoch »aus Gründen, die von dem ›Jüdischen Symphonieorchester‹ unabhängig sind, nicht zu Ende gespielt werden konnte«. Was wollte ich andeuten und doch nicht sagen? Hat die Beleuchtung versagt? Oder waren etwa Deutsche gekommen und haben uns auseinander getrieben? Nein, denn das hätte ich nicht vergessen.

An ein anderes Konzert, das tatsächlich von Deutschen heimgesucht wurde, kann ich mich sehr wohl erinnern. Man spielte die große g-moll-Symphonie[28] von Mozart. Während der ersten Takte des vierten Satzes geschah etwas Ungewöhnliches: Zwei oder drei Deutsche in Uniform betraten den Saal. Das hatte es noch nie gegeben. Alle erstarrten, auch der Dirigent sah es, doch dirigierte er weiter. Nie im Leben habe ich diesen letzten Satz der g-moll-Symphonie mit einem so deutlichen Tremolo[29] in den Geigen und Bratschen gehört. Nicht die Konzeption des Dirigenten war es, es war die Furcht der Musiker. Man konnte ja nicht wissen, was die Deutschen jetzt tun würden. Werden sie gleich brüllen: »Raus, raus«? Würden sie alle zusammenschlagen? Würden sie es für empörend halten, dass Juden Musik machten, würden sie gar von ihren Waffen Gebrauch machen?

Aber sie standen da und taten vorerst nichts. Das Orchester spielte die Symphonie zu Ende. Dann klatschte das Publikum, zögernd und wohl ängstlich. Und nun passierte etwas absolut Unerwartetes, ja Unbegreifliches. Die zwei oder drei Männer in Uniform, sie haben nicht gebrüllt, sie haben nicht geschossen: Sie haben geklatscht und sogar freundlich gewinkt. Dann ent-

---

28 Mozarts 40. Symphonie (1788).
29 Zittern, Bebenlassen der Stimme, auch schnelles Wiederholen von einzelnen oder verschiedenen Tönen.

fernten sie sich – ohne jemandem etwas angetan zu haben. Deutsche waren es, und sie haben sich dennoch wie zivilisierte Menschen verhalten. Darüber sprach man im Getto noch wochenlang.

Die Konzerte waren immer gut besucht, die Symphoniekonzerte meist überfüllt. Der Not zum Trotz? Nein, nicht Trotz trieb die Hungernden, die Elenden in die Konzertsäle, sondern die Sehnsucht nach Trost und Erbauung – und so verbraucht diese Vokabeln auch sein mögen, hier sind sie am Platz. Die unentwegt um ihr Leben Bangenden, die auf Abruf Vegetierenden[30] waren auf der Suche nach Schutz und Zuflucht für eine Stunde oder zwei, auf der Suche nach dem, was man Geborgenheit nennt, vielleicht sogar nach Glück. Sicher ist: Sie waren auf eine Gegenwelt angewiesen.

So ist es kein Zufall, dass zu den beliebtesten Werken Beethovens neben der »Eroica«, der Fünften und der Siebten die »Pastorale«[31] gehörte: Wo es keine Wiesen gab und keine Wälder, keine Bäche und keine Büsche, lauschten viele, die sonst wenig für Beethovens Programmmusik übrig hatten, dankbar dem »Erwachen heiterer Gefühle bei der Ankunft auf dem Lande« und anderen idyllischen Szenen – und sie waren dankbar nicht obwohl, sondern gerade weil diese Idyllen nichts mit ihrer Umgebung gemein hatten.

In die Konzerte drängten sich, so schien es mir damals, die Verlassenen und die Einsamen und vor allem die Liebenden: Die zueinander gefunden hatten, fühlten sich durch die Musik bestätigt. Und sie zitierten Shakespeare: »Wenn die Musik

[30] Vegetieren: kärglich und unter menschenunwürdigen Bedingungen leben.
[31] Von Beethovens Symphonien zählen (neben der neunten und letzten) die dritte mit dem Beinamen »Eroica« (1805), die fünfte (1808), die sechste mit dem Beinamen »Pastorale« (1808) und die siebte (1813) zu den beliebtesten; die fünf Sätze der »Pastorale« tragen außer den üblichen Satzbezeichnungen auch Überschriften, die das Landleben beschwören.

der Liebe Nahrung ist...«[32] Eines Tages, nach einem besonders schönen Konzert, bat ich Tosia, mir zu versprechen, dass sie, sollte sie überleben und ich nicht, immer beim Allegretto[33] aus Beethovens Siebter an mich denken werde. Dieser rührseligen Anwandlung, die mich plötzlich überkam, stimmte sie, ich war etwas überrascht, nicht zu: Das lasse sich doch nicht mehr ändern, sie werde keineswegs nur beim Allegretto, sie werde bei aller Musik, die wir hier gemeinsam hören, an mich denken müssen. So sentimental redeten wir miteinander.

In der Musik also erkannten sich die Paare wieder, die jungen ebenso wie die älteren. Und in der Dichtung? Literarische Veranstaltungen gab es im Getto auch, doch viel seltener als Konzerte, und sie hatten in der Regel nicht viel Zulauf. Es trifft schon zu – im Grunde ist das eine Banalität –, dass die Musik auf viele Menschen in Grenzsituationen unmittelbarer wirkt als das gesprochene Wort, dass sie stärker Gefühle zu wecken und die Phantasie anzuregen vermag.

Lange gab es dieses Glück nicht: Die Symphoniekonzerte wurden bald von den deutschen Behörden unterbunden. Konnte der Kommissar[34] für den jüdischen Wohnbezirk die Qualität der Konzerte nicht ertragen? Es sei nicht zulässig – heißt es in einem Brief an den Obmann[35] des »Judenrates« –, dass im Getto Werke von »arischen« Komponisten aufgeführt würden. Daher seien die Orchesterkonzerte ab dem 15. April 1942 für zwei Monate untersagt. Solistenkonzerte im kleinen Rahmen

---

32 In Shakespeares um 1600/01 entstandenem Drama »Was ihr wollt« sind das die ersten Worte, gesprochen vom liebeskranken Herzog Orsino.

33 Mäßig schnell; hier der verhaltene, balladenartige Marsch im zweiten Satz von Beethovens siebter Symphonie.

34 Hier: jemand, der in staatlichem Auftrag tätig ist und bestimmte Vollmachten besitzt.

35 Vorsitzender, Vertrauensmann; hier: der Bürgermeister des Gettos Adam Czerniaków.

konnten noch stattfinden, mussten aber auf die Musik von jüdischen Komponisten beschränkt werden. Man spielte jetzt vorwiegend Mendelssohn, Offenbach, Meyerbeer oder Anton Rubinstein und, eher der Not gehorchend, auch Operettenkomponisten wie Paul Abraham, Leo Fall oder Emmerich Kálmán.[36]

Ich hörte auf, Kritiken zu schreiben, und wandte mich einer anderen, in dieser Situation, wie ich glaubte, ungleich wichtigeren Aufgabe zu: Ich organisierte im Hauptgebäude des »Judenrates«, in dem sich ein großer Saal befand, Solisten- und Kammermusikkonzerte. In der ersten Hälfte spielte ein Pianist oder ein Streichquartett, in der zweiten trat eine Sängerin auf oder ein Geiger. Die Eintrittskarten waren, wie übrigens bei allen anderen Konzerten im Getto, sehr billig, die gesamten Einkünfte kamen den Musikern zugute.

Uns jüngeren Leuten reichte das nicht, wir konnten offenbar nicht genug Musik bekommen. So veranstalteten wir regelrechte Schallplattenkonzerte. Freilich gab es Platten nur in begrenzter Zahl, und dass es fast immer die alten, meist zerkratzten Schellackplatten waren, konnte unserer Gier nach Musik nichts anhaben. Wir trafen uns in engen Wohnungen, fünfzehn oder gar achtzehn Personen, so viel in einem Zimmer Platz fanden. Eigentlich waren solche Treffen verboten. Wir waren waghalsig genug, uns darum nicht zu kümmern. Jeder Gast brachte etwas mit – eine Suite oder Partita[37] von Bach, ein Violinkonzert von Mozart, eine Sonate von Beethoven oder eine Symphonie von Brahms.

Mir will es scheinen, dass in unserem ganzen Leben Musik

---

[36] Jacques Offenbach (1819–1880), Giacomo Meyerbeer (1791–1864): deutsche Komponisten; Anton Rubinstein (1829–1894): russischer Komponist; Paul Abraham (1892–1960), Emmerich Kálmán (1882–1953): ungarische Komponisten; Leo Fall (1873–1925): österreichischer Komponist.

[37] Suite, Partita: Folge mehrerer, meist kurzer Sätze (ursprünglich bunte Abfolge verschiedener Tanzstücke).

niemals eine derartige Rolle gespielt hat wie in jener düsteren Zeit. Hat uns Mozart so entzückt und begeistert, obwohl wir hungrig waren und uns unentwegt die Angst in den Gliedern saß – oder vielleicht gerade deshalb? Jedenfalls darf man es mir glauben: Im Warschauer Getto ist Mozart noch schöner gewesen. In diesem Abschnitt meines Lebens hatte also die deutsche Musik die deutsche Literatur verdrängt. Bald sollte sich das Blatt wieder wenden. Da gab es für uns keine Musik – aber doch, höchst unerwartet, Literatur, vor allem deutsche.

Todesurteile mit Wiener Walzern

Das Verbot der Symphoniekonzerte hat die Musiker und die Freunde der Musik nicht nur betrübt, sondern auch beunruhigt. Es stellte sich bald heraus, dass dieser vergleichsweise harmlose Umstand – schließlich war ein großer Teil der Bevölkerung an den Konzerten nicht interessiert – zu einer Anzahl von Vorfällen, Maßnahmen und auch Gerüchten gehörte, deren Gleichzeitigkeit keineswegs Zufall war, dass sie vielmehr, allesamt im Frühjahr 1942, von einer geplanten generellen Veränderung der Verhältnisse im Getto zeugten.

Damals, wahrscheinlich im März, hörte ich zum ersten Mal, dass Deutsche irgendwo in Polen Juden mit Hilfe von Autoabgasen, die in kleine Räume geleitet wurden, umbrachten. Ich glaubte es nicht – und ich kannte auch niemanden, der dies für möglich hielt. Von Tag zu Tag wuchs die Bevölkerung des Gettos. Es kamen Juden, die aus Ortschaften im Distrikt Warschau umgesiedelt, richtiger: vertrieben wurden, es kamen auch Transporte deutscher und tschechischer Juden, vorwiegend aus Berlin, Hannover und Prag. Die Gettogrenzen wurden verändert und bei dieser Gelegenheit einige Ausgänge geschlossen.

In der Nacht vom 17. auf den 18. April haben uniformierte Deutsche auf Grund einer Namensliste 53 Juden aus ihren Wohnungen abgeholt und sofort – schon in der Toreinfahrt oder in unmittelbarer Nähe des jeweiligen Hauses – von hinten erschossen. Es waren meist politische, im Untergrund tätige Aktivisten, die offenbar und nicht zu Unrecht als Anführer eines eventuellen Widerstands galten. Im Mai und Juni 1942 folgten weitere Terrorakte. Allnächtlich wurden Juden, vorwiegend Männer, verhaftet und sofort erschossen; es fiel auf, dass es meist Intellektuelle waren, darunter viele Ärzte. Das Getto erstarrte vor Schrecken.

Anfang Juni erschien wieder einmal eine deutsche Film-Equipe[1] und drehte zahlreiche gestellte Szenen. Auf den Straßen wurden gutaussehende und ordentlich gekleidete junge Jüdinnen verhaftet und ins Hauptgebäude des »Judenrates« gebracht; sie mussten sich ausziehen und wurden zu obszönen[2] sexuellen Posen und Handlungen gezwungen. Ob die Equipe den Auftrag hatte, Derartiges zu filmen, oder ob es sich um ihr Privatvergnügen handelte, ist nicht bekannt.

Zugleich gingen in diesen Wochen viele Gerüchte um, die sich meist gegenseitig widersprachen. Es hieß, im Getto sollten, so habe es die Regierung des Generalgouvernements Polen beschlossen, 120 000 Juden bleiben, um der Wehrmacht mit der Produktion vorwiegend von Uniformen zu dienen. Man nahm auch an, die deutschen Beamten, insbesondere das Amt des Kommissars für den jüdischen Wohnbezirk, seien an der Aufrechterhaltung des Gettos interessiert, um ihre Posten nicht zu verlieren und nicht an die Front zu müssen. So versuchte man, sich zu trösten. Letztlich nahm niemand diese mehr oder weniger optimistischen Gerüchte ernst, es herrschte Panik, man befürchtete eine Katastrophe.

Mitte Juli intervenierte[3] Adam Czerniaków mehrfach bei dem Kommissar für den jüdischen Wohnbezirk, Heinz Auerswald, wegen einer großen Zahl von Kindern (etwa 2000), die Lebensmittel schmuggelten, auf den Warschauer Straßen bettelten und daher von der polnischen Polizei aufgegriffen und ins Getto gebracht wurden. Sie befanden sich im Arrest. Czerniaków, der von Auerswald gehört hatte, dass dessen Frau hochschwanger sei, glaubte, aus diesem Umstand Nutzen für die verhafteten jüdischen Kinder ziehen zu können.

Er verfiel auf eine rührselige Idee: Er bestellte bei Tosia, die sich damals als Grafikerin versuchte und deren Arbeiten ihm

[1] Equipe: Gruppe bestimmter (ausgewählter) Personen mit einer besonderen Aufgabe oder gleichen Zielen.
[2] Schamlos, anstößig, unanständig.
[3] Einschreiten, eingreifen, eine Bitte vortragen.

seine Sekretärin bei verschiedenen Gelegenheiten gezeigt hatte, ein besonderes Geschenk für Auerswald – ein Fotoalbum für das noch nicht geborene Kind. Das mit allerlei Zeichnungen und Bildern ausgestattete Album sollte vor allem Platz für Fotos bieten, die die einzelnen Stationen im Leben des Kindes illustrierten: den ersten Zahn, den ersten Geburtstag, den ersten Schultag und Ähnliches.

Tosia musste dieses Album blitzschnell herstellen, sie arbeitete Tag und Nacht und schaffte es für die Unterredung am 20. Juli im allerletzten Augenblick: Czerniaków war sichtlich zufrieden und Auerswald angeblich gerührt. Er versprach, die Entlassung der verhafteten Kinder unter bestimmten Bedingungen schon in den nächsten Tagen zu genehmigen. Tosia war glücklich, zur Errettung so vieler Kinder beigetragen zu haben. Nur hatte Auerswald in den nächsten Tagen nichts mehr zu sagen, er war von der SS entmachtet worden. Sein Kind, dessen Lebensweg Tosia farbenprächtig geplant hatte, starb schon bald nach der Geburt.

Am 20. und 21. Juli war für jedermann klar, dass dem Getto Schlimmstes bevorstand: Zahlreiche Menschen wurden auf der Straße erschossen, viele als Geiseln verhaftet, darunter mehrere Mitglieder und Abteilungsleiter des »Judenrates«. Beliebt waren die Mitglieder des »Judenrates«, also die höchsten Amtspersonen im Getto, keineswegs. Gleichwohl war die Bevölkerung erschüttert: Die brutale Verhaftung hat man als ein düsteres Zeichen verstanden, das für alle galt, die hinter den Mauern lebten.

Am 22. Juli fuhren vor das Hauptgebäude des »Judenrates« einige Personenautos vor und zwei Lastwagen mit Soldaten, die zwar deutsche Uniformen trugen, aber, wie sich später herausstellte, durchaus keine Deutschen waren, sondern Letten, Litauer und Ukrainer. Das Haus wurde umstellt. Den Personenwagen entstiegen etwa fünfzehn SS-Männer, darunter einige höhere Offiziere. Einige blieben unten, die anderen begaben sich forsch und zügig ins erste Stockwerk. Doch gingen sie nicht in den linken Flügel, wo unter anderem das große

Zimmer war, in dem sich das Übersetzungs- und Korrespondenzbüro befand, sondern in den rechten Flügel – zum Amtszimmer des Obmanns.

Im ganzen Gebäude wurde es schlagartig still, beklemmend still. Es sollten wohl, vermuteten wir, weitere Geiseln verhaftet werden. In der Tat erschien auch gleich Czerniakóws Adjutant, der von Zimmer zu Zimmer lief und dessen Anordnung mitteilte: Alle anwesenden Mitglieder des »Judenrates« hätten sofort zum Obmann zu kommen. Wenig später kehrte der Adjutant wieder: Auch alle Abteilungsleiter sollten sich im Amtszimmer des Obmanns melden. Wir nahmen an, dass für die offenbar geforderte Zahl von Geiseln nicht mehr genug Mitglieder des »Judenrates« (die meisten waren ja schon am Vortag verhaftet worden) im Haus waren.

Kurz darauf kam der Adjutant zum dritten Mal: Jetzt wurde ich zum Obmann gerufen, jetzt bin wohl ich an der Reihe, dachte ich mir, die Zahl der Geiseln zu vervollständigen. Aber ich hatte mich geirrt. Auf jeden Fall nahm ich, wie üblich, wenn ich zu Czerniaków ging, einen Schreibblock mit und zwei Bleistifte. In den Korridoren sah ich stark bewaffnete Posten. Die Tür zu dem großen, für mein Gefühl etwas zu pompös eingerichteten Amtszimmer Czerniakóws war, anders als sonst, offen. Er stand, umgeben von einigen höheren SS-Offizieren, hinter seinem Schreibtisch. War er etwa verhaftet? Als er mich sah, wandte er sich an einen der SS-Offiziere, einen wohlbeleibten, glatzköpfigen Mann – es war der Leiter der allgemein »Ausrottungskommando« genannten Hauptabteilung Reinhard beim SS- und Polizeiführer, der SS-Sturmbannführer Höfle[4]. Ihm wurde ich von Czerniaków vorgestellt, und zwar mit den Worten: »Das ist mein bester Korrespondent, mein bester Übersetzer.« Also war ich nicht als Geisel gerufen.

Höfle wollte wissen, ob ich stenografieren könne. Da ich

---

4 Hermann Julius Höfle (1911–1962) wurde 1945 zunächst von britischen Truppen festgenommen, dann 1961 in Salzburg verhaftet und nach Wien überstellt, wo er sich im Gefängnis erhängte.

verneinte, fragte er mich, ob ich imstande sei, schnell genug zu schreiben, um die Sitzung, die gleich stattfinden werde, zu protokollieren. Ich bejahte knapp. Daraufhin befahl er, das benachbarte Konferenzzimmer vorzubereiten. Auf der einen Seite des langen, rechteckigen Tisches nahmen acht SS-Offiziere Platz, unter ihnen Höfle, der den Vorsitz hatte. Auf der anderen saßen die Juden: neben Czerniaków die noch nicht verhafteten fünf oder sechs Mitglieder des »Judenrates«, ferner der Kommandant des Jüdischen Ordnungsdiensts (also der Gettomiliz), der Generalsekretär des »Judenrates« und ich als Protokollant.

Ich wollte den Text gleich in die Maschine tippen. Da ich wusste, dass man sich auf unsere alten, ziemlich ramponierten Schreibmaschinen nicht verlassen konnte, ließ ich mir aus meinem Büro gleich zwei Maschinen bringen, um auch dann sofort weiterschreiben zu können, wenn sich etwa das Farbband verheddern sollte, was nicht selten passierte. An den beiden zum Konferenzraum führenden Türen waren Wachtposten aufgestellt. Sie hatten, glaube ich, nur eine einzige Aufgabe: Furcht und Schrecken zu verbreiten. Die auf die Straße hinausgehenden Fenster standen an diesem warmen und besonders schönen Tag weit offen, was den Sturmbannführer und seine Leute nicht störte. So konnte ich genau hören, womit sich die vor dem Haus in ihren Autos wartenden SS-Männer die Zeit vertrieben: Sie hatten wohl ein Grammofon im Wagen, einen Kofferapparat wahrscheinlich, und hörten Musik und nicht einmal schlechte. Es waren Walzer von Johann Strauß[5], der freilich auch kein richtiger Arier war. Das konnten die SS-Leute nicht wissen, weil Goebbels die nicht ganz rassereine Herkunft des von ihm geschätzten Komponisten verheimlichen ließ.

Höfle eröffnete die Sitzung mit den Worten: »Am heutigen Tag beginnt die Umsiedlung der Juden aus Warschau. Es ist euch ja bekannt, dass es hier zu viel Juden gibt. Euch, den ›Judenrat‹,

5 Siehe Seite 209, Fußnote 25.

beauftrage ich mit dieser Aktion. Wird sie genau durchgeführt, dann werden auch die Geiseln wieder freigelassen, andernfalls werdet ihr alle aufgeknüpft, dort drüben.« Er zeigte mit der Hand auf den Kinderspielplatz auf der gegenüberliegenden Seite der Straße. Es war eine für die Verhältnisse im Getto recht hübsche Anlage, die erst vor wenigen Wochen feierlich eingeweiht worden war: Eine Kapelle hatte aufgespielt, Kinder hatten getanzt und geturnt, es waren, wie üblich, Reden gehalten worden.

Jetzt also drohte Höfle den ganzen »Judenrat« und die im Konferenzraum anwesenden Juden auf diesem Kinderspielplatz aufzuhängen. Wir spürten, dass der vierschrötige Mann, dessen Alter ich auf mindestens vierzig schätzte – in Wirklichkeit war er erst 31 Jahre alt –, nicht die geringsten Bedenken hätte, uns sofort erschießen oder eben »aufknüpfen« zu lassen. Schon das (übrigens unverkennbar österreichisch gefärbte) Deutsch zeugte von der Primitivität und Vulgarität dieses SS-Offiziers.[6] Er stammte, wie ich viel später erfahren habe, aus Salzburg und hatte angeblich einen Beruf erlernt: Er soll Automechaniker gewesen sein und später im Salzburger Wasserwerk gearbeitet haben.

So schnoddrig und sadistisch Höfle die Sitzung eingeleitet hatte, so sachlich diktierte er einen mitgebrachten Text, betitelt »Eröffnungen und Auflagen für den ›Judenrat‹«. Freilich verlas er ihn etwas mühselig und schwerfällig, mitunter stockend: Er hatte dieses Dokument weder geschrieben noch redigiert[7], er kannte es nur flüchtig. Die Stille im Raum war unheimlich, und sie wurde noch intensiver durch die fortwährenden Geräusche: das Klappern meiner alten Schreibmaschine, das Klicken der Kameras einiger SS-Führer, die immer wieder fotografierten, und die aus der Ferne kommende, die leise und sanfte Weise[8]

---

[6] Primitivität: geistig seelische Unentwickeltheit, Einfachheit; Vulgarität: Roheit, Gemeinheit.
[7] Redigieren: einen Text prüfend bearbeiten.
[8] Lied, Melodie.

von der schönen, blauen Donau. Haben diese eifrig fotografierenden SS-Führer gewusst, dass sie an einem historischen Vorgang teilnahmen?

Von Zeit zu Zeit warf mir Höfle einen Blick zu, um sich zu vergewissern, dass ich auch mitkäme. Ja, ich kam schon mit, ich schrieb, dass »alle jüdischen Personen«, die in Warschau wohnten, »gleichgültig welchen Alters und Geschlechts«, nach Osten umgesiedelt würden. Was bedeutete hier das Wort »Umsiedlung«? Was war mit dem Wort »Osten« gemeint, zu welchem Zweck sollten die Warschauer Juden dorthin gebracht werden? Darüber war in Höfles »Eröffnungen und Auflagen für den ›Judenrat‹« nichts gesagt. Wohl aber wurden sechs Personenkreise aufgezählt, die von der Umsiedlung ausgenommen seien – darunter alle arbeitsfähigen Juden, die kaserniert werden sollten, alle Personen, die bei deutschen Behörden oder Betriebsstellen beschäftigt waren oder die zum Personal des »Judenrats« und der jüdischen Krankenhäuser gehörten. Ein Satz ließ mich plötzlich aufhorchen: Die Ehefrauen und Kinder dieser Personen würden ebenfalls nicht »umgesiedelt«.

Unten hatte man inzwischen eine andere Platte aufgelegt: Nicht laut zwar, doch ganz deutlich konnte man den frohen Walzer hören, der von »Wein, Weib und Gesang«[9] erzählte. Ich dachte mir: Das Leben geht weiter, das Leben der Nichtjuden. Und ich dachte an sie, die jetzt in der kleinen Wohnung mit einer grafischen Arbeit beschäftigt war, ich dachte an Tosia, die nirgends angestellt und also von der »Umsiedlung« nicht ausgenommen war.

Höfle diktierte weiter. Jetzt war davon die Rede, dass die »Umsiedler« fünfzehn Kilogramm als Reisegepäck mitnehmen dürften sowie »sämtliche Wertsachen, Geld, Schmuck, Gold usw.«. Mitnehmen durften oder mitnehmen sollten? – fiel mir ein. Noch am selben Tag, am 22. Juli 1942, sollte der Jüdische

---

[9] Bekannter Walzer (1869) des österreichischen Komponisten Johann Strauß (siehe Seite 209, Fußnote 25).

Ordnungsdienst, der die Umsiedlungsaktion unter Aufsicht des »Judenrates« durchführen musste, 6000 Juden zu einem an einer Bahnlinie gelegenen Platz bringen, dem Umschlagplatz. Von dort fuhren die Züge in Richtung Osten ab. Aber noch wusste niemand, wohin die Transporte gingen, was den »Umsiedlern« bevorstand.

Im letzten Abschnitt der »Eröffnungen und Auflagen« wurde mitgeteilt, was jenen drohte, die etwa versuchen sollten, »die Umsiedlungsmaßnahmen zu umgehen oder zu stören«. Nur eine einzige Strafe gab es, sie wurde am Ende eines jeden Satzes refrainartig wiederholt: »... wird erschossen.« Als Höfle das Diktat beendet hatte, fragte ein Mitglied des »Judenrates«, ob auch die Angestellten der Jüdischen Sozialen Selbsthilfe von der Umsiedlung ausgenommen seien. Höfle bejahte rasch. Niemand wagte es, eine weitere Frage zu stellen. Czerniaków saß ruhig und beherrscht, er schwieg.

Wenige Augenblicke später verließen die SS-Führer mit ihren Begleitern das Haus. Kaum waren sie verschwunden, da verwandelte sich die tödliche Stille nahezu blitzartig in Lärm und Tumult: Noch kannten die vielen Angestellten des »Judenrates« und die zahlreichen wartenden Bittsteller die neuen Anordnungen nicht. Doch schien es, als wüssten oder spürten sie schon, was sich eben ereignet hatte – dass über die größte jüdische Stadt Europas das Urteil gefällt worden war, das Todesurteil.

Ich begab mich schleunigst in mein Büro, denn ein Teil der von Höfle diktierten »Eröffnungen und Auflagen« sollte innerhalb von wenigen Stunden im ganzen Getto plakatiert werden. Ich musste mich sofort um die polnische Übersetzung kümmern. Langsam diktierte ich den deutschen Text, den meine Mitarbeiterin Gustawa Jarecka sofort polnisch in die Maschine schrieb.

Habe ich sie, die polnische Schriftstellerin Gustawa Jarecka, geliebt? Ja, aber es war eine ganz andere Beziehung als die zu Tosia. Über die Vergangenheit von Gustawa weiß ich nicht viel. Vor dem Krieg hatte sie mit der jüdischen Welt wenig gemein.

Sie gehörte zu jenen polnischen Juden, denen die Religion ganz und gar fremd war. Ins Getto kam sie mit ihren zwei Kindern: einem elf oder zwölf Jahre alten Jungen, der aus einer frühen und rasch wieder aufgelösten Ehe hervorgegangen war, und einem zwei, höchstens drei Jahre alten Sohn, über dessen Vater sie sich nie geäußert hat. Czerniaków (und das muss man ihm hoch anrechnen) hat jene vielen Intellektuellen, die im Getto arbeitslos waren, großzügig gefördert – das bedeutete in den meisten Fällen, dass er sie in einem der Ämter des »Judenrates« beschäftigen ließ. Da Gustawa Maschineschreiben und Deutsch konnte, wurde sie meinem Büro zugewiesen.

Ich sehe sie vor mir: eine braunhaarige und blauäugige schlanke Frau, Anfang dreißig, beherrscht und ruhig. Sie war eine nicht unbekannte, wenn auch nicht berühmte Schriftstellerin, sehr jung, als ihr erstes Buch erschien. Ihm folgten bis zum Kriegsausbruch noch drei weitere Bücher – realistische, sozialkritische Romane, die, zumindest teilweise, im proletarischen Milieu spielten und linke Anschauungen erkennen ließen. Sie haben mich, als ich sie nach 1945 lesen konnte, gewiss interessiert, doch nicht gerade begeistert. Aber sie, Gustawa Jarecka, hat mich beinahe vom ersten Augenblick an tief beeindruckt. Was uns verband, war, wieder einmal, die Literatur – nicht die deutsche, über die sie nur schwach informiert war, und auch nicht die polnische, die ich nur wenig kannte. Wir sprachen vor allem über Franzosen und Russen, über Flaubert und Proust, über Tolstoj. Ich verdanke diesen Gesprächen viel.

Eines Tages zeigte ich ihr drei oder vier Aufsätze, die aus meinen letzten Schuljahren stammten und von denen ich noch in Berlin, natürlich aus purer Selbstgefälligkeit, schöne Maschinenabschriften verfertigt hatte. Sie war von diesen Arbeiten sehr angetan, vermutlich in viel höherem Maße, als sie es verdienten. Sie fragte mich, ob ich Saint-Exupérys »Nachtflug«[10]

---

[10] Roman (1931) des französischen Schriftstellers Antoine de Saint-Exupéry (1900–1944).

gelesen hätte. Da ich das kleine Buch nicht kannte, hat sie es, ohne dass ich sie darum gebeten hätte, ins Polnische übersetzt. Ein Jahr nach Kästners »Lyrischer Hausapotheke«[11] war dies abermals ein ungewöhnliches literarisches Geburtstagsgeschenk. Spätestens damals hätte ich begreifen sollen, dass ihr Interesse an mir noch stärker war als das meinige an ihr.

Was hat mich zu ihr in einer Zeit hingezogen, die doch ganz – so schien es mir jedenfalls – im Zeichen meiner Freundschaft, meiner Beziehung mit Tosia stand? Ich wusste es nicht, aber ich glaube es heute zu wissen. Als Tosia und ich uns in jener Zeit den Spaß gönnten, uns vorzustellen, dass wir, so unwahrscheinlich es auch war, den Krieg überleben sollten, als wir uns über eine gemeinsame Zukunft unterhielten, da erzählte ich ihr die Handlung der »Meistersinger«[12] und zitierte den Ausspruch, mit dem Hans Sachs auf die halb ernste, halb scherzhafte Werbung der Eva reagiert: »Da hätt' ich ein Kind und auch ein Weib.«

Gustawa empfand ich als eine Kontrastfigur: Sie war nicht nur älter als Tosia, sie war auch reifer und selbstständiger. Unbewusst fand ich bei ihr jenen Beistand, den meine Mutter mir nicht mehr bieten konnte – und Tosia noch nicht. Fast will es mir scheinen, als habe mich Gustawa geliebt. Irgendwann, als wir allein in unserem Bürozimmer waren, weil die beiden anderen dort arbeitenden Angestellten schon nach Hause gegangen waren, legte ich meine Hand auf ihre Schulter und sah sie an. Sie sagte sofort, mit sanfter Entschiedenheit: »Lass das.« Dann fügte sie hinzu, als wolle sie mir eine Freude bereiten: »Lassen *wir* das. Du hast Tosia – und das ist gut so, und dabei soll es bleiben.« Ich habe Gustawa nie wieder berührt – und ich habe sie nie vergessen.

Ihr also, Gustawa Jarecka, diktierte ich am 22. Juli 1942 das Todesurteil, das die SS über die Juden von Warschau gefällt

---

[11] Gedichtsammlung (1936) des deutschen Schriftstellers Erich Kästner (1899–1974).

[12] »Die Meistersinger von Nürnberg«: Oper (UA 1868) von Wagner.

hatte. Als ich bei der Aufzählung der Personengruppen angelangt war, die von der »Umsiedlung« ausgenommen sein sollten, und dann der Satz folgte, dass sich diese Regelung auch auf
die Ehefrauen beziehe, unterbrach Gustawa das Tippen des
polnischen Textes und sagte, ohne von der Maschine aufzuse-
hen, schnell und leise: »Du solltest Tosia noch heute heiraten.«

Sofort nach diesem Diktat schickte ich einen Boten zu Tosia:
Ich bat sie, gleich zu mir zu kommen und ihr Geburtszeugnis
mitzubringen. Sie kam auch sofort und war ziemlich aufgeregt, denn die Panik in den Straßen wirkte ansteckend. Ich ging
mit ihr schnell ins Erdgeschoss, wo in der Historischen Abteilung des »Judenrates« ein Theologe arbeitete, mit dem ich die
Sache schon besprochen hatte. Als ich Tosia sagte, wir würden
jetzt heiraten, war sie nur mäßig überrascht und nickte zu-
stimmend.

Der Theologe, der berechtigt war, die Pflichten eines Rabbi-
ners auszuüben, machte keine Schwierigkeiten, zwei Beamte,
die im benachbarten Zimmer tätig waren, fungierten als Zeugen, die Zeremonie dauerte nur kurz, und bald hatten wir eine
Bescheinigung in Händen, derzufolge wir bereits am 7. März
getraut worden waren. Ob ich in der Eile und Aufregung Tosia
geküsst habe, ich weiß es nicht mehr. Aber ich weiß sehr wohl,
welches Gefühl uns überkam: Angst – Angst vor dem, was sich
in den nächsten Tagen ereignen werde. Und ich kann mich
noch an das Shakespeare-Wort erinnern, das mir damals einfiel: »Ward je in dieser Laun' ein Weib gefreit?«[13]

Hermann Höfle hat die Deportation der Juden aus Warschau
nach Treblinka[14] vom 22. Juli bis September 1942 organisiert
und überwacht. Nach dem Krieg wurde er von amerikanischen
Behörden verhaftet und interniert. Doch gelang es ihm zu flie-

---

[13] Aus Shakespeares um 1592/93 entstandenem Drama »König Richard III.« (UA 1593).
[14] Stadt in Polen und Name eines 1939 errichteten Konzentrations-
lagers, das von 1942 an zum Vernichtungslager wurde; rund 900 000
Juden sowie Tausende von Zigeunern wurden hier ermordet.

hen. 1961 wurde er in Salzburg festgenommen. Am 2. Januar 1962 hat mich das Amtsgericht Hamburg als Zeuge in der Ermittlung gegen Höfle vorgeladen. Ich sollte auch im Prozess gegen ihn aussagen. Aber er fand nicht statt: Nach seiner Verlegung nach Wien hat Hermann Höfle in der Untersuchungshaft Selbstmord verübt.

Ein Intellektueller, ein Märtyrer, ein Held

Adam Czerniaków fragte die zuständigen SS-Leute, ob es denn nicht möglich sei, den »Umgesiedelten« zu erlauben, Lebenszeichen von sich zu geben, etwa Postkarten zu schicken – damit könne man der Panik im Getto entgegenwirken. Dies wurde von der SS schroff und, wie immer, ohne Begründung abgelehnt. Alle waren entsetzt und hilflos. Denn schon damals, am zweiten Tag der »Umsiedlung«, am 23. Juli, entstand der Verdacht, dass die Deportierten ermordet wurden. Der an der Spitze des Gettos stand, erkannte sofort, was die Deutschen von ihm erwarteten: Er, Adam Czerniaków, sollte der Henker der Warschauer Juden sein.

Gewiss hat er sich nie träumen lassen, er werde in die Geschichte als ein Mann mit tragischen Zügen eingehen, er werde sogar als Held und Märtyrer[1] gelten. Vom Heroischen wollte Czerniaków, dieser bürgerliche Intellektuelle, nichts wissen, aber so ganz unlieb mag ihm die ungewöhnliche Rolle, die ihm zugefallen war, wohl auch nicht gewesen sein – jedenfalls nicht bis zum 22. Juli. Von Beruf war er Chemiker, er hatte vor dem Ersten Weltkrieg in Polen und in Deutschland (vor allem in Dresden) studiert, auf den Titel eines Diplomingenieurs legte er Wert. Die deutsche Kultur hat, wie aus manchen Gesprächen, die ich mit ihm führte, hervorging, auf seine Persönlichkeit einen nicht unwichtigen, wahrscheinlich einen prägenden Einfluss ausgeübt.

In den dreißiger Jahren bekleidete Czerniaków in Warschau ein ziemlich hohes Amt in der polnischen Finanzverwaltung.

---

[1] Jemand, der wegen seines Glaubens oder seiner Überzeugung verfolgt wird.

Doch scheint diese Arbeit seinen Ehrgeiz nicht ganz befriedigt zu haben. Denn zugleich gehörte er dem Warschauer Stadtrat an und bald dem Senat der Republik Polen; er wurde auch Vorstandsmitglied der Jüdischen Kultusgemeinde von Warschau – wo er es übrigens gar nicht leicht hatte, denn ihm, der einer assimilierten jüdischen Familie entstammte, verübelten die orthodoxen Juden, dass er des Jiddischen kaum mächtig war.

Als die Wehrmacht Polen besetzte, flohen die meisten Vorstandsmitglieder der Jüdischen Kultusgemeinde in Richtung Osten. Czerniaków gehörte zu jenen, die auf ihren Posten blieben. Während der Belagerung Warschaus hatte ihn der noch amtierende, der letzte Präsident der polnischen Hauptstadt zum einstweiligen Vorsitzenden der Gemeinde ernannt. Als die Deutschen kamen und ihm befahlen, einen aus 24 Personen bestehenden Jüdischen Ältestenrat zu bilden, empfand er die Aufgabe als eine historische Mission. Bei verschiedenen Gelegenheiten hat er daran erinnert, dass er keineswegs von den deutschen Okkupanten für dieses Amt auserwählt worden sei, sondern noch von den Polen.

So war Adam Czerniaków zum Oberhaupt der größten Ansammlung von Juden in Europa und (nach New York) der zweitgrößten auf der Welt geworden, zum faktischen Oberbürgermeister einer riesigen jüdischen Stadt. Er leitete deren Selbstverwaltung, die das Erbe der Kultusgemeinde übernommen hatte – und übernahm auch noch die Pflichten des polnischen Magistrats, der für das Getto nicht zuständig war. Zur Kompetenz[2] des »Judenrates« gehörten die üblichen städtischen oder staatlichen Einrichtungen, also Krankenhäuser, Badeanstalten, Postämter, die Wohnungszuteilung, die Lebensmittelversorgung, der städtische Verkehr und die Friedhofsverwaltung, unterschiedliche soziale Institutionen und schließlich eine eigene Miliz. Aber es gab ja noch eine andere Zuständigkeit des »Judenrates«: Er hatte die Juden den deutschen Behör-

---

[2] Hier: Befugnis.

den gegenüber in ausnahmslos allen Angelegenheiten zu vertreten.

Dass Czerniaków einer solchen doppelten Funktion nicht gewachsen war, ist sicher. Ebenso sicher ist, dass man sich beim besten Willen den Menschen nicht vorstellen kann, der imstande gewesen wäre, diese, wie sich bald herausstellte, unheimliche Aufgabe zu bewältigen. Er war im Getto nur von wenigen geachtet, von vielen wurde seine Tätigkeit missbilligt; er wurde sogar verabscheut und gehasst. Denn man machte ihn für die barbarischen Maßnahmen der Deutschen mitverantwortlich, zumal kaum jemand wusste, dass er sich nahezu täglich bemühte, das Elend der Bevölkerung zu mildern – was in den meisten, doch nicht in allen Fällen vergeblich war.

Obwohl er mehrmals verhaftet und oft von seinen deutschen Gesprächspartnern gedemütigt, geschlagen und auch regelrecht gefoltert wurde, kapitulierte Czerniaków nicht: Immer wieder versuchte er, bei den von ihm unermüdlich aufgesuchten Behörden wenigstens kleine Vergünstigungen und Zugeständnisse zu erwirken. Als eine italienische Institution ihm und seiner Frau die Flucht aus dem besetzten Polen ermöglichen wollte, lehnte er ab, wieder hielt er es für seine Pflicht, auf seinem Posten auszuharren. Erst als sein Tagebuch veröffentlicht wurde (1968 die hebräische Übersetzung, 1972 der polnische Originaltext), ließen sich die Leiden und Leistungen dieses Obmanns des »Judenrates« ermessen.

Empört war man, dass es in seiner Umgebung einige höchst zwielichtige Figuren gab, die als Gestapo-Agenten galten. Das war zunächst einmal nur ein Verdacht, doch erwies er sich als berechtigt – und so wurden diese Leute später, nach Czerniakóws Tod, von der Jüdischen Kampforganisation[3] zum Tode verurteilt und hingerichtet. Aber es handelte sich bei diesen unzweifelhaften Agenten um jüdische Verbindungsleute zur Sicherheitspolizei und zu anderen deutschen Dienststellen, die

---

3 Im Oktober 1942 gebildete geheime Einheit.

nur mit ihnen reden wollten: Die Deutschen waren es, die Czerniaków zwangen, mit solchen Individuen zusammenzuarbeiten – was man freilich im Getto nicht wissen konnte.

Jene hatten wohl Recht, die ihn für einen schlechten Organisator hielten und auch für einen ziemlich willenlosen und vielleicht auch eitlen Mann. Seine etwas ärgerliche Schwäche für Repräsentation musste im Getto besonders auffallen. Er liebte pathetische[4] Ansprachen, feierliche Eröffnungen und allerlei festliche Veranstaltungen. Als einige Wochen zuvor ein Kinderspielplatz eröffnet wurde, demonstrierte Czerniaków eine im Getto unbekannte Eleganz: Er trug einen strahlend weißen Anzug, einen Strohhut und weiße Handschuhe und blickte sichtlich zufrieden auf sein kinderfreundliches Werk.

Gern sah sich Czerniaków in der Rolle eines großzügigen Förderers der Kunst. Man machte sich hierüber gelegentlich lustig und wollte ihm nicht recht glauben, dass er für sein Arbeitszimmer im Haus des »Judenrates« kunstvolle Fenster nur deshalb anfertigen ließ, um einige im Getto lebende Maler zu unterstützen. Auch wusste man nicht, dass er dem Jüdischen Symphonieorchester im Rahmen seiner bescheidenen Möglichkeiten half.

Wenn er besonders wichtige Dokumente diktieren wollte oder einen Brief selber deutsch schrieb und Hilfe brauchte, rief er mich zu sich. Der etwa Sechzigjährige machte auf mich den Eindruck eines würdigen Herrn, für mich, damals kaum über zwanzig, war er eine Respektsperson. Oft fragte er mich nach der Situation der Musiker im Getto. Auch an der Literatur war er interessiert, es gefiel mir, dass er, um mir ein wenig zu imponieren, mitunter die polnischen Romantiker zitierte und auch die deutschen Klassiker, Schiller zumal. Es ist mir erst viel später aufgefallen, dass er sich mehr als einmal auf ein Wort aus der »Braut von Messina«[5] berief: »Das Leben ist der Güter höchstes nicht.«

4 Übertrieben gefühlvoll, leidenschaftlich.
5 Drama Schillers.

Eines Tages erfuhren wir, dass Czerniaków vor dem Krieg Gedichte und einige Novellen geschrieben hatte und dass er sie auf eigene Kosten hatte drucken lassen. Eine seiner Mitarbeiterinnen wollte ihm aus irgendeinem Anlass eine ungewöhnliche Freude bereiten: Sie bestellte bei Tosia eine verzierte und illustrierte, möglichst prachtvolle Abschrift dieser (übrigens nicht eben guten) Gedichte. Angeblich hat ihn dieses Geschenk beglückt. Auch während des Krieges soll er heimlich Verse verfasst haben.

Doch nichts schmeichelte seiner Eitelkeit so sehr wie die Tatsache, dass niemand sonst im Getto über ein Auto verfügte: Der schäbige Wagen war das sichtbarste, das effektvollste Zeichen seiner Macht und Würde. Nicht nur für die nahezu täglichen Bittgänge Czerniaków zu deutschen Ämtern erwies sich dieser Wagen als sehr nützlich. Zweimal war er von verzweifelten Juden angepöbelt und auch bedroht worden. Seitdem hat man ihn auf den Straßen des Gettos nur noch in seinem Auto gesehen. Wenn er es unbedingt verlassen musste – etwa auf dem Friedhof, wo er nicht selten Ansprachen hielt –, haben ihn mehrere Angehörige der jüdischen Miliz beschützt.

Was immer Czerniaków vorgeworfen und angelastet wurde – selbst seine Gegner bestritten nicht, dass er, mochte er ein wenig naiv sein, letztlich ein ehrlicher, ein aufrechter, ein integrer Mann war. Während im Herbst 1942 zwei Kommandanten der Miliz auf Grund von Urteilen der Widerstandsorganisation im Getto als Kollaborateure[6] hingerichtet wurden, hat ihn (und auch die 24 Mitglieder des »Judenrates«) niemand der Kollaboration bezichtigt.

Am 22. Juli habe ich Adam Czerniaków zum letzten Mal gesehen: Ich war in sein Arbeitszimmer gekommen, um ihm den polnischen Text der Bekanntmachung vorzulegen, die im Sinne

---

[6] Jemand, der mit dem Feind gegen die eigene Gruppe oder seine Landsleute zusammenarbeitet.

der deutschen Anordnung die Bevölkerung des Gettos über die vor wenigen Stunden begonnene »Umsiedlung« informieren sollte. Auch jetzt war er ernst und beherrscht wie immer. Nachdem er den Text überflogen hatte, tat er etwas ganz Ungewöhnliches: Er korrigierte die Unterschrift. Wie üblich hatte sie gelautet: »Der Obmann des Judenrates in Warschau – Dipl.Ing. A. Czerniaków«. Er strich sie durch und schrieb stattdessen: »Der Judenrat in Warschau«. Er wollte nicht allein die Verantwortung für das auf dem Plakat übermittelte Todesurteil tragen.

Schon am ersten Tag der »Umsiedlung« war es für Czerniaków klar, dass er buchstäblich nichts mehr zu sagen hatte. Am nächsten Tag wurde ihm sein Auto weggenommen. In den frühen Nachmittagsstunden sah man, dass die Miliz, so eifrig sie sich darum bemühte, nicht imstande war, die von der SS für diesen Tag geforderte Zahl von Juden zum »Umschlagplatz« zu bringen. Daher drangen ins Getto schwer bewaffnete Kampfgruppen in SS-Uniformen – keine Deutschen, vielmehr Letten, Litauer und Ukrainer.[7] Sie eröffneten sogleich das Feuer aus Maschinengewehren und trieben ausnahmslos alle Bewohner der in der Nähe des »Umschlagplatzes« gelegenen Mietskasernen zusammen. Sofort galten diese Männer in deutschen Uniformen als besonders grausam.

Dass sie sich um die Dokumente der Juden, die sie zum »Umschlagplatz« trieben, nicht kümmerten, kann niemanden verwundern. Wie sollten sie es tun, da sie offensichtlich kein Wort Deutsch verstanden? So war, was SS-Sturmbannführer Höfle am Vortag angeordnet und mir diktiert hatte, schon null und nichtig: Alle Arbeitsbescheinigungen, eben noch heiß begehrt, erwiesen sich als unnütze Zettel. Auch das Dokument, das bestätigte, dass Tosia meine Frau sei und somit der »Umsiedlung« nicht unterliege, war überflüssig geworden, es hatte

---

7 Mit den Deutschen sympathisierende Bewohner der damals zur Sowjetunion gehörenden Staaten Lettland, Litauen und Ukraine.

nicht mehr den geringsten Wert. Dennoch haben wir diese Bescheinigung sorgfältig aufbewahrt, beide haben wir die wahrlich nicht feierliche, die geradezu hastige Eheschließung vom 22. Juli 1942, so gewiss sie zunächst nur von praktischen Überlegungen angeregt war, doch sehr ernst genommen – und wir tun es immer noch.

In den späteren Nachmittagsstunden des 23. Juli war dank der Letten, Litauer und Ukrainer die Zahl der für diesen Tag vom Stab »Einsatz Reinhard« für den »Umschlagplatz« angeforderten 6000 Juden erreicht. Gleichwohl erschienen kurz nach achtzehn Uhr im Haus des »Judenrates« zwei Offiziere von diesem »Einsatz Reinhard«. Sie wollten Czerniaków sprechen. Er war nicht anwesend, er war schon in seiner Wohnung. Enttäuscht schlugen sie den diensttuenden Angestellten des »Judenrates« mit einer Reitpeitsche, die sie stets zur Hand hatten. Sie brüllten, der Obmann habe sofort zu kommen. Czerniaków war bald zur Stelle; zum ersten Mal kam er zu dem von ihm geleiteten Amt mit einer Rikscha – und auch zum letzten Mal.

Das Gespräch mit den beiden SS-Offizieren war kurz, es dauerte nur einige Minuten. Sein Inhalt ist einer Notiz zu entnehmen, die auf Czerniaków Schreibtisch gefunden wurde: Die SS verlangte von ihm, dass die Zahl der zum »Umschlagplatz« zu bringenden Juden für den nächsten Tag auf 10 000 erhöht werde – und dann auf 7000 täglich. Es handelte sich hierbei keineswegs um willkürlich genannte Ziffern. Vielmehr hingen sie allem Anschein nach von der Anzahl der jeweils zur Verfügung stehenden Viehwaggons ab; sie sollten unbedingt ganz gefüllt werden.

Kurz nachdem die beiden SS-Offiziere sein Zimmer verlassen hatten, rief Czerniaków eine Bürodienerin: Er bat sie, ihm ein Glas Wasser zu bringen. Wenig später hörte der Kassierer des »Judenrates«, der sich zufällig in der Nähe von Czerniaków Amtszimmer aufhielt, dass dort wiederholt das Telefon läutete und niemand den Hörer abnahm. Er öffnete die Tür und sah die Leiche des Obmanns des »Judenrates« in Warschau. Auf seinem Schreibtisch standen: ein leeres Zyankali-Fläschchen[8] und ein halb volles Glas Wasser.

Auf dem Tisch fanden sich auch zwei kurze Briefe. Der eine, für Czerniakóws Frau bestimmt, lautet: »Sie verlangen von mir, mit eigenen Händen die Kinder meines Volkes umzubringen. Es bleibt mir nichts anderes übrig, als zu sterben.« Der andere Brief ist an den »Judenrat« in Warschau gerichtet. In ihm heißt es: »Ich habe beschlossen abzutreten. Betrachtet dies nicht als einen Akt der Feigheit oder eine Flucht. Ich bin machtlos, mir bricht das Herz vor Trauer und Mitleid, länger kann ich das nicht ertragen. Meine Tat wird alle die Wahrheit erkennen lassen und vielleicht auf den rechten Weg des Handelns bringen ...«

Von Czerniakóws Selbstmord erfuhr das Getto am nächsten Tag – schon am frühen Morgen. Alle waren erschüttert, auch seine Kritiker, seine Gegner und Feinde, auch jene, die ihn noch gestern verspottet und verachtet hatten. Man verstand seine Tat, wie sie von ihm gemeint war: als Zeichen, als Signal, dass die Lage der Juden Warschaus hoffnungslos sei. Man verstand sie als verzweifelte Aufforderung zum Handeln. Und manchen, zumal im Kreis meiner Freunde und Kollegen, entging es nicht, dass der Mann, dem man so oft Eitelkeit vorgeworfen hatte, im entscheidenden Augenblick seine Würde zu wahren wusste. Er, der Pathetisches und Theatralisches schätzte, hatte eine klare und lapidare[9] Botschaft hinterlassen.

Still und schlicht war er abgetreten. Nicht imstande, gegen die Deutschen zu kämpfen, weigerte er sich, ihr Werkzeug zu sein. Er war ein Mann mit Grundsätzen, ein Intellektueller, der an hohe Ideale glaubte. Diesen Grundsätzen und Idealen wollte er auch noch in unmenschlicher Zeit und unter kaum vorstellbaren Umständen treu bleiben. Er hatte gehofft, dies werde, der deutschen Barbarei zum Trotz, vielleicht möglich sein. Er

---

8 Zyankali: stark wirkendes tödliches Gift (Kaliumsalz der Blausäure).
9 Kurz und knapp, dabei treffend und wirkungsvoll formuliert.

war mit Sicherheit ein Märtyrer. War er auch ein Held? Jedenfalls handelte er, als er sich am 23. Juli 1942 in seinem Amtszimmer entschlossen hatte, dem Leben ein Ende zu setzen, in Übereinstimmung mit seinen Idealen. Kann man von einem Menschen mehr verlangen?

Als ich vom einsamen Tod Adam Czerniaków hörte, dachte ich, bestürzt und verwirrt, an die Dichter, die er nicht nur liebte und gern zitierte, die er auch ernst nahm. Ich dachte an die großen polnischen Romantiker, an die großen deutschen Klassiker.

Eine nagelneue Reitpeitsche

Das Wort »Flitterwochen« kommt, wie uns die Wörterbücher belehren, vom mittelhochdeutschen Verbum »vlittern«, welches so viel bedeutet wie »flüstern«, »kichern« oder »liebkosen«. Wie war es damit bei uns bestellt? Eine Hochzeitsreise haben wir nicht gemacht, sie blieb uns, Tosia und mir, erspart – sie hätte ja nur ein einziges Ziel haben können: die Gaskammer. Aber »Flitterwochen« – das ist ja ein zeitlicher Begriff, also muss es diese Wochen gegeben haben. In der Tat, es hat sie gegeben, nur gehören sie zu den schlimmsten, den schrecklichsten unseres Lebens.

Die in den Vormittagsstunden des 22. Juli 1942 begonnene und bis Mitte September dieses Jahres dauernde Ermordung der überwiegenden Mehrheit der Warschauer Juden wird in den historischen Darstellungen mit den damals üblichen Worten benannt. Es sind Vokabeln, die den Tatbestand verschleiern. So spricht man von der »Großen Aktion« oder auch von der »Ersten Aktion« oder gar, die behördliche deutsche Nomenklatur[1] übernehmend, von der »Umsiedlungsaktion«. Indes: Die Juden wurden deportiert und also ausgesiedelt. Aber umgesiedelt? Wenn ja – wohin?

Täglich wurden Tausende auf Viehwaggons verladen, im Durchschnitt etwa sechs- bis siebentausend. Die höchste Zahl der an einem Tag Abtransportierten betrug den amtlichen deutschen Angaben zufolge 13 596 Personen. Die ersten Opfer waren jene, die der Gesellschaft, vor allem der sozialen Wohlfahrt, zur Last fielen. Es waren die Elendsten der Elenden: Die

---

[1] Sprachgebrauch einer Gruppe oder Wissenschaft, spezielle Fachausdrücke.

Gettomiliz hatte den Auftrag, die Obdachlosenasyle, die Waisenheime, die Haftanstalten und andere Unterkünfte für die Ärmsten zu leeren.

Die meisten alten und kranken Menschen wurden nicht in die Züge, sondern zum jüdischen Friedhof gebracht und dort sofort erschossen. Dass man die Arbeitsunfähigen an Ort und Stelle hinrichtete, dahinter könne sich für die Nichtbetroffenen – dies glaubten, wie unwahrscheinlich es auch sein mag, manche Gettobewohner – doch etwas Positives verbergen: Die »Umsiedlung« müsse, meinten sie, nicht unbedingt und nicht in allen Fällen den Tod bedeuten, vielmehr deportiere man die Juden, weil man sie irgendwo und zu irgendwelchen Arbeiten brauche. Die Deutschen, hörte man, planten im Osten eine gewaltige Verteidigungslinie, vergleichbar mit der Siegfriedlinie[2] im Westen. Vielleicht benötige man hierzu, hieß es, Hunderttausende von Arbeitern.

Letztlich vermochten derartige Gerüchte und Spekulationen[3] niemanden zu beruhigen. Man begriff: Wer Menschen wahllos aufgreift und auf so barbarische, so wahrlich unmenschliche Weise in Viehwaggons pfercht (auch Frauen und Kinder), kann nicht die Absicht haben, sie für sich arbeiten zu lassen. Sehr bald wurden alle, ob arbeitsfähig oder nicht, auf den Straßen verhaftet und zum »Umschlagplatz« abgeführt. Sofort waren die Straßen menschenleer. Wer sich in den Wohnhäusern aufhielt, wurde aufgerufen, gleich in den Hof zu kommen, und wer dieser Aufforderung nicht folgte, wurde erschossen. Dennoch haben viele vorgezogen, sich in Kellern, auf den Dachböden oder sonstwo zu verstecken und eher die Erschießung an Ort und Stelle zu riskieren, als sich zum »Umschlagplatz« bringen zu lassen.

Dabei mussten die jüdischen Milizionäre helfen: Die SS

---

[2] Auch als »Westwall« bezeichnet: befestigte deutsche Verteidigungslinie aus Bunkern, Stollen, Gräben.
[3] Annahmen, Mutmaßungen.

hatte ihnen versprochen, sie würden mit ihren Familien im Getto, also am Leben bleiben dürfen. Trotz ihrer Todesangst waren nicht alle Milizionäre bereit zu tun, was ihnen die Deutschen befohlen hatten. Manche, die sich weigerten, wurden sofort hingerichtet, manche verübten Selbstmord. Aber die meisten haben in diesen Tagen und Wochen eine unrühmliche Rolle gespielt. Dass die SS nicht Wort gehalten hat, versteht sich von selbst: Am Ende der »Ersten Aktion« wurden beinahe alle Angehörigen der jüdischen Miliz von den wenigen ihresgleichen, die noch bleiben durften, zum »Umschlagplatz« gebracht und deportiert.

Die Frage, wohin die Transporte gingen, ließ sich schon Anfang August beantworten. Die jüdischen Wachtposten auf dem »Umschlagplatz« hatten die Nummern der Waggons notiert und mussten zu ihrer Verblüffung feststellen, dass die Züge keinen weiten Weg zurücklegten, dass sie keineswegs nach Minsk oder Smolensk gingen.[4] Denn die Waggons waren schon nach wenigen Stunden, höchstens vier oder fünf, wieder in Warschau.

Bald wurde bekannt, dass alle Transporte zu einem nordöstlich von Warschau gelegenen und nicht viel über hundert Kilometer entfernten Bahnhof gingen, der zu Treblinka gehörte, einer kleinen benachbarten Ortschaft. Von diesem Bahnhof führte ein etwa vier Kilometer langes Nebengleis in eine dicht bewaldete Gegend, in der sich das Lager Treblinka befand. Wirklich ein Lager? Wenig später erfuhr man noch, dass dort kein Konzentrationslager war, geschweige denn ein Arbeitslager[5]. Dort gab es nur eine Gaskammer, genauer: ein Gebäude mit drei Gaskammern. Was die »Umsiedlung« der Juden genannt wurde, war bloß eine Aussiedlung – die Aussiedlung aus

---

4 Die beiden damals von der Wehrmacht besetzten Städte, Minsk / Weißrussland und Smolensk / Russland, sind von Warschau weit entfernt.

5 Während des Zweiten Weltkriegs errichtete Straflager mit KZ-ähnlichen Haftbedingungen für Personen, denen in der Regel Verstöße gegen die Arbeitsdisziplin der Kriegswirtschaft vorgeworfen wurden.

Warschau. Sie hatte nur ein Ziel, sie hatte nur einen Zweck: den Tod.

Man machte sich im Getto keine Illusionen. Aber Hoffnungen? Ein neuer deutscher Begriff kam in Umlauf: »nützliche Juden«. Als »nützlich« galt, vermutete man, wer im Sinne der »Eröffnungen und Auflagen« von der »Umsiedlung« ausgenommen war. Doch wie sollte man nachweisen, dass man etwas »Nützliches« verrichte, wenn diejenigen, die das Getto systematisch durchkämmten, vor allem die Letten, die Litauer, die Ukrainer, die ihnen gezeigten deutschen Arbeitsbescheinigungen ignorierten und oft gleich wegwarfen oder zerrissen? Am sichersten schien es, sich von den jeweiligen Arbeitsplätzen nicht zu entfernen. Dabei handelte es sich in der Regel um große Betriebe, die im Getto allerlei für deutsche Auftraggeber produzierten und deren deutsche Inhaber oder Chefs daran interessiert waren, die Deportation der bei ihnen beschäftigten Juden nicht zuzulassen. Denn diese Arbeitskräfte wurden überhaupt nicht oder nur minimal entlohnt.

Auch die Angestellten des »Judenrates«, dessen Personal schon stark reduziert war, wurden vorerst als »nützlich« eingestuft. Daher hielten wir uns, Tosia und ich, den ganzen Tag über in meinem Büro auf. Unerwartet erschien dort eine Verwandte Tosias, eine tüchtige und mutige Frau, die außerhalb des Gettos als Nichtjüdin lebte. Sie war gekommen, um Tosia mitzunehmen, also zu retten. Allerdings, sagte sie, sei es ihr nicht möglich, auch mich mitzunehmen. Das wäre zwecklos und gefährlich. Denn so, wie ich nun einmal mit meinen schwarzen Haaren aussehe, würde man mich als Juden erkennen und denunzieren[6] – und auf der Stelle erschießen. Das sei jetzt gang und gäbe, sie selber habe neulich gesehen, wie eine Jüdin außerhalb des Gettos aufgedeckt und erschossen worden sei. Tosia hingegen könne – meinte jene Tante – durchaus als »Arierin« gelten. Sie solle sich die Sache rasch überlegen und

---

[6] Denunziant: jemand, der andere aus niederen Beweggründen anzeigt oder verrät; denunzieren: verraten, anzeigen (hier: bei den Besatzern).

gleich mitkommen, nur müsse sie sich eben von mir trennen. Auch Derartiges sei doch heute gang und gäbe.

Ohne mit mir darüber zu reden, hat sich Tosia sofort entschieden. Sie sagte knapp, sie werde mich nicht allein lassen. Wir blieben zusammen, weiterhin. Dass eine Frau ihr Leben riskiert, um einen Freund, einen Geliebten, einen Ehemann zu retten, dieses Motiv kannte ich wohl – aus Opern, aus Balladen und Novellen. Damals, im Warschauer Getto, habe ich es zum ersten Mal in der Wirklichkeit erfahren.

Zwei- oder dreimal fanden im August im Amt des »Judenrates« überraschende »Selektionen[7]« statt. So nannte man das Verfahren, das dazu diente, einen Teil der von der Deportation Freigestellten doch zum »Umschlagplatz« zu treiben. Eine »Selektion« spielte sich folgendermaßen ab: Plötzlich mussten wir alle in den Hof gehen, uns in Kolonnen aufstellen und dann einzeln an einem SS-Führer vorbeimarschieren. Meistens war es ein junger, ein untergeordneter Mann, ein Unterscharführer etwa, mit einer hübschen Reitpeitsche in der Hand. Ihm hatte man zu sagen, wo und in welcher Eigenschaft man tätig sei, worauf er mit seiner Peitsche zeigte, ob man nach links oder nach rechts gehen sollte.

Auf der einen Seite standen jetzt diejenigen, die im Getto bleiben durften, auf der anderen jene, die zum »Umschlagplatz« und gleich in die Waggons gehen mussten. Die eine Seite bedeutete das Leben, das einstweilige, die andere den Tod, den sofortigen. Wonach entschied der Deutsche mit der hübschen Reitpeitsche? Richtete sich seine Auswahl nach irgendwelchen Gesichtspunkten? Wir hatten den Eindruck, dass kräftigere, arbeitsfähige Menschen eher Chancen hatten, auf die Seite des Lebens zu gelangen. Überdies hing es offensichtlich auch da-

---

7 »Selektion« (eigentlich: Auslese, Auswahl) bedeutete im Sprachgebrauch des »Dritten Reiches« die oft völlig willkürlich vorgenommene Trennung von Gettobewohnern oder KZ-Insassen in solche, die vorerst weiterleben (und arbeiten) konnten, und solche, die unverzüglich ermordet wurden.

von ab, wie man aussah. Schmuddelige, unordentlich gekleidete oder gar unrasierte Juden wurden sofort den für die Gaskammer bestimmten Kolonnen zugewiesen. Wer wie ich schwarzhaarig war, hat sich in jener Zeit zweimal täglich rasiert. Ich habe mir das bis heute nicht abgewöhnen können, ich rasiere mich immer noch zweimal täglich.

Oft allerdings hat sich der SS-Unterscharführer, der über unser Leben entscheiden durfte, nur von seiner Laune leiten lassen: Wie anders sollte man es sich erklären, dass er bisweilen auf einmal zwanzig oder dreißig Personen, darunter auch jüngere und adrett aussehende, mit einem gelangweilten Peitschenzeichen auf die Todesseite lenkte? Wir, Tosia und ich, haben die August-»Selektionen« auf dem Hof des »Judenrat«-Gebäudes überstanden. Auch meine Eltern, die ich dort in einem Nebengebäude untergebracht hatte, teilte man der Seite des Lebens zu. Tosias Mutter aber, die in einem Textil-Betrieb Unterschlupf gesucht hatte, gehörte zu jenen, die im August zum »Umschlagplatz« getrieben wurden. Wir haben sie nie wiedergesehen. Als meine Mutter hörte, dass Tosia nun ganz allein war, sagte sie ihr sofort: »Du bleibst jetzt bei uns.« Wir waren meiner Mutter dankbar, dass sie dies für selbstverständlich hielt.

Unbegreifliches konnte man damals, also während der »Großen Aktion«, auf den Straßen des Gettos sehen: lange Menschenzüge, die, von niemandem bewacht oder getrieben, mit schwerem und, wie sich meist noch am selben Tag erwies, völlig überflüssigem Gepäck zum »Umschlagplatz« gingen. Sie folgten einer Bekanntmachung der jüdischen Miliz, die unter Berufung auf die deutschen Behörden allen, die sich freiwillig zur »Umsiedlung« meldeten, eine Lebensmittelzuteilung versprach: pro Person drei Kilogramm Brot und ein Kilogramm Marmelade. Zu diesem Zeitpunkt war noch nicht sicher, was sich hinter dem Wort »Umsiedlung« verbarg: Hunderte, an manchen Tagen sogar Tausende Verzweifelter und Hungernder meinten, am Ende der schrecklichen Bahnfahrt werde eine »Selektion« stattfinden, wenigstens ein Teil der Angekommenen könne, für harte Arbeit ausgewählt, überleben.

Aber jene, die sich nicht freiwillig zur Deportation meldeten, die nicht Selbstmord verübten (das taten alltäglich viele)
und die nicht in den »arischen« Teil Warschaus flohen, was
gerade während der »Großen Aktion« besonders schwierig
und riskant war – worauf hofften sie? Ein Kollege im Amt des
»Judenrates«, ein intelligenter und witziger Mann, flüsterte
mir eine trockene, eine beinahe schnippische Bemerkung ins
Ohr: »Von uns allen wird bleiben: eine kleine Delegation.
Mehr werden die lieben Deutschen nicht genehmigen.« Der
Mann wurde für einen Pessimisten[8] gehalten. Aber seine Voraussage war noch allzu optimistisch. Vorerst freilich wollten
viele glauben, dass sie der »kleinen Delegation« angehören
würden.

Wieder waren Gerüchte in Umlauf, diesmal über das angeblich nahe Ende der »Umsiedlung«. Die Deutschen wollten
wohl – darüber machte man sich immer wieder Gedanken –
eine bestimmte Anzahl von Juden deportieren. Hatte es die SS-
Führung auf ein Drittel der Gettobevölkerung abgesehen oder
auf die Hälfte oder gar auf noch mehr? Dass sie die »Endlösung«[9] anstrebte, darauf verfiel niemand.

Es gab Juden, die meinten, die Weltöffentlichkeit, die auf dem
Funkweg über die Vorgänge im Generalgouvernement laufend
informiert wurde, werde gegen das Ungeheuerliche protestieren und damit wohl etwas erreichen. Man hielt es für möglich,
ja insgeheim rechnete man damit, dass die SS eines Tages, auf
Grund einer Weisung aus Berlin, die Aktion abbrechen würde.
In den letzten August- und in den ersten September-Tagen war

---

8 Pessimist: ein negativ eingestellter Mensch, der immer nur die schlechten Seiten und Möglichkeiten des Lebens sieht (Gegenteil: Optimist).

9 Umschreibung der Nationalsozialisten für die umfassende Verfolgung
   und Ermordung der Juden aus Deutschland sowie aus allen von deutschen Truppen besetzten und vom Deutschen Reich beherrschten Ge-
   bieten Europas. Von 1942 an, nach der Wannsee-Konferenz am 20. Januar desselben Jahres, wurden Juden aus allen Ländern innerhalb des
   nationalsozialistischen Herrschaftsbereichs planmäßig ermordet.

es im Getto tatsächlich etwas ruhiger, manche glaubten schon, das Schlimmste hinter sich zu haben.

Aber am 5. September gab es wieder eine an allen Mauern plakatierte Anordnung: Sämtliche noch im Getto lebenden Juden hatten sich am nächsten Tag um zehn Uhr morgens auf den Straßen eines genau bezeichneten Bezirks in der Nähe des »Umschlagplatzes« zu stellen: »zur Registrierung«[10]. Man sollte Lebensmittel für zwei Tage mitbringen und Trinkgefäße. Die Wohnungen durften nicht verschlossen werden. Was jetzt stattfand, nannte man die »große Selektion«: 35 000 Juden, somit weniger als zehn Prozent der Bewohnerzahl des Gettos vor Beginn der »Umsiedlung«, erhielten gelbe »Lebensnummern«, die auf der Brust zu tragen waren – es waren vorwiegend die »nützlichen« Juden, diejenigen, die in den deutschen Betrieben arbeiteten oder im »Judenrat«. Tausende bekamen keine »Lebensnummern«, ließen sich aber von der angedrohten Todesstrafe nicht beirren: Sie hielten sich irgendwo im Getto verborgen. Alle anderen, es waren Zehntausende, wurden von der »Registrierung«, von der »großen Selektion« direkt zu den Zügen nach Treblinka abgeführt.

Manche fielen auf, weil sie ein sonderbares Gepäck hatten. Sie trugen Musikinstrumente in entsprechenden Kästen: eine Violine, eine Klarinette, eine Trompete, ja sogar ein Cello. Das waren die Musiker vom Symphonieorchester. Mit einigen konnte ich, als wir stundenlang auf die endgültige »Selektion« warten mussten, noch kurz sprechen. Jeder gab auf die Frage, warum er das Instrument mitnehme, beinahe wörtlich die gleiche Antwort: »Die Deutschen lieben doch die Musik. Vielleicht werden sie einen, der ihnen etwas vorspielt, nicht ins Gas schicken.« Aber von den Musikern, die nach Treblinka abtransportiert wurden, ist kein Einziger wiedergekommen.

Und Marysia Ajzensztadt, die zarte, die wunderbare Sopra-

---

[10] Eigentlich: amtliche Erfassung und Zählung von Personen, Eintragung in ein Register.

nistin, die vom ganzen Getto geliebt wurde? Jeder war entschlossen, ihr zu helfen, sie zu beschützen, auch jeder Milizionär. Sie geriet auf den »Umschlagplatz«, ein Jude, der an diesem Tag dort etwas zu sagen hatte, wollte und konnte sie retten. Aber ihre Eltern waren schon im Waggon – und sie wollte sich nicht von ihnen trennen. Sie versuchte, sich von dem Milizionär, der sie festhielt, loszureißen. Ein SS-Mann beobachtete die Szene und erschoss sie. Andere berichten, sie sei nicht auf dem »Umschlagplatz« umgebracht, sondern von dem SS-Mann in den Waggon nach Treblinka gedrängt und dort vergast worden. Unter denen, die das Getto überlebt haben, gibt es keinen, der sie vergessen hätte.

Tosia und ich hatten, da ich als Übersetzer noch gebraucht wurde, die begehrten »Lebensnummern« erhalten – ob die Deutschen diese Nummern auch wirklich honorieren[11] würden, dessen waren wir nicht sicher, das musste sich bald zeigen: Wir wurden auf den Platz geführt, auf dem sich heute das 1947 errichtete Warschauer-Getto-Denkmal befindet, und dort gab es, wie nun schon üblich, einen etwas gelangweilten jungen Mann mit einer offenbar nagelneuen Reitpeitsche. Hier sollte sich wieder einmal entscheiden, ob wir nach links gehen mussten, also zum »Umschlagplatz«, zu den Waggons nach Treblinka, oder nach rechts, also, vorerst, am Leben bleiben durften. Die Peitsche zeigte nach rechts.

Meine Eltern hatten schon ihres Alters wegen – meine Mutter war 58 Jahre alt, mein Vater 62 – keine Chance, eine »Lebensnummer« zu bekommen, und es fehlten ihnen Kraft und Lust, sich irgendwo zu verbergen. Ich sagte ihnen, wo sie sich anstellen mussten. Mein Vater blickte mich ratlos an, meine Mutter erstaunlich ruhig. Sie war sorgfältig gekleidet: Sie trug einen hellen Regenmantel, den sie aus Berlin mitgebracht hatte. Ich wusste, dass ich sie zum letzten Mal sah. Und so sehe ich sie immer noch: meinen hilflosen Vater und meine Mutter

[11] Hier: anerkennen, würdigen.

in dem schönen Trenchcoat aus einem Warenhaus unweit der Berliner Gedächtniskirche. Die letzten Worte, die Tosia von meiner Mutter gehört hat, lauten: »Kümmere dich um Marcel.«

Als sich die Gruppe, in der sie standen, dem Mann mit der Reitpeitsche näherte, war er offenbar ungeduldig geworden: Er trieb die nicht mehr jungen Leute an, doch schneller nach links zu gehen. Er wollte schon von seiner schmucken[12] Peitsche Gebrauch machen, aber es war nicht mehr nötig: Mein Vater und meine Mutter – ich konnte es von weitem sehen – begannen in ihrer Angst vor dem strammen Deutschen zu laufen, so schnell sie konnten.

Am nächsten Tag traf ich den Kommandanten der jüdischen Miliz auf dem »Umschlagplatz«, einen rabiaten[13] Mann, den ich flüchtig kannte, weil er einige Wochen lang im Getto unser Nachbar war. Er sagte mir: »Ich habe Ihren Eltern ein Brot gegeben, mehr konnte ich für sie nicht tun. Dann habe ich ihnen noch in den Waggon geholfen.«

[12] Veraltet für: hübsch, ansprechend.
[13] Roh, brutal, gewaltbereit.

[handwritten notes: Chris 10/11/07 · schwager · deutsche Werte · widerspruch]

Ordnung, Hygiene, Disziplin

Die Miła-Straße in Warschau hat zwar keinen guten Ruf, aber eine Zeit lang erfreute sie sich in vielen Ländern einer auffallenden Popularität: Die Adresse »Miła 18« war beinahe weltberühmt, auch wenn jene, die sie immer wieder nannten, oft nicht recht wussten, was sich hinter ihr verbarg. Es handelt sich um eine arme, eine, offen gesagt, scheußliche Straße im nördlichen, vor dem Krieg vor allem von Juden bewohnten Teil Warschaus.

Dass sie außerhalb der polnischen Hauptstadt bekannt wurde, hat mit der Literatur zu tun. Der polnische Dichter Władysław Broniewski[1] hat ihr kurz vor dem Zweiten Weltkrieg eines seiner schönsten Gedichte gewidmet. In ihm spricht er von dem schroffen Widerspruch zwischen dem freundlichen, dem liebevoll-zarten Straßennamen (»Miła-Straße« heißt so viel wie »Lieblichstraße«) und dem abstoßenden Leben, das sich dort alltäglich abspielt. Das Gedicht beginnt mit den Worten:

> *Die Lieblichstraße – lieblich ist sie nicht.*
> *Die Lieblichstraße – betritt sie nicht, meine Liebste.*

Und es endet:

> *Und selbst wenn ich zu dir dränge,*
> *meide ich die Lieblichstraße,*
> *denn wer weiß, ob ich mich dort nicht erhänge.*

---

[1] Polnischer Schriftsteller (1897–1962).

Allerdings kennt man den Dichter Władysław Broniewski, einen der bemerkenswerten polnischen Lyriker unseres Jahrhunderts, außerhalb Polens kaum – und das unübersetzbare Gedicht »Miła-Straße« schon gar nicht.

Einem amerikanischen Autor unterhaltsam-spannender Romane, Leon Uris[2], blieb es vorbehalten, der Miła-Straße internationale Bekanntheit zu verschaffen: Er ließ 1961 seinem sensationellen Bestseller »Exodus« einen zweiten Roman folgen, der ebenfalls ein Welt-Bestseller wurde – den Roman »Miła 18«. In diesem Haus, genauer: in dessen geräumigem Keller-Bunker befand sich die Kommandantur der Jüdischen Kampforganisation, hier war das Zentrum des Aufstands im Warschauer Getto.

Unmittelbar nach der »Großen Selektion« erfuhren wir, Tosia und ich, dass man uns unsere bisherige Wohnung weggenommen hatte. Denn während diese »Selektion« im Gange war, wurden die Grenzen des Gettos von den deutschen Behörden blitzschnell enger gezogen: Die Straße, in der wir noch vor einigen Stunden gewohnt hatten, gehörte jetzt nicht mehr dazu, wir durften sie nicht mehr betreten. Doch von weitem konnten wir sehen, dass dort zahlreiche Lastwagen und riesige Möbelwagen standen: Die SS-Formation[3] »Werterfassung« war schon mit dem Abtransport aller Habseligkeiten jener beschäftigt, die inzwischen auf dem Weg nach Treblinka waren. Wir verstanden, warum es, als wir uns der »Großen Selektion« zu stellen hatten, verboten gewesen war, unsere Wohnungen abzuschließen. Ja, es war alles gut geplant, gut organisiert.

Nun warteten wir in einer langen Kolonne auf die Zuteilung einer Unterkunft, womöglich einer neuen Wohnung. Wir wurden in die Miła-Straße geführt; an die Hausnummer kann ich

---

[2] Amerikanischer Schriftsteller (1924–2003), der in seinem weltberühmten, 1960 verfilmten Roman »Exodus« (1958) höchst anschaulich die Geschichte der verfolgten europäischen Juden vom Ende des 19. Jahrhunderts bis zur Gründung des Staates Israel erzählt.

[3] Spezielle Gruppierung.

mich nicht mehr erinnern. Die Wohnung, die wir bekamen, bestand aus einem Zimmer, einer Küche und einem winzigen Waschraum. In diesen Wänden hatten vor fünf, höchstens zehn Stunden Menschen gelebt, wohl ein Ehepaar, das sich jetzt im überfüllten Viehwaggon nach Treblinka befand. Nein, vermutlich waren die beiden dort schon angelangt und von SS-Männern aus den Waggons getrieben worden. Vielleicht erklärte ihnen gerade jetzt ein ernster, ein ruhiger Offizier, sie seien in einem Durchgangslager und müssten sich, bevor sie in ein Arbeitslager kämen, ausziehen – Männer und Frauen getrennt, wie es sich schickt. Dann sollten sie gründlich duschen, denn die Hygiene[4] sei nun einmal oberstes Gesetz. Daher werde auch ihre Kleidung desinfiziert[5]. Geld und Wertsachen seien abzugeben, aber sie würden sie, versteht sich, nach dem Duschen zurückerhalten. Denn Ordnung muss sein. Und: Hier herrsche strenge Disziplin, deutsche Disziplin.

Oder waren die beiden Neuankömmlinge aus Warschau schon nackt und in dem »Schlauch«, wie der Pfad genannt wurde, der zur Gaskammer führte? Möglich, dass sie bereits in der Gaskammer standen, dicht neben meiner nackten Mutter und meinem nackten Vater, in der Gaskammer, die einem Duschraum ähnelte und an deren Decke Röhren angebracht waren. Doch kein Wasser strömte aus diesen Röhren, sondern das von einem Dieselmotor produzierte Gas. Etwa dreißig Minuten dauerte es, bis alle, die sich in der Gaskammer drängten, erstickt waren. In ihrer Todesangst, in ihren letzten Augenblicken haben die Sterbenden Darm und Blase nicht beherrschen können. Die meist mit Kot und Urin besudelten Leichen wurden rasch beseitigt – um Platz zu machen für die nächsten Juden aus Warschau.

Wir aber waren in der Miła-Straße, in jener kleinen Wohnung, die heute früh von zwei Menschen offenbar in größter

---

4 Sauberkeit, Reinlichkeit.
5 Desinfizieren: von Krankheitserregern oder Schädlingen befreien.

Eile verlassen worden war. Schweigend, beklommen, blickten wir umher. Die Betten waren nicht gemacht, der Küchentisch war nicht abgeräumt, auf einem Teller lag noch, neben zwei halb vollen Gläsern Tee, ein angebissenes Stück Brot, und es brannte noch das Licht im Waschraum. Auf einen Stuhl hatte jemand einen Rock hingeworfen, an der Lehne hing eine Bluse. Die Kleider, die Möbel, die beiden Sofakissen und der Teppich – das alles schien noch zu atmen.

Und sie, deren schön gerahmte Fotos zusammen mit einigen anderen Bildern die Kommode schmückten, sie, die hier gewohnt, hier geliebt und gelitten hatten, atmeten sie noch? Wir wagten es nicht, daran zu denken. Hatten wir denn überhaupt keine Skrupel, keine Hemmungen, die kleine Wohnung in der Miła-Straße in Besitz zu nehmen? Aufs Höchste verwundert, aufs Tiefste beschämt, gestehe ich: Wir hatten keine Skrupel, wir kannten keine Hemmungen, wir brauchten keinen Widerstand zu überwinden. Und diejenigen unserer Freunde und Kollegen, die, vorerst ebenfalls der Gaskammer entgangen, unsere Nachbarn in der Miła-Straße wurden – auch sie richteten sich jetzt in den ihnen zugewiesenen Wohnungen ein, schnell und hastig und, zumindest dem Anschein nach, ohne Bedenken.

Hatte das Unmenschliche, dessen Zeugen und Opfer wir alle waren, auch uns unmenschlich gemacht? Jedenfalls waren wir abgestumpft: Wir hatten sehen müssen, wie die Unsrigen zu den Zügen nach Treblinka getrieben wurden. Wir aber waren verschont geblieben. Nur trauten wir der Rettung nicht: Wir fürchteten, nein, wir waren überzeugt, dass man uns bloß eine kurze Schonfrist gewährt hatte. Die Wohnungen in der Miła-Straße, wir ahnten es, würden nie unsere werden, es waren bloß einstweilige Unterkünfte für die letzten Monate, vielleicht die letzten Wochen des Warschauer Gettos.

Jetzt, im Herbst 1942, gab es im Restgetto 35 000 Juden mit »Lebensnummern« und rund 25 000, die der Deportation irgendwie entgangen waren, doch keine »Lebensnummer« hatten; sie wurden die »Wilden« genannt. Bald erfuhren wir, wie sich unser Dasein unter den neuen Bedingungen abspielen sollte. Wir durften nicht mehr einzeln auf die Straße gehen, wir mussten morgens in Kolonnen zum Arbeitsplatz marschieren und abends in Kolonnen zurückkehren.

Im Amt des »Judenrates« war ich weiterhin für Übersetzungen zuständig und für die immer noch geführte Korrespondenz mit deutschen Behörden. Auch Tosia hatte ich dort untergebracht, sie war mit kleinen grafischen Arbeiten beschäftigt, sie fertigte Schilder und Aufschriften an. Ein Gehalt bekam sie nicht, aber das war ohne Bedeutung, denn es kam vor allem darauf an, einen Arbeitsplatz zu haben, an dem man sicherer war als in der Wohnung oder gar auf der Straße.

Die Deportation lief zwar aus, doch ganz abgeschlossen war sie nicht: Noch wurden, wenn auch nicht mehr täglich, Waggons mit Juden, die die SS irgendwo aufgegriffen hatte, nach Treblinka geleitet. Da geschah es, dass ich einmal ohne Tosia im Büro war, denn sie sollte mit einer anderen Kolonne etwas später nachkommen – und kam nicht. Plötzlich wurde ich benachrichtigt, sie sei auf dem »Umschlagplatz«. Niemand konnte wissen, wann der nächste Zug abgehen würde. Man musste sofort handeln: Ich suchte jenen rabiaten Kommandanten der jüdischen Miliz auf dem »Umschlagplatz«, der meinen Eltern für die Fahrt zur Gaskammer ein Brot gegeben hatte. Ich fand ihn. Es war gerade ein ruhiger Tag, an dem es keine SS-Leute auf dem »Umschlagplatz« gab. So konnte er Tosia freilassen. Sie kam zu mir, aufgeregt und aufgelöst. Wie sie auf den »Umschlagplatz« geraten war und was sie dort erlebt hatte, wollte oder konnte sie mir nicht erzählen. Ich habe es nie erfahren. Nur glaube ich bis heute, dass die Krankheit, an der sie nach dem Krieg, zumal ab 1950, leiden musste, in jenen Stunden ihren Anfang genommen hat. Wer, zum Tode verurteilt, den Zug zur Gaskammer aus nächster Nähe gesehen hat, der bleibt ein Gezeichneter – sein Leben lang.

Unheimlich war es im Getto immer, doch die Zeit, die uns im Herbst 1942 bevorstand, unterschied sich von der vorangegangenen vor allem dadurch, dass im kleinen Restgetto vorerst nichts geschah. Die einst überfüllten Straßen waren den ganzen Tag über leer, es blieb ganz still, freilich war es eine gespannte, eine, wenn man so sagen darf, schrille Stille. Die Ruhe eines Friedhofs? Ja, aber vor allem die Ruhe vor dem Sturm. Denn niemand glaubte ernsthaft, die Deutschen hätten sich unversehens entschlossen, die noch lebenden Juden nicht zu ermorden, niemand traute den vielen Gerüchten, die besagten, bald würde sich alles normalisieren, die SS würde wieder Gottesdienste dulden und vielleicht sogar Theateraufführungen und Konzerte erlauben. Sollten etwa – fragte man sich – derartige Gerüchte aus deutschen Quellen stammen und die jüdische Bevölkerung irreführen? Andererseits hörte man immer häufiger, es werde bald wieder eine »Aktion« geben, man müsse mit der nächsten »Umsiedlung«, mit der nächsten Deportation nach Treblinka rechnen: Unentwegt wurden Termine genannt, die uns in höchste Aufregung versetzten.

Alle wussten wir: Diese »Zweite Aktion« werde mit Sicherheit früher oder später erfolgen und wir dürften auf keinen Fall die Entwicklung untätig abwarten. Manche planten, aus dem Getto in den »arischen« Teil Warschaus zu fliehen. Das war äußerst schwierig und mit einem enormen Risiko verbunden. Wer außerhalb des Gettos von der Existenz eines Juden wusste und diesen nicht sogleich anzeigte, wer ihm gar half und Unterkunft gewährte, dem drohte – zusammen mit seiner Familie – die Todesstrafe. Die Juden, die man in den »arischen« Stadtteilen aufgedeckt hat – denn viele waren schon vor der »Ersten Aktion« geflohen oder überhaupt nicht ins Getto gegangen –, wurden meist sofort erschossen.

Aber auch diejenigen, die die Flucht fürchteten, waren entschlossen, die Zeit bis zu den nächsten Maßnahmen der Deutschen auf keinen Fall untätig verstreichen zu lassen. Die Keller mancher Häuser wurden mit großer Mühe und viel Geschick in Schutzräume umgebaut, die mit Lebensmitteln und Wasservorräten versorgt, an die Wasserleitungen angeschlossen wurden und bisweilen sogar an das unterirdische Kanalnetz, durch das man aus dem Getto fliehen konnte. Im Falle einer abermaligen Deportation wollte man sich dort verbergen und sie auf diese Weise vielleicht überdauern.

Vor allem wurde beschlossen, der zu erwartenden nächsten »Umsiedlung« offenen Widerstand zu leisten – mit der Waffe in der Hand. Eine derartige (natürlich hoffnungslose) Auflehnung gegen die Deutschen hatten Vertreter verschiedener jüdischer Organisationen auf einer gemeinsamen Sitzung schon am 22. Juli 1942 erörtert, allerdings mit negativem Ergebnis: Da im Getto Waffen kaum vorhanden waren, hätte der Widerstand, meinte man zu jener Zeit, nicht einmal symbolische Bedeutung gehabt. Jetzt, im Herbst 1942, war die Situation ganz anders: Jugendgruppen und politische Parteien hielten den Augenblick für gekommen, sich zusammenzuschließen. Die Jüdische Kampforganisation (später benutzte man die polnische Abkürzung ZOB) wurde gegründet. Vor allem mussten Waffen beschafft werden, sie waren noch am ehesten bei polnischen Untergrundorganisationen zu erhalten. Alles musste sehr schnell geschehen, denn man rechnete mit der nächsten Deportation im Dezember, spätestens im Januar 1943.

Mitte Januar gab es wieder einmal beruhigende Gerüchte, die offensichtlich aus deutschen Quellen stammten und nichts anderes bezwecken sollten, als die Wachsamkeit der Juden einzuschläfern. Am 18. Januar wurden wir kurz nach sechs Uhr morgens vom Lärm auf der Straße geweckt. Ich sprang ans Fenster und sah trotz der Dunkelheit Hunderte, wenn nicht gar Tausende von Juden, die eine Marschkolonne bildeten. Von unserer Haustreppe hörte ich laute, rüde Kommandos. Ich verstand, dass alle, die nicht sofort ihre Wohnung verließen und sich auf der Straße einfänden, an Ort und Stelle erschossen würden. Wir zogen uns so schnell wie möglich an und liefen hinaus. Zweierlei fiel mir gleich auf: Die Kolonne vor unserem Haus, von der wir nicht wussten, wo sie begann und wo sie endete, wurde von einer viel größeren Zahl von Gendarmen[6]

---

[6] Aus dem Französischen stammendes Wort für Polizisten.

bewacht als früher: Die Posten standen, mit schussbereiter Waffe in der Hand, nur zehn oder fünfzehn Meter voneinander entfernt. Sie trugen deutsche Uniformen, es waren, anders als früher, nicht Letten, Litauer oder Ukrainer, sondern, wie die Sprache ihrer zornigen, wütenden Rufe und Befehle erkennen ließ, wirklich Deutsche und vorwiegend Österreicher.

Nach wenigen Minuten wurden wir in Marsch gesetzt. Wir zweifelten nicht, wohin er führte: zum »Umschlagplatz«. Es war ebenfalls klar, dass wir an diesem stets überfüllten und auf abscheuliche Weise besudelten Warteraum für die Passagiere, die für die Gaskammer bestimmt waren, sehr bald ankommen würden. Denn die Miła-Straße war nicht weit vom Ziel unseres langsamen Schweigemarsches entfernt. Ich flüsterte Tosia ins Ohr: »Denk an die Dostojewski-Anekdote.«[7] Sie wusste genau, was ich meinte.

In Stefan Zweigs vor und auch noch nach dem Krieg besonders populären »Sternstunden der Menschheit«[8] betrifft eine der »historischen Miniaturen«[9] ein ungewöhnliches Ereignis aus dem Leben von Dostojewski. Nachdem er 1849 aus politischen Gründen zum Tode verurteilt worden war, hatte man ihm, Stefan Zweig zufolge, auf der Hinrichtungsstätte schon das Sterbehemd angezogen, ihn schon mit Stricken an Pfähle gefesselt und ihm die Augen verbunden. Da hörte man plötzlich einen Schrei: Halt! Im letzten, im allerletzten Moment kam ein Offizier mit einem Dokument: Der Zar[10] hatte das Todesurteil kassiert[11] und die Strafe in eine mildere verwandelt.

7 Anekdote: kleine, oft witzige und einprägsame Geschichte aus dem Leben, hier des russischen Schriftstellers Dostojewski.
8 Sammlung von literarischen Porträts und Erzählungen (»Zwölf historische Miniaturen«, 1929/1943), die zu den bekanntesten und beliebtesten Büchern des österreichischen Schriftstellers (1881–1942) zählt.
9 Miniatur: kleines Bild (auch im übertragenen Sinn).
10 Herrscher (in Russland bis 1917).
11 Hier: zurückgenommen, widerrufen.

Diese Miniatur über Dostojewski hatte mich, obwohl sie in literarischer Hinsicht ziemlich fatal ist, zusammen mit einigen anderen Stücken aus Zweigs »Sternstunden der Menschheit« in meiner Gymnasialzeit beeindruckt. Ich hatte sie Tosia erzählt – und in den Reihen zum »Umschlagplatz« erinnerte ich sie an diesen von Stefan Zweig geschilderten und zum Teil frei erfundenen Vorfall. Ich wollte sie beschwören, sollten wir getrennt werden, nur ja nicht zu früh aufzugeben. Freilich war es hier mit Anekdotischem, mit Literarischem nicht getan. Da der Weg zum »Umschlagplatz« sehr kurz war, konnte uns die Flucht aus der Kolonne nur jetzt gelingen oder nie – zumal die Flucht aus dem Eisenbahnzug nach Treblinka so gut wie unmöglich war.

Auf jene, die jetzt aus der Kolonne ausscherten, wurde sofort geschossen – nicht wenige blieben auf dem Straßendamm liegen. Aber dieses Risiko musste man in Kauf nehmen. Ich gab Gustawa Jarecka, die mit ihren beiden Kindern in unserer Reihe stand, ein Zeichen, dass wir ausbrechen wollten und sie uns folgen solle. Sie nickte. Schon wollte ich fliehen, doch den tödlichen Schuss befürchtend, zögerte ich noch einen Augenblick. Da zerrte mich Tosia aus der Reihe, wir rannten in das Tor eines schon im September 1939 zerstörten Hauses in dieser lieblichen, dieser Miła-Straße. Gustawa Jarecka folgte uns nicht, sie ist mit ihren beiden Kindern im Waggon nach Treblinka umgekommen.

Andere aus unserer Kolonne, die etwas später als wir geflohen waren, berichteten, dass einer der Gendarmen auf uns zu schießen versucht habe. Haben uns seine Schüsse verfehlt? Hat sein Gewehr nicht funktioniert? Oder hat er, dieser Deutsche oder Österreicher, vielleicht nicht schießen wollen, hat er gar, die ihm erteilten Befehle ignorierend, Hemmungen gehabt, uns zu töten?

Von dem Tor der Hausruine in der Miła-Straße sprangen wir in einen Keller, der zu unserer Verwunderung mit anderen Kellern verbunden war. Offenbar hatte man hier die Mauern durchbrochen, um einen Bunker zu bauen. So kamen wir in den letzten, von der Straße schon ziemlich weit entfernten Keller. Hier hörte man keine Schreie und keine Schüsse, hier war es vollkommen still – und hier blieben wir bis zum Abend. Niemand suchte uns.

Abends konnte man dieses Versteck verlassen. Am nächsten Morgen verbargen wir uns zusammen mit einigen unserer Freunde in einem unbenutzten Haus des »Judenrates«, in dem Tausende von Büchern und Akten aus dem Archiv der alten jüdischen Gemeinde Warschaus lagerten. In dem großen Raum, zu dem nur ein Eingang existierte, verbarrikadierten wir uns – eben mit Hilfe von unzähligen uralten Büchern. Dort hofften wir, die »Aktion« zu überleben. In der Tat: Die Bücher haben uns das Leben gerettet.

Möglich war dies, weil die »Zweite Aktion« schon am vierten Tag, also am 21. Januar 1943, nach der »Umsiedlung« von etwa fünf- bis sechstausend Juden, abgebrochen wurde. Die deutschen Befehlsstellen entschieden sich, sie nicht fortzusetzen, obwohl nur die Hälfte der auf dem »Umschlagplatz« wartenden Waggons nach Treblinka abgefahren war, die andere Hälfte aber weiterhin der SS zur Verfügung stand. Der Grund: Während dieser »Zweiten Aktion« hatte sich etwas ereignet, womit die Deutschen nicht gerechnet hatten – die Juden leisteten bewaffneten Widerstand. Doch war es klar, dass man die weitere »Umsiedlung« bloß verschoben hatte und dass die SS, nunmehr den bewaffneten Widerstand einkalkulierend[12], den Rest der Juden ermorden und das Getto endgültig liquidieren[13] werde.

Der Jüdischen Kampforganisation gehörte ich nicht an, doch an einer ihrer Widerstandsaktionen nahm ich teil – beinahe zufällig. Wenn man nach der Januar-Deportation dem sicheren Tod entgehen wollte, musste man, das ließ sich jetzt weder ver-

---

[12] Einkalkulieren: auf etwas vorbereitet sein, mit einem zu erwartenden Ereignis im Voraus rechnen.
[13] Siehe Seite 33, Fußnote 41.

kennen noch verdrängen, unbedingt und so schnell wie möglich aus dem Getto fliehen. Aber damit ein Jude im »arischen« Teil der Stadt überhaupt existieren konnte, waren drei Voraussetzungen nötig. Erstens: Man brauchte Geld oder Wertsachen, um sich falsche Personaldokumente zu kaufen, ganz zu schweigen davon, dass man mit Erpressungen rechnen musste. Zweitens: Man durfte nicht so aussehen und sich so verhalten, dass die Polen Verdacht schöpfen konnten, man sei ein Jude. Drittens: Man benötigte außerhalb des Gettos nichtjüdische Freunde und Bekannte, die zu helfen bereit waren.

Wenn bei einem Juden, der in den »arischen« Stadtteil fliehen wollte, von diesen drei Voraussetzungen nur zwei zutrafen, dann war seine Situation schon bedenklich, wenn nur eine zutraf, dann waren seine Chancen minimal. Bei mir jedoch traf keine der drei Voraussetzungen zu. So war es in meinem Fall eigentlich sinnlos, zu fliehen. Ich hatte kein Geld und auch keine Freunde außerhalb des Gettos, und jeder – die Polen haben hierfür ein erstaunliches Gespür – erkannte in mir sofort einen Juden. Bei Tosia war es kaum besser. Nur meinten wir, sie würde nicht wie eine Jüdin ausschauen, doch bald mussten wir uns überzeugen, dass man sich darauf nicht verlassen konnte.

Ich machte mir Gedanken, was man unter diesen Umständen ändern könnte. Vielleicht ließe sich rasch etwas Geld beschaffen? Wenige Tage nach dem Ende der »Zweiten Aktion« saßen wir mit zwei Freunden abends in der Miła-Straße in einem Keller und waren uns darin einig, dass unsere Lage hoffnungslos sei. Es sei doch ein Skandal, sagte ich beiläufig, dass der »Judenrat« immer noch wöchentlich Geld an die Deutschen zahle. Sollte man nicht die Kasse des »Judenrates« überfallen? Ganz ernst meinte ich es wohl nicht. Aber einer der Anwesenden, ein junger Mann, von dem ich wusste, dass er der Jüdischen Kampforganisation angehörte, zeigte sich sofort an der abenteuerlichen Idee interessiert. Er bat uns, vorerst mit niemandem darüber zu sprechen.

Am nächsten Tag sagte er uns, dass man die Sache wahrscheinlich machen werde, nur müssten wir mithelfen. Ich hatte die für den Überfall benötigten Angaben zu liefern: über das Modell der Kasse im Haus des »Judenrates«, über den Zugang zum Kassenraum und über die Türschlösser. Im Gespräch mit dem Kassierer, den ich ganz gut kannte, hatte ich zu ermitteln, an welchem Tag die jetzt bevorstehende Geldübergabe an die deutsche Behörde erfolgen sollte. Ferner hatte ich Briefpapier des »Judenrates« zu entwenden, auf dem Tosia die Unterschrift des Obmanns fälschte – was ihr nicht schlecht gelang. Wozu die Organisation diesen Brief samt Unterschrift brauchte, sagte man uns nicht.

Die Operation wurde in der Nacht vom 30. auf den 31. Januar durchgeführt, doch ganz anders, als wir es vermutet hatten: Kein Türschloss wurde aufgebrochen – und auch nicht die Kasse. Die Jüdische Kampforganisation hat eine mildere und bessere Lösung gefunden. Einige ihrer Mitglieder, verkleidet als jüdische Milizionäre, weckten den Kassierer nachts in seiner Wohnung und überreichten ihm ein Schreiben des Obmanns des »Judenrates«, das ihn aufforderte, sofort zu kommen und die Kassenschlüssel mitzubringen. Es seien, wurde dem erschrockenen Kassierer erklärt, plötzlich Deutsche erschienen, die eine größere Summe forderten. Er war misstrauisch, tat dann aber, was man von ihm verlangte.

Als am nächsten Morgen bekannt wurde, dass der jüdischen Organisation ein derartiger Überfall gelungen war und dass sie sich des für die Deutschen bestimmten Geldes – es waren über 100 000 Zloty[14] – bemächtigt hatte, war die allgemeine Freude groß. Der Obmann des »Judenrates« meldete den Vorgang sofort den deutschen Behörden. Sie schickten Spezialisten, die allerlei untersuchten und nichts herausfanden. Der Freund, der die Verbindung zur Jüdischen Kampforganisation hergestellt hatte, teilte uns mit, man habe beschlossen, den größten Teil der Beute für den Kauf von Waffen zu verwenden. Aber Tosia und mir wolle man als Anerkennung für unsere Idee und

14 Polnische Währung.

unsere Hilfe eine Prämie auszahlen – pro Person etwa fünf Prozent des beschlagnahmten Betrags. Dies solle uns die Flucht aus dem Getto erleichtern.

Vor der »Zweiten Aktion« wollte ich die Möglichkeit, in den »arischen« Stadtteil zu fliehen, nicht recht ins Auge fassen: Ich fürchtete die ständige Abhängigkeit von jedem Nachbarn, von jedem Passanten, ich wusste wohl, dass mich jedes Kind denunzieren konnte. Die Wahrscheinlichkeit, dass ich außerhalb des Gettos rasch umkommen würde, betrage, glaubte ich, 99 Prozent. Im Getto aber stand mir der Tod bevor, und zwar mit hundertprozentiger Sicherheit. Ich musste diese minimale Chance wahrnehmen, *wir* mussten sie wahrnehmen. Zwischen Tosia und mir gab es in dieser Angelegenheit keinen Meinungsunterschied.

Ein Musiker, ein ausgezeichneter Geiger, gab uns die Adresse einer polnischen proletarischen Familie, der es schlecht ging und die bereit war, natürlich gegen eine angemessene Bezahlung, Juden zu beherbergen. Er selber wollte später ebenfalls aus dem Getto fliehen. Er ist in Treblinka umgekommen. Als wir uns verabschiedeten, sah er uns traurig an, aber er sagte kein Wort. Als wir schon an der Tür standen, nahm er seine auf einer Kommode liegende Geige in die Hand. Er spielte, wohl etwas langsamer und elegischer als sonst, die ersten Takte des Allegro molto aus Beethovens Quartett opus 59, Nr. 3, C-Dur[15].

Wie sollten wir die Gettogrenze überschreiten? Zwei Möglichkeiten kamen in Frage. Wir konnten uns einer Kolonne anschließen, die frühmorgens zur Arbeit ging; und wir mussten uns, wenn wir schon außerhalb des Gettos waren, von ihr lösen, das Armband mit dem Davidstern schnell wegwerfen und irgendwohin fliehen. Allerdings durften wir nicht das geringste Gepäck in der Hand haben, wir durften nichts mitnehmen. Die andere Möglichkeit: Man konnte nachmittags, etwa zwischen siebzehn und achtzehn Uhr, rauskommen, wenn die

---

15 Siehe Seite 206, Fußnote 19.

Arbeitskolonnen zurückkehrten und die Grenzposten ganz und gar von den leidenschaftlich betriebenen Leibesvisitationen[16] in Anspruch genommen waren.

Der zweite Weg hatte den Vorzug, dass man wenigstens ein kleines Köfferchen mitnehmen konnte. Natürlich musste man die Grenzposten bestechen. Das erledigte der jüdische Milizionär, der die Flucht organisierte: Er erhielt die Bestechung und teilte den Betrag mit dem deutschen Gendarmen und mit dem polnischen Polizisten. Dies sagte er mir, als wir die Höhe der Bestechung aushandelten. Aber er hat mich betrogen: Er behielt das Geld für sich. Als seine angeblichen Teilhaber, der Deutsche und der Pole, uns auf dem mit Scheinwerfern stark beleuchteten Grenzbereich den Rücken zuwandten, rief er uns zu: »Jetzt geht geradeaus, schnell!« Das taten wir: Wir gingen schnell geradeaus. Wir hatten kaum mehr als zwanzig Schritte gemacht – und wir befanden uns schon außerhalb des Gettos. Es war der 3. Februar 1943. Was uns im nichtjüdischen Teil Warschaus erwartete, sollten wir schon nach zwei, drei Minuten erfahren.

---

[16] Durchsuchen der Kleidung eines Menschen nach versteckten Gegenständen oder Waren.

Geschichten für Bolek

Die Grenze, die die beiden Teile der Stadt Warschau trennte, hatten wir gerade eilig überschritten – und schon hörten wir von hinten das so harmlose wie schreckliche Wort: »Halt!«: Zwei Beamte der polnischen (von den Deutschen geduldeten und gebrauchten) Polizei, die man, nach der Farbe ihrer aus der Vorkriegszeit stammenden Uniformen, die »blaue« nannte, wünschten unsere Ausweise zu sehen. Ich sagte ohne Umschweife, wir hätten keine, wir seien Juden, eben aus dem Getto gekommen. Dann müssten sie uns zur deutschen Gendarmerie[1] bringen.

Wir erschraken, ohne gleich zu verzweifeln. Zwar wussten wir, dass jeder deutsche Wachtposten einen Juden sofort und ohne Umstände erschießen konnte, wir wussten aber auch, dass die »blauen Polizisten« zwar der deutschen Gendarmerie zu Diensten waren, jedoch in der Nähe der Gettoeingänge fleißig patrouillierten[2], weil sie flüchtende Juden erpressen wollten.

Sofort begannen Verhandlungen, die einem Muster folgten, das vermutlich so alt ist wie die Polizei selbst. Der eine Polizist erwies sich als ein strenger Mann, der nicht mit sich reden ließ, der andere indes war durchaus gesprächsbereit. Von ihm bekamen wir auch zu hören, er würde es mit uns im Stillen abmachen, nur sei sein Kollege leider sehr diensteifrig. Ein angemessener Betrag würde ihn vielleicht milde stimmen. Es lief darauf hinaus, dass wir die beiden bestochen und sie uns in einer Pferdedroschke[3] dorthin gebracht haben, wo wir hinwoll-

---

[1] Polizeistation.
[2] Streife gehen.
[3] Pferdekutsche als Taxi.

ten. Während der Fahrt bekamen wir zu hören, wir seien schließlich alle Polen.

Mit einer Bestechung hatte unser Leben im Warschauer Getto geendet; mit einer Bestechung begann unser Leben außerhalb des Gettos. Trotz der drohenden Todesstrafe haben damals nicht wenige Polen Juden aufgenommen und verborgen gehalten, in den meisten Fällen allerdings gegen ein sehr hohes Entgelt. Bei der proletarischen Familie, die uns der Musiker empfohlen hatte, konnten wir einige Tage bleiben. Auch dort wurden wir erpresst und mussten so schnell wie möglich weiter.

Erpressung und Flucht – das wiederholte sich unentwegt. Tausende von Polen, häufig Halbwüchsige, die ohne Schule und ohne Universität aufwuchsen und oft auch ohne Väter, weil viele in Kriegsgefangenschaft waren, Menschen, die nichts gelernt und nichts zu tun hatten, verbrachten ihren Tag damit, alle Passanten misstrauisch zu beobachten: Sie waren überall, zumal in der Nähe der Gettogrenzen, auf der Suche, auf der Jagd nach Juden. Diese Jagd war ihre Profession und wohl auch ihre Passion. Sie erkannten Juden, ohne sich zu irren. Woran denn? Wenn nicht andere Merkmale, dann seien es – so wurde gesagt – die traurigen Augen, an denen man sie erkenne.

Wollten diese rabiaten jungen Männer, für die der Okkupationsjargon[4] das Wort »Schmalzowniks« erfunden hatte, ihre Opfer tatsächlich den deutschen Behörden ausliefern? Nein, daran war ihnen nicht sonderlich gelegen. Viel lieber wollten sie die Juden berauben, ihnen Geld, Schmuck und Wertsachen abnehmen oder wenigstens das Jackett oder den Wintermantel. Wenn ich mich auf der Straße sehen ließ, und sei es nur für Minuten, dann war ich sofort in höchstem Maße gefährdet. Aber irgendwie musste ich von einem provisorischen Versteck

---

4 Jargon: umgangssprachliche Ausdrucksweise innerhalb einer bestimmten Gruppe, hier der deutschen Besatzer; Okkupation: siehe Seite 171, Fußnote 16.

zum nächsten kommen. Im Dunkeln ließ sich das nicht machen, weil um acht Uhr Polizeistunde[5] war und es bald die Som-
merzeit gab. Ich hatte eine simple, doch nicht ganz schlechte
Idee: Ich beschaffte mir den »Völkischen Beobachter«[6], hielt
ihn so, dass die Titelseite mit dem Hakenkreuz deutlich sichtbar war, und marschierte auf der Straße schnell, mit kräftigem
Schritt und erhobenem Kopf. Die Erpresser und Denunzianten[7] würden mich, hoffte ich, für einen wunderlichen Deutschen halten, den man lieber nicht anrempeln sollte.

Am 19. April 1943 brach im Getto der Aufstand aus, eine
heroische und hoffnungslose Rebellion[8] gegen die Unmensch-
lichkeit. Nachdem er von einem beträchtlichen deutschen
Militäraufgebot, einschließlich Panzern, am 16. Mai endgültig
niedergeschlagen worden war, gelang es manchen, aus dem
Getto zu fliehen – vor allem durch die Kanalisation. Für die Erpresser und Denunzianten bedeutete dies Hochkonjunktur[9].
Auch wir bekamen es zu spüren. Plötzlich trat in das Zimmer-
chen, in dem wir damals verborgen waren, mit großem Getöse
ein junger Mann ein, ein hagerer Kerl in dürftiger Arbeitsklei-
dung: Er rief theatralisch »Hände hoch« und verlangte Geld.
Nachdem er sich unseres Bargelds – viel war es nicht – und
meines Füllfederhalters bemächtigt und mir einige meiner
Kleidungsstücke weggenommen hatte, wurde er friedlich. Jetzt
hatte er offenbar das Bedürfnis, mit uns ein wenig zu plaudern.
Nach einer Weile sagte er recht treuherzig, wir bräuchten nicht
davonzulaufen, er werde uns nichts mehr antun. Dann ging er
weg. Er wohnte im selben Haus wie wir und ist sehr wahrscheinlich von dem Mann geholt worden, der uns verbarg: Die
beiden teilten sich die Beute.

---

5 Hier: Ausgangssperre.
6 Siehe Seite 107, Fußnote 64.
7 Siehe Seite 240, Fußnote 6.
8 Aufstand, Aufruhr.
9 Eigentlich: Wirtschaftsaufschwung, hier im übertragenen Sinn: Blütezeit.

Es war klar: Wir durften hier nicht mehr übernachten, wir mussten fliehen – und zwar sofort. Aber ich wusste nicht, wohin, und ich hatte keinen Pfennig mehr. Ich blieb also, gänzlich resigniert. Am nächsten Tag ging wieder die Tür auf, diesmal ohne Getöse. Es war der üble, der gefährliche Nachbar, der brutal aussehende hagere Mann, der uns erpresst hatte. Jetzt war er freundlich, nichts wollte er von mir – oder doch: Er wollte sich mit mir noch etwas unterhalten, über den Krieg vor allem, über dessen weiteren Verlauf und über das vermutliche Schicksal Polens. Was ich ihm zu sagen hatte, schien ihm zu gefallen. Von Beruf war er Feinmechaniker, zur Zeit arbeitslos. Seine Fragen schienen mir nicht unintelligent.

Am folgenden Tag kam er wieder. Er hatte Erfreuliches zu berichten – über angebliche deutsche Niederlagen. Dann bemerkte er, eher beiläufig: »Tja, wenn Sie Geld hätten, ließe sich schon etwas für Sie tun. Sie könnten ganz sicher sein – nämlich bei meinem Bruder.« Dieser wohne allein mit seiner Frau und seinen beiden Kindern in einem gemieteten Häuschen am Stadtrand. »Übrigens ist er ein Deutscher oder beinahe ein Deutscher. Den wird schon keiner verdächtigen, dass er Juden versteckt.«

Tosia war es inzwischen gelungen, »arische«[10] Personaldokumente zu bekommen und als Dienstmädchen zu arbeiten. Sollte ich mich von einem Kerl unterbringen lassen, der mich (und mit Sicherheit auch andere) aufs Gemeinste erpresst hatte? Sollte ich mich ihm auf Gedeih und Verderb ausliefern? Das wäre leichtsinnig, mehr noch: Es wäre geradezu wahnsinnig. Aber ich war verzweifelt, ich wusste keinen Ausweg. So bat ich ihn, mit seinem Bruder, dem Deutschen, zu reden. Zwar hätte ich kein Geld mehr, sähe aber Chancen, welches zu beschaffen. Kam diese meine Bitte dem Selbstmord gleich? Ich fürchtete es.

Er, der Feinmechaniker Antek, fuhr zu seinem Bruder. Nach drei Stunden war er wieder zurück, deutlich angetrunken: Sein

[10] Siehe Seite 49, Fußnote 16.

Bruder habe sich alles angehört und vor allem wissen wollen, ob es sich etwa um einen Hausierer oder einen schmuddligen Händler handle. Nein, habe er ihm geantwortet, es handle sich um einen gebildeten Menschen, der gut reden könne und auch gut erzählen. Der Bruder hatte gesagt: »Na dann führ ihn mal her. Ich will ihn mir ansehen.«

Der Vorort, zu dem ich kommen musste, war weit weg, auf der anderen, der rechten Seite der Weichsel. Man musste mit der Straßenbahn bis zur Endhaltestelle fahren und dann noch ein Stück gehen. Wie sollte ich das bewerkstelligen, ohne unterwegs erkannt und denunziert zu werden? Antek, der hagere Halunke[11], war kein weltfremder Mensch. Der Trick mit dem »Völkischen Beobachter« – sagte er – sei hier nicht verwendbar: Ich solle mit der Straßenbahn nachmittags gegen fünf Uhr fahren, wenn sie überfüllt sei – und ich müsste, um nicht gleich angezeigt und zur Wache gebracht zu werden, ganz anders ausschauen: nicht wie ein jüdischer Intellektueller, sondern wie ein armseliger polnischer Prolet[12].

Er machte aus mir einen elenden Eisenbahner, der vom Dienst nach Hause fährt. Die schwarzen Haare, die ich damals noch hatte, mussten beseitigt werden, mein Kopf wurde kahl geschoren. Auf meine Brille musste ich verzichten. Antek beschaffte mir eine alte Eisenbahnermütze und eine noch ältere Eisenbahnerjacke. Mein Gesicht wurde mit Ruß geschwärzt. In der Hand hielt ich eine große, rostige Zange. Von einem solchen etwas dreckigen Eisenbahner würden sich die Leute fernhalten.

So kam ich mit etwas Glück bis zur Endhaltestelle. Dort sollte ich Antek, der mit derselben Bahn gekommen und vor mir ausgestiegen war, im Abstand von zwanzig bis dreißig Metern folgen. Alles ging gut, nur führte er mich zu meinem Entsetzen wieder aus der Vorort-Siedlung hinaus und in den benachbarten Wald, dann immer weiter, kreuz und quer. Ausrauben konnte

---

[11] Gauner, Betrüger, Schlingel (auch zur Abgrenzung gegen einen üblen Verbrecher verwendet).

[12] Kurzform für Proletarier, Arbeiter.

er mich nicht mehr, er wusste ja, dass ich nichts mehr besaß. Wollte er mich etwa umbringen? Ich traute es ihm zu. Aber wozu? Bald änderte Antek wieder die Richtung und brachte mich über Wiesen und Felder zur Siedlung zurück und zu einem einsam gelegenen Häuschen. Es war zwar kurz vor dem Zweiten Weltkrieg erbaut, doch gab es in ihm weder ein Badezimmer noch eine Toilette. Man musste sich mit einer keineswegs immer funktionierenden Wasserleitung in der Küche behelfen und mit einem Plumpsklo. Den langwierigen, für mich angstvollen Umweg hatte Antek für nötig gehalten, um sich zu vergewissern, dass uns niemand folge, niemand beobachte.

Der Anblick desjenigen, der uns neugierig erwartete, überraschte mich. Anteks älterer Bruder, ein Mann von eher kleinem Wuchs, war ein ganz anderer Typ. In seinem Gesicht gab es nichts Brutales oder Drohendes, im Gegenteil: Er, Bolek, machte einen soliden, einen sympathischen Eindruck, er begrüßte mich höflich und freundlich. Rasch bot er mir ein Gläschen Wodka an, das ich schwerlich ablehnen konnte, obwohl mir ein Stück Brot entschieden lieber gewesen wäre.

Von Beruf war er Setzer[13], er hatte eine besonders schöne Handschrift, und er schrieb, damals in Polen unter einfachen Leuten eine Seltenheit, orthografisch[14] einwandfrei. Er war, obwohl ich ihn nie mit einem Buch in der Hand gesehen habe, ein gebildeter Proletarier. Dass er während der Okkupation zu den zahllosen Arbeitslosen gehörte, versteht sich von selbst: Druckereien waren im Generalgouvernement so gut wie überhaupt nicht in Betrieb.

Boleks gleichaltrige, ziemlich derbe, etwas üppige und rothaarige Frau musste in jüngeren Jahren schön gewesen sein. In jüngeren Jahren? Sie war nicht älter als 37, aber sehr vernachlässigt und schon deutlich vom Zahn der Zeit angegriffen. Zu meiner Verwunderung konnte sie flott lesen (anders als ihr Mann las sie auch Bücher, aber ausschließlich Kitschromane).

[13] Schriftsetzer in einer Setzerei.
[14] Die Rechtschreibung betreffend.

Schreiben konnte sie überhaupt nicht, sogar mit ihrer Unterschrift hatte sie Schwierigkeiten – in Polen damals nicht ungewöhnlich.

Kaum hatten wir uns eine Viertelstunde unterhalten, da verblüffte mich Bolek mit einem ganz schlichten und ganz ohne Nachdruck gesprochenen Satz: »Es wäre doch so schön, wenn Sie diesen schrecklichen Krieg hier bei uns überleben könnten.« Er sagte es im Juni 1943 – und so ist es auch geschehen: In seinem jämmerlichen Häuschen haben wir die deutsche Besatzung überlebt, hier wurde unser Leben gerettet – von Bolek, dem Setzer, und von Genia, seiner Frau.

Unser Leben? Zunächst war ich dort allein. Aber Tosias Karriere als Dienstmädchen konnte nicht erfolgreich sein. Ihre Eltern hatten sich mit ihrer Erziehung viel Mühe gegeben, sie hatte allerlei gelernt: Klavierspielen, Englisch, Französisch und natürlich auch Deutsch. Doch hatte sie nicht gelernt, wie man bügelt oder Kartoffeln schält und Gemüse putzt. Kein Wunder, dass sie mehrfach rasch entlassen wurde. Schließlich fand sie eine offenbar ganz gute Stelle. Aber sie konnte, als sie eines Tages allein in der Wohnung ihrer neuen Arbeitgeber war, einer Verlockung nicht widerstehen: Sie setzte sich ans Klavier und spielte einen Walzer von Chopin. Die vorzeitig zurückgekehrte Dame des Hauses hatte zwar eine Schwäche für Chopin, aber sie hatte noch nie eine Hausangestellte gesehen, die Klavier spielt. Sie zweifelte nicht, dass das neue Dienstmädchen eine Jüdin war, ja eine Jüdin sein musste. Damit war Tosias berufliche Laufbahn im besetzten Warschau beendet. Ihre gefälschten Personalpapiere wurden unbrauchbar. Sie zögerte keinen Augenblick und langte nach wenigen Stunden in Boleks Häuschen an.

Tagsüber waren wir in einem Keller, einem Erdloch oder auf dem Dachboden versteckt, nachts haben wir für Bolek gearbeitet: Wir fertigten mit den primitivsten Mitteln Zigaretten an – Tausende, Zehntausende. Er verkaufte sie, machte jedoch nur geringen Gewinn. So lebten Bolek und seine Familie in Armut. Unser Elend indes war noch viel schlimmer: Wir hungerten. Wir glaubten tatsächlich, die KZ-Häftlinge hätten es zumindest in dieser Hinsicht ein wenig besser als wir. Denn sie bekamen täglich eine Suppe, wir jedoch mussten, wenn die Not besonders arg war, oft bis zum Abend warten, um etwas zu essen zu bekommen, und es waren mitunter nur zwei Mohrrüben. Aber schrecklicher als der Hunger war die Todesangst, schrecklicher als die Todesangst war die dauernde Demütigung.

So wenig Geld auch da war – für einen Zweck musste es immer reichen: Bolek konnte nicht einen Tag ohne Alkohol aushalten. Doch habe ich ihn zwar oft angeheitert, aber nie betrunken gesehen. Niemals haben wir befürchtet, er könne sich verplappern und uns gefährden oder uns gar plötzlich hinauswerfen. Auch Genia trank regelmäßig, sogar die beiden Kinder, damals sechs und acht Jahre alt, bekamen von Zeit zu Zeit etwas Wodka – damit sie sich »einübten«.

War dieser Bolek, wie uns sein Bruder Antek etwas geheimnisvoll bedeutet hatte, tatsächlich ein Deutscher? Den Deutschen, genauer, den Volksdeutschen[15], ging es im Generalgouvernement viel besser als den Polen. Sie profitierten auch von ganz anderen, erheblich besseren Lebensmittelkarten. Allerdings sprach Bolek, wie fast alle Polen, über die Volksdeutschen mit großer Verachtung: Es seien Menschen, die für die günstigen Lebensmittelkarten das Vaterland verraten hätten. Das Deutschtum der Familie war, mussten wir annehmen, eine Erfindung Anteks, des Wichtigtuers.

Auf die Kirche und die Pfarrer war unser Bolek besonders schlecht zu sprechen: »Sie saufen alle, aber uns einfachen Menschen gönnen sie den Wodka nicht.« Zu dieser Einsicht war er schon als Junggeselle gelangt: Als er kurz vor seiner Trauung, wie es sich gehörte, beichten wollte, wurde er von dem Pfarrer mit der nicht abwegigen Begründung abgewiesen, einem Be-

---

[15] »Volksdeutsche« war die amtliche Bezeichnung der Nationalsozialisten für Deutsche, die nicht die deutsche Staatsangehörigkeit besaßen und außerhalb der Grenzen des Deutschen Reiches von 1937 und außerhalb der Grenzen Österreichs in so genannten deutschen Sprachinseln oder auch vereinzelt lebten.

trunkenen könne er keine Beichte abnehmen. Bolek war tief verletzt und pflegte seitdem jedem, der es hören wollte, zu sagen: »Gauner sind sie alle – die katholischen Pfaffen[16] und die evangelischen auch.« Mein Hinweis, dass die Evangelischen niemanden von der Beichte abweisen könnten – und warum sie es nicht könnten –, machte auf ihn keinen Eindruck: Schon in der Bibel heiße es, dass diese Gauner öffentlich Wasser predigten und heimlich Wodka tränken. »Aber Gott hat den Wodka für alle geschaffen, nicht nur für die Pfaffen« – meinte Bolek.

Wenn er etwas mehr als üblich getrunken hatte, pflegte er bedeutungsvoll und lauter als sonst zu sprechen. So blickte er uns eines Tages – wir waren noch nicht lange bei ihm – übermütig an und erklärte mit verwegener Miene, besonders langsam und nicht ohne Feierlichkeit: »Adolf Hitler, Europas mächtigster Mann, hat beschlossen: Diese beiden Menschen hier sollen sterben. Und ich, ein kleiner Setzer aus Warschau, habe beschlossen: Sie sollen leben. Nun wollen wir mal sehen, wer siegen wird.« Wir haben uns an diesen Ausspruch oft erinnert.

Über den Verlauf des Krieges waren wir, trotz unserer ganz und gar isolierten Situation, nicht schlecht informiert. Bolek wiederholte uns alles, was die Nachbarn und Bekannten erzählten. Die zahllosen in Warschau umgehenden Gerüchte stammten meist von jenen, die es riskierten, einen Rundfunkapparat zu haben und den Londoner Sender zu hören.[17] Die im Generalgouvernement in polnischer Sprache erscheinende Tageszeitung war dünn und dämlich. Besser war die deutschsprachige »Krakauer Zeitung« und deren regionale Version[18],

---

[16] Abwertend für Geistliche, Vertreter der Kirchen.
[17] Im Getto war es bei Todesstrafe verboten, ein Rundfunkgerät zu besitzen; im gesamten Deutschen Reich war es untersagt, so genannte »Feindsender« zu hören, also etwa den britischen Sender BBC, dessen Informationen fast überall in Europa zu empfangen waren und der auch in deutscher Sprache ausführlich vom Kriegsgeschehen berichtete.
[18] Teilauflage für eine bestimmte Region.

die »Warschauer Zeitung«. Ich erklärte Bolek, es lohne sich, diese Zeitung zu kaufen, denn ihr sei über die wahre Kriegssituation der Deutschen mehr zu entnehmen als dem polnischen Blatt. Ich übersetzte ihm die wichtigeren Artikel – in stark vereinfachter und auch frisierter[19] Fassung. Das soll heißen: Die Nachrichten und Artikel, die ich ihm referierte[20], mussten unbedingt erkennen lassen, dass die Niederlage der Deutschen und damit das Ende unserer Leiden sich von Tag zu Tag nähere.

Hatte ich nur Düsteres mitzuteilen, dann drohte mir Bolek, er werde das Geld für die deutsche Zeitung nicht mehr ausgeben, er könne sich diesen Luxus nicht leisten. Ich gab zu, dass in diesem Blatt in der Tat zu wenig enthalten sei. Besser wäre es, er beschaffe eine andere deutsche Zeitung, »Das Reich«[21], dort sei ungleich mehr Wahrheit über den Krieg und die Deutschen zu finden. Er kaufte das »Reich«, zu dessen aufmerksamsten Lesern ich bald gehörte.

Bolek kommentierte meine optimistisch gefärbten Berichte meist skeptisch. Die Deutschen, meinte er, würden den Krieg verlieren, das sei sicher – aber wir würden es nicht mehr erleben. Denn die Deutschen, der Teufel solle sie alle holen, seien noch stark, und die Alliierten hätten es leider nicht sehr eilig: »Diese Herrn treffen sich hier und da, sie haben es gemütlich: In Teheran[22] gibt es für sie immer reichlich zu essen und genug Wodka. Sie haben es bestimmt auch warm. Deshalb dauert der

---

[19] Verändert, verfälscht.

[20] Nacherzählend zusammenfassen.

[21] Name einer politisch-kulturellen Wochenzeitung, mit der der Reichsminister für Volksaufklärung und Propaganda (Joseph Goebbels) Leser im In- und Ausland erreichen wollte; die Auflage betrug rund 1,4 Millionen im Jahr 1944.

[22] In der iranischen Hauptstadt fand Ende 1943 eine entscheidende Konferenz der wichtigsten Kriegsgegner Deutschlands (der Alliierten) statt, zu der die Regierungschefs Winston Churchill (Großbritannien), Franklin D. Roosevelt (USA) und Josef Stalin (Sowjetunion) angereist waren.

Krieg so lange. Dass es in Warschau einen Setzer Bolek gibt, der zwei Freunde durchbringen möchte – das wissen diese Herrn nicht.«

In dem Haus, in dem sich nur ein einziges Buch finden ließ – leider war es nicht die Bibel, sondern ein ganz sauberes, offenbar nie benutztes Gebetbuch –, las ich vor allem das Feuilleton[23] des »Reichs«. Ich las es, offen gesagt, nicht ohne Vergnügen. Doch war dies nicht meine einzige Beschäftigung mit der Literatur. So unglaubhaft es auch anmuten mag – hier fand ganz unerwartet meine Wiederbegegnung mit der Literatur statt, mit der deutschen zumal.

#10 In Boleks Häuschen gab es zwar elektrisches Licht, aber es wurde in dem ganzen Vorort oft abgeschaltet. Man war dann auf Petroleum- oder Karbid-Lampen angewiesen, von denen man nur Gebrauch machte, wenn es für die Arbeit, also für das Herstellen von Zigaretten, benötigt wurde. So schlecht diese Beleuchtung auch war, billig war sie keineswegs. Also saß man im Dunkeln und unterhielt sich über alle möglichen Dinge, stets lauschend, ob sich nicht jemand dem Haus nähere.

Eines Tages kam Boleks Frau auf die Idee, ich solle mal was erzählen, am besten eine spannende Geschichte. Von diesem Tag an erzählte ich täglich, sobald es dunkel geworden war, dem Bolek und seiner Genia allerlei Geschichten – stundenlang, wochenlang, monatelang. Sie hatten nur einen einzigen Zweck: die beiden zu unterhalten. Je besser ihnen eine Geschichte gefiel, desto besser wurden wir belohnt: mit einem Stück Brot, mit einigen Mohrrüben. Ich habe keine Geschichten erfunden, keine einzige. Vielmehr erzählte ich, woran ich mich erinnern konnte: In der düsteren, kümmerlichen Küche bot ich meinen dankbaren Zuhörern schamlos verballhornte[24] und auf simple[25] Spannung reduzierte[26] Kurzfassungen von Romanen und

[23] Kulturteil.
[24] Entstellend und verkürzt, auch verulkend wiedergeben.
[25] Schlicht, einfach.
[26] Reduzieren: vereinfachen, verknappen.

Novellen, Dramen und Opern, auch von Filmen. Ich erzählte den »Werther«, »Wilhelm Tell« und den »Zerbrochnen Krug«, »Immensee« und den »Schimmelreiter«, »Effi Briest« und »Frau Jenny Treibel«, »Aida«, »Traviata« und »Rigoletto«.[27] Mein Vorrat an Themen und Geschichten war, wie sich erwies, enorm, er reichte für viele, viele Winterabende.

Ich konnte mich davon überzeugen, welche literarische Figuren und welche Motive auf einfache Menschen wirkten. Bolek und Genia war es ganz gleichgültig, von wem die Geschichte über den alten König stammte, der sein Reich unter drei Töchtern aufzuteilen gedachte. Den Namen Shakespeare hatten sie nie gehört. Aber mit dem König Lear[28] hatten sie Mitleid. Bolek dachte, wie er mir nachher verriet, an sich und seine Kinder – obwohl er buchstäblich nichts zu vererben hatte. Die Überlegungen und Konflikte Hamlets[29] waren ihm hingegen fremd.

Aber »Kabale und Liebe« hat ihn ernsthaft aufgeregt: »Weißt du, ich habe diesen Wurm gekannt, genau so einer hat in unserer Druckerei gearbeitet.«[30] Zu meiner Verblüffung hat auf ihn den größten Eindruck ein ganz anderes Drama ge-

---

27 »Werther«: Roman Goethes; »Wilhelm Tell«: Drama Schillers; »Der zerbrochene Krug« (UA 1808/1811): Komödie Kleists; »Immensee« und »Der Schimmelreiter«: Novellen Storms; »Effi Briest« und »Frau Jenny Treibel« (1893): Romane Fontanes; »Aida« (UA 1871), »La Traviata« (UA 1853) und »Rigoletto« (UA 1851): Opern Verdis.

28 In Shakespeares Tragödie »König Lear« will der alte König sein Reich unter seinen drei Töchtern so aufteilen, dass diejenige, die ihn am meisten liebt, den größten Teil davon erhält; doch jene Tochter, die ihn tatsächlich am meisten liebt, ist zur Erklärung ihrer Liebe nicht in der Lage, was den lieblosen anderen beiden Töchtern ohne Mühe gelingt – worauf diese zwei das Reich unter sich aufteilen können und die dritte verstoßen wird. Zu spät erkennt der Vater seinen Irrtum.

29 Siehe Seite 101, Fußnote 52.

30 In Schillers Drama »Kabale und Liebe« (UA 1784), das der Autor »Ein bürgerliches Trauerspiel« nannte, spielt die Nebenfigur Wurm eine entscheidende Rolle: Der niederträchtige Sekretär des Präsidenten ersinnt eine bösartige List, um dessen Sohn von der Liebe zu einem Bür-

macht – wohl auch deshalb, weil ich es mit besonderem Engagement[31] und vielleicht besonders anschaulich erzählt habe. Als ich fertig war, äußerte er sich klar und entschieden:

»Der Teufel soll die Deutschen holen, alle zusammen. Aber dieser Herr Hamburg, der gefällt mir. Er hat Schiss vor dem Tod – wie wir alle. Er will leben. Er pfeift auf Ruhm und Ehre. Ja, das gefällt mir. Ich sage es dir: Dieser Deutsche, der Teufel soll sie alle holen, ist der Mutigste von ihnen. Er hat Angst, aber er schämt sich nicht, er redet offen von seiner Angst. Solche, die leben wollen, die lassen auch andere leben. Ich glaube, dieser Herr Hamburg trinkt gern ein Gläschen Wodka und er gönnt auch anderen ein Gläschen. Schade, dass er nicht jetzt der Kommandant von Warschau ist. Dieser Deutsche, der Teufel soll sie alle holen, er würde niemanden hinrichten lassen. Komm, trinken wir auf die Gesundheit des deutschen Herrn Hamburg.«

Er schenkte ein: je ein Gläschen Wodka, ausnahmsweise auch für Tosia und für mich. Jedes Mal, wenn ich am Kleinen Wannsee bin, denke ich an Bolek, der die Deutschen zu allen Teufeln wünschte und der auf das Wohl des Prinzen Friedrich von Homburg[32] trank. Ich verneige mich im Geist – vor dem

germädchen zu kurieren, indem er das Mädchen unter Druck setzt und dazu bringt, sich selbst fälschlich der Untreue zu bezichtigen – das Ergebnis ist am Ende der gemeinsame Tod des Liebespaars und die Entlarvung des Präsidenten als Mitwisser des Lügenspiels, der Intrige.

[31] Anteilnahme, innere Beteiligung.
[32] Hauptfigur in Kleists Drama »Prinz Friedrich von Homburg«: Der verliebte und ruhmsüchtige General einer Reiterstaffel zieht gegen den ausdrücklichen Befehl seines Kurfürsten verfrüht in die Schlacht und wird – trotz siegreichen Ausgangs dieser Schlacht – wegen Befehlsverweigerung zum Tode verurteilt, worauf er bei der Kurfürstin und der Prinzessin, die er liebt, um Gnade und sein Leben fleht. Es wird ihm am Ende geschenkt, nachdem er seine eigene Schuld und die Berechtigung des Schuldspruchs anerkennt. Der Autor, Heinrich von Kleist, erlebte die Uraufführung im Jahre 1821 nicht: Er erschoss sich 1811 zusammen mit seiner Freundin Henriette Vogel am Wannsee in Berlin.

preußischen Dichter, der hier sein Leben beendete, und vor dem Warschauer Setzer, der sein Leben aufs Spiel setzte, um das meinige zu retten._\

Sosehr es mich freute, dass meine Geschichten die beiden Zuhörer interessierten, sosehr stimmten sie mich selber eher elegisch[33]. Ich dachte, die Zeit, da ich die deutsche Literatur zu meinem Beruf hatte machen wollen, sei unwiederbringlich vorbei. Für solche Sorgen haben die Juden einen schönen Ausdruck: seidene Zores. Denn nach wie vor mussten wir täglich, ja, stündlich um unser Leben bangen. Es gab Tage, an denen Bolek das Ganze satt hatte und uns loswerden wollte. Hatte er Angst vor den Deutschen, fürchtete er, man werde uns finden und ihn erschießen? Natürlich spielte das eine wichtige Rolle, doch leichtsinnig wie er war, nahm er die schreckliche Bedrohung nicht gar so ernst. Aber es war aufrichtig, wenn er uns sagte: »Es geht nicht mehr. Ihr müsst euch auf den Weg machen. Wir haben euch eine Weile geholfen, jetzt sollen es andere tun. Sonst werden wir hier alle zusammen verhungern.«

Wann immer er uns hinauswerfen wollte, redete Genia auf ihn ein: »Die sollen noch bei uns bleiben. So lange haben wir es zusammen durchgehalten, vielleicht werden wir es doch schaffen.« Wann immer Genia die Geduld verlor, war er derjenige, der verkündete: »Verflucht noch mal. Wir werden es schon schaffen, den Deutschen, der Teufel soll sie alle holen, zum Trotz.« Wir wurden weiter von unseren Beschützern verborgen gehalten, wir produzierten nach wie vor in nächtlichen Stunden Tausende von Zigaretten, und ich erzählte weiter an langen Abenden von liebenden Mädchen, jungen Prinzen und alten Königen, von Wintermärchen und Sommernachtsträumen.[34]

Nach wie vor mussten wir schrecklich hungern, auch dann,

<hr />

33 Wehmütig.
34 Anspielung auf Shakespeares Tragikomödien »Das Wintermärchen« (UA 1611) und »Ein Sommernachtstraum« (UA vor 1600).

als eine Verwandte von Tosia auf komplizierten Umwegen kleine Beträge schickte. Mitunter reichte das Geld nicht einmal für den Wodka, den allerbilligsten. Plötzlich hatte Bolek einen originellen Einfall. Schulen existierten nicht, doch ließen viele Eltern ihre Kinder in Privatzirkeln unterrichten, die man »konspirative Kurse«[35] nannte. Bolek bot den Nachbarn an, er könne deren Kindern die Schularbeiten abnehmen. Allerdings sei er zu nervös, um Derartiges in Gegenwart der Kinder zu machen, er müsse die Hefte nach Hause mitnehmen. Die Aufgaben wurden dann von uns gemacht: Tosia war zuständig für polnische Grammatik und Aufsätze, ich für Rechnen und Arithmetik. Bolek bekam dafür kein Geld, wohl aber wurde er von den Nachbarn häufig mit Wodka bewirtet – und darum ging es ihm. Mehr noch: Rasch wuchs sein Ansehen in der ganzen Siedlung – auch daran war ihm gelegen. Er war uns für die Hilfe dankbar, und wir waren froh, dass wir nützlich sein konnten.

Im Juni 1944 sagte mir Bolek überraschend, er müsse mit mir über eine sehr ernste, eine gefährliche Angelegenheit reden. Das sah nicht gut aus, aber mir fiel auf, dass er in einem anderen Ton als sonst mit mir sprach. Er genierte sich, etwas war ihm wohl sehr unangenehm. Schließlich rückte er mit der Sprache heraus: Kurz bevor wir zu ihm gekommen waren, hatte er etwas getan, wovon wir bisher nichts wussten und was er nun nicht mehr verheimlichen konnte: Er hatte die Zuerkennung des Volksdeutschtums beantragt – für ihn, für seine Frau und für die beiden Kinder. Ein Onkel habe ihn dazu überredet, vor allem mit dem Hinweis auf die üppigen Lebensmittelkarten.

In einer schwachen Stunde habe Bolek das Antragsformular unterschrieben, in trunkenem Zustand – was ich für durchaus wahrscheinlich hielt und was er nun, zu seiner Rechtfertigung, mehrfach wiederholte. Mit Deutschland hat er nie im Leben

---

35 Konspirativ: verschwörerisch; hier sind Kurse gemeint, die heimlich stattfinden.

etwas zu tun gehabt, und er konnte natürlich kein Wort
Deutsch. Jedoch: Genia war vor ihrer Ehe evangelisch – und das
reichte im Generalgouvernement Polen aus, um als Volksdeut-
scher akzeptiert zu werden, zumal in den letzten Kriegsjahren,
da kein Pole daran dachte, mit den Deutschen gemeinsame Sache zu machen.

Monatelang blieb der Antrag unbeantwortet, Bolek hatte
schon gehofft, das Ganze sei in Vergessenheit geraten. Da habe
er plötzlich den Bescheid erhalten, seine Angelegenheit sei
günstig erledigt[36]: Er wurde aufgefordert, die deutschen Papiere
und die entsprechenden Lebensmittelkarten sofort abzuholen.
Er wusste nicht, was er tun sollte: Die sowjetische Armee hatte
schon das Gebiet des ehemaligen polnischen Staates erreicht,
man konnte sich leicht ausrechnen, dass sie innerhalb von einigen Wochen am Ufer der Weichsel stehen würde. Im befreiten
Polen werde man die Verräter, die, vom Judaslohn[37] gelockt,
zum Feind übergelaufen waren, aufhängen oder zumindest in
ein Lager sperren: »Wenn ich aber« – versuchte mich Bolek zu
überzeugen – »diese Vorladung[38] in den Lokus[39] werfe und mich
überhaupt nicht melde, dann werden die Deutschen, der Teufel
soll sie holen, schon den Braten riechen. Die Gestapohunde werden mich rufen und verhören und vielleicht auch eine Hausdurchsuchung anordnen – und ihr seid geliefert.«

Eine Hausdurchsuchung? Das schien mir übertrieben, doch
nicht ganz ausgeschlossen. Jedenfalls war die Situation bedrohlich. Die Behauptung Anteks, sein Bruder sei ein Deutscher,
war zwar nicht richtig gewesen, aber, wie sich herausstellte,
auch nicht ganz aus der Luft gegriffen. Mein Ratschlag war
einfach: Was geschehen sei, könne man nicht mehr ungesche-

---

36 Hier: positiv beantwortet.
37 Bezahlung für einen Verrat, eine gemeine Tat (nach Judas, der für
   seinen Verrat an Jesus Geld erhielt).
38 Amtliche Aufforderung, vor Gericht oder bei einer bestimmten Behörde zu erscheinen.
39 Umgangssprachlich für: Toilette (lat. locus, der Ort).

hen machen. Er müsse das ihm jetzt fatalerweise zuerkannte Volksdeutschtum annehmen und es vor den Nachbarn und Bekannten strikt verheimlichen.

Sollten wir überleben und sollte der wiedererstandene polnische Staat ihn wegen des verfluchten Volksdeutschtums zur Verantwortung ziehen, dann würde ich (versprach ich ihm) vor Gericht als Zeuge auftreten und unter Eid aussagen, dass er, Bolek, das Volksdeutschtum auf meine Bitte hin beantragt habe, um uns besser schützen und retten zu können. Doch ist alles anders gekommen: Niemand hat von Boleks peinlichem Fehltritt erfahren, seine Akten wurden offenbar während des Warschauer Aufstands von 1944 vernichtet. Der Meineid[40], den ich, ohne mit der Wimper zu zucken, geschworen hätte — er war nicht nötig.

Inzwischen verfolgten wir mit wachsender Ungeduld den Vormarsch der Russen: Nur die sowjetische Armee konnte unser Leben retten. Je näher sie war, desto größer war unsere Furcht, noch im letzten Augenblick von den Deutschen aufgespürt und ermordet zu werden. Im August 1944 kam noch ein fataler Umstand hinzu: In der unmittelbaren Nachbarschaft des Häuschens, in dem wir verborgen waren, baute die Wehrmacht eine Verteidigungslinie auf. Die Hütten und Häuser wurden nacheinander gesprengt, ein Schussfeld sollte entstehen.

Auch unser Haus hatte man für die Sprengung vorgesehen. Dies wäre für uns die allerschlimmste Katastrophe gewesen. Wo hätten wir, zwei ausgemergelte und in Lumpen gehüllte Juden, die überdies nichts besaßen, nicht einen Pfennig, denn Unterschlupf finden können? Wir wären wenige Wochen, vielleicht wenige Tage vor der Befreiung mit Sicherheit umgekommen. Aber das Unglaubliche geschah: Das Häuschen wurde schließlich doch nicht gesprengt. Es war wohl nicht mehr nötig, oder es war schon zu spät.

---

[40] Eid, mit dem wissentlich oder fahrlässig etwas Unwahres beschworen wird.

Anfang September 1944 gab es keinen Zweifel mehr, dass die deutsche Besatzung nur noch wenige Tage dauern würde. Am 7. September war morgens gegen neun Uhr ein ungeheuerlicher Kriegslärm zu hören, alles bebte – und unsere Laune wurde immer besser: Nie habe ich Krach mehr genossen, nie hat mir Lärm mehr gefallen. Denn das war die Rote Armee[41], das war ihre von uns erwartete, erhoffte, ersehnte Offensive[42]. Schon nach einer Viertelstunde war unser Haus zwischen den Fronten: Aus dem Fenster der westlichen Seite sah man, erschreckend nahe, deutsche Artilleristen[43], auf der östlichen in einiger Entfernung – wir trauten unseren Augen nicht – tatsächlich russische Infanteristen[44]. Diese höchst bedrohliche Lage dauerte nicht lange, etwa eine halbe Stunde. Dann pochte jemand kräftig, offenbar mit einem Gewehrkolben, an die Haustür. Zitternd und mit erhobenem Haupt öffnete Bolek die Tür. Vor ihm stand ein müder russischer Soldat und fragte laut: »Nemzew njet ...?« – »Keine Deutschen hier?« Wo wir fünfzehn Monate unentwegt fürchten mussten, jemand würde an die Tür klopfen und fragen: »Keine Juden hier?«, wo diese Frage noch vor einer Stunde für uns den Tod bedeutet hätte, da wurden jetzt Deutsche gesucht.

Bolek verneinte und rief mich. Er nahm an, mir würde es eher gelingen, mich mit dem russischen Soldaten zu verständigen. Dieser schaute mich scharf an und fragte: »Amchu?« Ich hatte keine Ahnung, dass es sich um ein in Russland gebräuchliches Wort handelt (es bedeutet etwa: »Gehörst du auch dem Volk an?«), mit dem sich Juden vergewissern, dass ihr Gesprächspartner ebenfalls Jude sei. Da er meine Ratlosigkeit sah, formulierte er die Frage direkt: Ob ich ein »Jewrej« sei? Dies ist die russische Vokabel für »Hebräer«. Ich antwortete rasch: »Ja,

---

[41] Bezeichnung für die Streitkräfte der Sowjetunion.
[42] Großer, umfassender Angriff einer Armee.
[43] Soldaten der Artillerie, also mit Geschützen ausgerüstete Truppen des Heeres.
[44] Soldaten, die mit der Waffe in der Hand kämpfen.

ich, Hebräer.« Lachend sagte er: »Ich auch Hebräer. Mein Name Fischmann.« Er drückte mir fest die Hand und versicherte, er werde bald wiederkommen, jetzt aber habe er es eilig: Er müsse dringend nach Berlin.

Waren wir also frei? Bolek meinte, wir müssten noch über Nacht bleiben, denn die Russen könnten ihre Front zurückziehen, und die Deutschen, der Teufel soll sie holen, könnten vorübergehend wiederkommen. Am nächsten Morgen verabschiedeten wir uns: Zwei geschwächte, ausgehungerte, jämmerliche Menschen machten sich auf den Weg. Bolek murmelte: »Wir werden euch niemals wiedersehen.« Doch schien mir, dass er bei diesen Worten freundlich lächelte. Genia fuhr ihn an: »Red keinen Scheißdreck!«

Wir wollten schon aufbrechen, da sagte Bolek: »Ich hab hier etwas Wodka, lasst uns ein Gläschen trinken.« Ich spürte, dass er uns noch etwas mitzuteilen hatte. Er sprach ernst und langsam: »Ich bitte euch, sagt niemandem, dass ihr bei uns gewesen seid. Ich kenne dieses Volk. Es würde uns nie verzeihen, dass wir zwei Juden gerettet haben.« Genia schwieg. Ich habe lange gezögert, ob ich diesen erschreckenden Ausspruch hier anführen soll. Wir, Tosia und ich, haben ihn nie vergessen. Aber wir haben auch nie vergessen, dass es zwei Polen waren, denen wir unser Leben verdankten, Bolek und Genia.

Wir standen auf und verabschiedeten uns noch einmal. In wessen Augen gab es damals Tränen? In Boleks oder Genias? In Tosias Augen oder in meinen? Ich weiß es nicht mehr. Erst nach zwei oder drei Monaten konnte ich Bolek und Genia besuchen. Ich war damals beim Militär und trug einen Offiziersmantel. Bolek sah mich nachdenklich an und sagte knapp: »Ich habe also der polnischen Armee einen Offizier geschenkt.«

Wir hatten Bolek und Genia versprochen, dass wir uns nach dem Krieg, sollten wir ihn in ihrem Haus überleben, schon auf eine angemessene Weise materiell erkenntlich zeigen würden. Bis heute sind wir in Kontakt mit der einzigen Überlebenden der Familie, mit der Tochter von Bolek und Genia. Aber ist es möglich, ist es vorstellbar, auf eine angemessene Weise das

Risiko zu vergelten, das die beiden eingegangen sind, um unser Leben zu retten? Nein, es war nicht die Aussicht auf Geld, die Bolek und Genia veranlasste, so zu handeln, wie sie gehandelt haben. Es war etwas ganz anderes – und ich kann es nur mit großen längst abgegriffenen Worten sagen: Mitleid, Güte, Menschlichkeit.

Der erste Schuss, der letzte Schuss[1]

Wir waren frei. Wie oft hatten wir diesen Augenblick ersehnt, wie oft hatten wir ihn uns vorgestellt. Waren wir jetzt in Hochstimmung, fröhlich, gar glücklich? Wir hatten keine Zeit, darüber nachzudenken, und wir hatten immer noch Angst: Wir fürchteten, die Deutschen könnten wiederkehren – für einen Tag oder zwei, also wahrlich lang genug, um uns zu finden und zu ermorden. Wir waren frei, aber schwach und elend, dreckig und verlaust und in schmutzige Lumpen gehüllt, wir hatten keine richtigen Schuhe. Wir waren frei, aber sehr hungrig – und nirgends gab es etwas zu essen. Was tun, wohin gehen? Wir mussten etwas unternehmen, um nicht gleich nach der Befreiung auf der belebten Chaussee[2] zusammenzubrechen und vielleicht zu verrecken.

Sowjetische und polnische Soldaten, Lastwagen und Pferde, Personenautos, Schubkarren und Leiterwagen, Radfahrer und Fußgänger – alles gab es auf dieser Landstraße, alle waren unterwegs, in verschiedene Richtungen, alle eilten irgendwohin. Die siegreiche Rote Armee war in einem beklagenswerten Zustand. Die Soldaten waren übermüdet und ungenügend versorgt. Ihre Uniformen sahen oft jämmerlich aus. Die Fleischkonserven, die sie erhielten, stammten aus den Vereinigten Staaten oder aus Kanada. Kein Soldat verstand die englische Aufschrift auf den Dosen: Sie warnte vor dem Genuss dieser Konserven. Denn sie waren nicht für Menschen, sondern für das Vieh bestimmt. Zigaretten erhielten nur die Offiziere, die

---

[1] In der vollständigen Ausgabe von Marcel Reich-Ranickis Autobiografie ist »Der erste Schuss, der letzte Schuss« bereits das erste Kapitel des dritten Teils (von 1944 bis 1958).
[2] Befestigte, ausgebaute Landstraße.

gewöhnlichen Soldaten bekamen Tabak und drehten sich Pfeifen aus Zeitungspapier. Besonders geeignet war hierzu das Papier der »Prawda«[3]; damit hing, wie man hörte, die gigantische Auflage dieser Zeitung zusammen.

Um uns kümmerte sich niemand. Wir fielen auch nicht auf, denn es fehlte nicht an Menschen, die ebenso erbärmlich aussahen wie wir. Alle, ob in Uniform oder in Zivil, befassten sich mit sich selbst. Wir waren kaum zwei oder drei Kilometer von Boleks Haus entfernt, als ein polnischer Offizier auf uns zukam. Er kommandierte: »Halt«. Und fragte: »Seid ihr Juden?« Da wir wohl zusammenfuhren, sagte er rasch: »Habt keine Angst, ich bin auch Jude.« Ob wir vielleicht im Warschauer Getto gewesen wären – und ob wir dort eine Esther Rosenstein gekannt hätten? Wie alle Juden, die mit der sowjetischen Armee gekommen waren, suchte er seine Angehörigen. Leider konnten wir ihm keine Auskunft über seine Schwester geben.

Wir sollten uns so schnell wie möglich von der Front entfernen und nach Lublin[4] fahren. Dort sei, belehrte er uns, das Zentrum, die provisorische[5] Hauptstadt des befreiten Teils von Polen, dort würde man uns schon helfen. Fahren – womit denn? Er hielt einen offenen Militär-Lastwagen an und befahl dem Fahrer, uns mitzunehmen. Wir fragten schüchtern, wo man etwas zu essen bekommen könne. Er gab uns je eine dicke Scheibe Brot – mit der Bemerkung: »Mehr hat euch die große Sowjetunion im Augenblick nicht zu bieten.«

Auf dem Lastwagen, der allerlei Waren transportierte, saßen schon mehrere Leidensgenossen. Man betrachtete uns nicht gerade mit Sympathie. Aber ein ordentlich gekleideter Pole sprach mich freundlich an. Nach einigen Minuten fragte er

---

3 »Wahrheit«: Russische Tageszeitung, die 1912 erstmals erschien, zur kommunistischen Propaganda genutzt und in der Sowjetunion zur größten Zeitung wurde (mit bis zu 14 Millionen Exemplaren täglich).
4 Stadt in Polen, etwa 150 Kilometer südöstlich der Hauptstadt Warschau.
5 Vorläufig, behelfsmäßig.

mich, den unrasierten und schmutzigen Landstreicher: »Sie sind wohl Jurist?« So heruntergekommen ich war, etwas war offenbar geblieben und hatte ihn zu seiner Vermutung veranlasst: die Sprache – oder vielleicht die logische Argumentation. Mein Alter schätzte er auf knapp fünfzig. Ich war damals vierundzwanzig.

Nachdem wir mit anderen Flüchtlingen in einer Scheune übernachtet hatten, kamen wir am nächsten Tag in Lublin an. Die erste Nacht verbrachten wir in einem schrecklichen Obdachlosenheim – bisher kannte ich solche Häuser bloß aus Gorkis »Nachtasyl«[6] –, dann erhielten wir eine einmalige, bescheidene Unterstützung. Sie reichte für einige billige Kleidungsstücke, die wir auf dem Marktplatz kauften. Nun schauten wir etwas menschlicher aus. Wir sahen uns an und bemühten uns, ein wenig zu lächeln. Tosia fragte: »Also haben wir wirklich überlebt?« Ich tat etwas, was in jener Zeit auf der Straße nicht üblich war. Ich küsste sie. Ein vorbeigehender älterer Soldat zeigte uns einen Vogel.

Wenige Tage später haben wir uns freiwillig zum Militärdienst gemeldet, zur polnischen Armee. Sie unterstand dem sowjetischen Oberbefehl, war also ein Teil der Roten Armee. Diese Entscheidung ist heute schwer zu verstehen. Jedenfalls hatte sie mit Heldentum nichts gemein. Nur hielten wir es für unsere selbstverständliche Pflicht, im Rahmen unserer Möglichkeiten wenigstens im letzten Augenblick zum Kampf gegen jene beizutragen, die die Unsrigen ermordet und uns gepeinigt hatten. Dass man im Militär zu essen bekam und überdies eine Uniform, mag dabei auch eine Rolle gespielt haben.

Ein Militärarzt untersuchte uns. Wir wurden abgelehnt – weil unterernährt und abgemagert, weil viel zu schwach.

---

[6] Drama (UA 1902) des russischen Schriftstellers Maxim Gorki (1868–1936): Die Helden des Stücks sind die Ärmsten der Gesellschaft, Obdachlose, Gescheiterte, Verbrecher – sie alle sind in einer Bruchbude untergekommen, deren elende Zimmer, Ecken und Verschläge von einem Ehepaar vermietet werden.

Immerhin fragte uns ein verwunderter Personalreferent, womit wir uns in der Armee denn nützlich machen könnten. Ich hätte, sagte ich, an eine Propaganda-Abteilung gedacht, zumal an eine Einheit, die deutsche Soldaten zur Kapitulation[7] aufrufe und zu diesem Zweck Flugblätter in deutscher Sprache und ähnliche Materialien bearbeite. Dass einer, der in Berlin aufgewachsen war und dort bis Ende 1938 gelebt hatte, sich für eine solche Tätigkeit eignete, leuchtete ein. Und Tosia könne vielleicht, meinten wir, in einer grafischen Werkstatt – denn auch eine solche gab es in der Armee – arbeiten. Auch das leuchtete ein.

Wir hatten uns durchgesetzt, wir wurden mobilisiert[8]. Wieder mussten wir uns auf den Weg machen – zu der Einheit, der man uns zugeteilt hatte. Ein erbärmliches Dorf, gelegen inmitten einer trostlosen Einöde im östlichen Teil Polens, war unser Ziel. Mit verschiedenen Militärautos gelangten wir wenigstens in die Nähe dieses Dorfes. Den Rest des Weges, vier oder fünf Kilometer, hatten wir zu Fuß zurückzulegen.

Erfreulicherweise waren wir nicht allein. Dasselbe Ziel hatte auch ein Zivilist[9]. Sein schönes, allzu schönes Polnisch fiel mir auf. Er war, wie er uns gleich erzählte, ein Berufsschauspieler, den man zum Fronttheater kommandiert hatte. Es dauerte nicht lange, und er stellte seinen kleinen Koffer, einen Holzkoffer (Lederkoffer hatten in dieser Armee nur höhere Offiziere), auf die Erde, auf den schmalen Weg zwischen weiten Feldern und brachliegenden Äckern. Im Lichte der noch warmen Nachmittagssonne begann er zu deklamieren[10] – laut, pathetisch und mit ausladenden Gebärden.

Die Situation war unmissverständlich: Einer, der seinen Beruf lange nicht mehr hatte ausüben können, war glücklich, zwei, wie er vermutete, nicht ganz ungebildete junge Menschen als Zuhörer seiner Darbietung gefunden zu haben. Aber

---

7 Aufgabe, Niederlegung der Waffen.
8 Militärisch: einberufen, zur Armee verpflichtet werden.
9 Jemand, der nicht dem Militär angehört.
10 Laut aufsagen, vortragen.

welchen Text hatte er für diesen spontanen Freilicht-Auftritt ausgewählt? Der Schauspieler sprach eine Rede aus dem historischen Drama »Uriel Acosta«, einem Werk des ehrenwerten, verdienstvollen deutschen Autors Karl Gutzkow[11]. Das im neunzehnten Jahrhundert erfolgreiche Stück war vor dem Zweiten Weltkrieg bisweilen auch in Polen aufgeführt worden, wohl vor allem dem jüdischen Publikum zuliebe.

Der im Mittelpunkt dieses Dramas stehende Philosoph Uriel Acosta, der jüdischer Herkunft ist, aber als Kind getauft wurde, wendet sich in seiner großen Rede vom Christentum ab und bekennt sich, stolz und trotzig, zum Judentum: »So will ich leiden mit den Leidenden – / Ihr dürft mir fluchen! Denn ich bin ein Jude!« Er hatte es gut gemeint, der Schauspieler, er wollte uns eine Freude bereiten. Dennoch war uns nicht ganz wohl. Warum? Wir wussten es vorerst nicht, jedenfalls nicht genau.

Ludwig Börne beklagte sich einmal: »Es ist wie ein Wunder! Tausend Male habe ich es erfahren, und doch bleibt es mir ewig neu. Die einen werfen mir vor, dass ich ein Jude sei; die anderen verzeihen mir es; der dritte lobt mich gar dafür; aber alle denken daran.«[12] Mich verblüfft, dass Börne dies für »ein Wunder« halten konnte und sich damit nicht abfinden wollte. Schließlich stammt seine Äußerung aus dem Jahr 1832, es waren also seit der Emanzipation der Juden erst zwei Jahrzehnte vergangen. Es scheint mir selbstverständlich, dass ihm zu diesem Zeitpunkt und unter diesen Umständen versagt bleiben musste, wonach er sich sehnte: die normale Existenz als gleichberechtigter Bürger, das – wie die etwas ältere Rahel Varnhagen[13], geborene

[11] Drama (UA 1836) des deutschen Schriftstellers (1811–1878).
[12] Der deutsche Publizist und Schriftsteller Ludwig Börne (1786–1837) schrieb dies 1832 in seinen »Briefen aus Paris«.
[13] Rahel Varnhagen von Ense (1771–1833), die in Berlin einen »Literarischen Salon« führte, litt zeit ihres Lebens unter ihrer jüdischen Herkunft und trat 1814 zum Christentum über, denn auch zu ihrer Zeit wurden Juden von der herrschenden nichtjüdischen Gesellschaft ausgegrenzt.

Levin, schrieb – »natürlichste Dasein«, dessen sich doch jede Bäuerin und jede Bettlerin erfreuen könne.

Und im Herbst 1944? Noch wurde an allen Fronten gekämpft, noch waren die deutschen Streitkräfte sehr stark, der Holocaust gehörte noch keineswegs der Vergangenheit an, Auschwitz[14] war noch nicht befreit. Und uns, die wir eilten, den Militärdienst anzutreten, die wir unser Ziel unbedingt vor Sonnenuntergang erreichen wollten, uns beunruhigte ein wenig, dass der brave polnische Provinzschauspieler, kaum war er uns begegnet, es für richtig hielt, uns Jüdisches zu bieten.

Ließ uns diese harmlose Sympathiekundgebung schon spüren, was uns in den kommenden Jahren und Jahrzehnten bevorstand? Ein Frankfurter Taxifahrer überrascht mich mit der Frage: »Kennen Sie Herrn Isaak Goldblum?« Ich verneine, er sagt: »Sie sehen ihm ähnlich.« Ich steige am Hamburger Flughafen in ein Taxi ein. Der Fahrer, ein Deutscher, fragt mich (nicht unfreundlich): »Kommen Sie aus Tel-Aviv?«

Als mir diese Frage wiederholt gestellt wurde, habe ich mich nicht mehr mit der Antwort begnügt, ich käme aus München oder Stuttgart, aus Wien oder Stockholm, sondern gleich hinzugefügt: »Aber Sie haben schon Recht, ich bin ein Jude.« Auf der Straße in Wiesbaden hält mich eine Frau an, sie wünscht ein Autogramm. Sie vergewissert sich: »Sie sind doch der Herr Bubis?«[15] In einem Salzburger Restaurant möchte ich telefonieren, ein Stadtgespräch nur. »Ich dachte« – wird mir gesagt –, »Sie wollten Jerusalem anrufen.«

Derartiges kam vor zwanzig oder dreißig Jahren ungleich häufiger vor. Doch noch unlängst wurde ich gefragt, was ich da-

---

14 Befreiung durch die Rote Armee am 27. Januar 1945; das Konzentrationslager Auschwitz ist als Mordstätte der Nationalsozialisten besonders berüchtigt und bis heute Inbegriff des Mordes an den europäischen Juden.

15 Gemeint ist Ignatz Bubis (1927–1999), von 1992 bis 1997 Vorsitzender des Zentralrats der Juden in Deutschland, danach dessen Präsident.

von hielte, dass Israel die Palästinenser misshandle. »Jeder Jude ist für ganz Israel verantwortlich« – schrieb ein jüdischer Publizist vor dem Ersten Weltkrieg. Gilt das alles nur für Deutschland oder Österreich? Seit vielen Jahren verbringen wir unseren Urlaub meist in der Schweiz. Natürlich besuchen wir gern Lokale, zumal solche, in denen zur Unterhaltung der Gäste ein Pianist spielt. Kaum einer lässt es sich nehmen, uns auf besondere Weise zu begrüßen: Es ist so gut wie immer derselbe weltberühmte Schlager, der uns als Leitmotiv zugedacht wird – »If I Were a Rich Man« (»Wenn ich einmal reich wär'«) aus dem Musical »Fiddler on the Roof«, das in einem ostjüdischen Dorf spielt und in Deutschland unter dem Titel »Anatevka« bekannt ist, ein Werk, das ich, um es gelinde auszudrücken, weder liebe noch schätze. Aber ich winke dem Pianisten freundlich zu. Er meint es ja so gut – wie der Schauspieler, der auf dem sandigen polnischen Weg Gutzkows feierlichen Monolog rezitierte. Sind wir ungerecht, weil überempfindlich? Ja, gewiss. Überdies: Zwar haben wir es damals noch nicht gewusst, aber wohl schon geahnt: Wer zufällig verschont wurde, während man die Seinen gemordet hat, kann nicht in Frieden mit sich selber leben.

Abends kamen wir endlich in dem Dorf an, in dem wir uns einzustellen hatten. Am nächsten Tag meldete ich mich beim Ortskommandanten, wo sich gleich zeigte, dass die Propaganda-Einheit, die ich suchte, noch gar nicht existierte. Doch ihren künftigen Chef gab es schon: Es war ein Oberleutnant, was mich nicht beeindruckte, und er hieß Stanisław Jerzy Lec[16], was mich, der ich schon eine Uniform trug, respektvoll die Hacken zusammenschlagen ließ – im Geiste natürlich. Denn Lec, ein im noch österreichischen Lemberg geborener Jude, gehörte vor dem Krieg zu den besten polnischen Satirikern[17] der jungen Generation. Er war ein Poet und ein Schalk, ein Meister

[16] Stanisław Jerzy Lec (1909–1966): polnischer Schriftsteller.
[17] Satire: kritische (hauptsächlich literarische) Kunstform, in der mit Übertreibung, Spott und Verzerrung Wirkung erzielt wird.

mit der Narrenkappe. Er war ein Bursche von unendlichem Humor, voll von den herrlichsten Einfällen – wie der arme Yorick, der königliche Spaßmacher, dessen Totenschädel Hamlet[18] zu Tränen rührte.

Lec, der damals 35 Jahre alt war und mir ein wenig korpulent vorkam, residierte in einer bejammernswerten Bauernhütte. In seiner Stube befanden sich: ein einziger Stuhl, ein kleiner Tisch und ein Bett. Auf dem Stuhl saß er, der Oberleutnant, in einer nagelneuen Uniform. Er war in ein Manuskript vertieft und offensichtlich verärgert, dass ihn jemand störte. Ohne aufzublicken, fragte er mich militärisch knapp: »Können Sie Deutsch?« Dann stellte er mir ohne Übergang eine unerwartete, eine beinahe unglaubliche Frage. In diesem gottverlassenen Nest inmitten von scheußlichen Sümpfen und düsteren Wäldern wollte der Oberleutnant der polnischen Armee Stanisław Jerzy Lec von mir wissen: »Kennen Sie Brecht?«[19] Ich sagte: »Ja«, und da er mir offenbar nicht recht traute, kam gleich die nächste Frage: »Was?« Ich zählte einige Titel auf. Jetzt erst blickte er mich an, sein Gesicht hellte sich auf: Dass jemand in dieser abscheulichen Einöde von der »Hauspostille«[20] gehört hatte und vom »Aufstieg und Fall der Stadt Mahagonny«[21] – damit hatte er nicht gerechnet. Wir beide, Lec und ich, wir waren, dessen bin ich beinahe sicher, die Einzigen in der ganzen polnischen Armee, die den Namen Brecht kannten.

Ich musste mich auf das Bett setzen. Dann gab mir der ungewöhnliche Oberleutnant, dessen Kommandoton schon etwas

18 In Shakespeares »Hamlet« kommt bei einer Grabaushebung der Schädel des Hofnarren Yorick zum Vorschein, wird von Hamlet in die Hand genommen und betrachtet: der Schädel eines Mannes, der einst den Knaben Hamlet auf seinen Schultern herumtrug und mit ihm Späße machte – Anlass für den Prinzen, über die Vergänglichkeit des Menschen nachzudenken und zu trauern.
19 Bertolt Brecht (siehe Seite 84, Fußnote 2).
20 Gedichtsammlung Brechts (1927).
21 Drama Brechts (UA 1930).

ziviler wurde, einige Blätter, auf die ein längeres Gedicht von Brecht getippt war. Er werde mir die von ihm selber stammende polnische Übersetzung dieses Gedichts vorlesen. Ich solle prüfen, ob er alles einwandfrei verstanden und richtig übertragen habe. Dies war der erste Befehl, der mir in der polnischen Armee erteilt wurde. Sonderbar: Ob ich es wollte oder nicht, wohin ich kam, da war deutsche Literatur – gestern Gutzkow, heute Brecht.

Die Übersetzung war sehr gut. Um ihm aber zu beweisen, dass ich mich der Sache gewissenhaft annehme und mir die Materie nicht fremd sei, machte ich ihn auf zwei oder drei Stellen des gar nicht kurzen Gedichts aufmerksam. Sie seien zwar vorzüglich übersetzt, doch könne man sie vielleicht noch eine Spur besser machen; natürlich handle es sich bloß um Kleinigkeiten. Die Reaktion von Lec hat mich enttäuscht: Er war an meinen schüchternen Vorschlägen überhaupt nicht interessiert, er hörte mir kaum zu. Die Audienz[22] wurde rasch beendet. Erst viel später habe ich begriffen, welches Missverständnis hier vorgefallen war: Er wollte nicht, dass ich seinen Text kontrolliere oder gar korrigiere, sondern dass ich ihn lobe und bewundere, rühme und preise. 1944 hatte ich noch keine Erfahrungen im Umgang mit Schriftstellern.

[...]

Aus meinem Dienst in der Propaganda-Einheit, die Lec aufbauen sollte, ist nichts geworden. Denn wenige Tage nach meinem ersten Gespräch mit ihm kam ein Befehl, dass die polnische Armee auf diese Einheit verzichten werde – was ich sehr bedauerte. Wahrscheinlich war sie den Russen nicht genehm. Nun waren wir, Tosia und ich, schon mobilisiert, also musste man uns irgendwie verwenden. Der Personalreferentin, die sich darüber Gedanken machte – es gab viele Frauen in der polnischen Armee –, fiel auf, dass wir mehr oder weniger gut drei

---

[22] Gespräch mit einer hochgestellten Persönlichkeit, das zumeist eine besondere Ehre darstellt (wie etwa eine Audienz beim Papst).

Fremdsprachen beherrschten. Sie schickte uns zur militärischen Postzensur[23], die in einem benachbarten Dorf organisiert wurde.

Wir waren nicht unzufrieden. In seinen »Unfrisierten Gedanken«[24] fragt Lec: »Worte seien überflüssig? Und wo brächte man unter, was zwischen den Worten steht?« Das sollten wir suchen: Was zwischen den Worten und zwischen den Zeilen verborgen war. Wir hatten in Briefen und Postkarten – für Bücher und Zeitungen war diese Zensur nicht zuständig – einen geheimen Inhalt aufzudecken, den doppelten Boden ausfindig zu machen. Das schien uns eine überaus reizvolle Aufgabe. Später habe ich erfahren, dass bekannte Schriftsteller während des Krieges an Feldpostbriefen interessiert waren und gelegentlich die Zusammenarbeit mit der militärischen Zensur suchten – so in der habsburgischen Armee Robert Musil[25], so in der Wehrmacht Ernst Jünger[26].

Doch wie sollte es uns ohne entsprechende Ausbildung gelingen, das Verborgene, das Chiffrierte[27] zu entschlüsseln? Wir würden es schon erlernen, unseren Kommandanten seien bestimmt raffinierte Methoden bekannt, um jenen, die die Feldpost für ihre dunklen Machenschaften missbrauchen wollten, auf die Spur zu kommen. Unsere Arbeit in der Militärzensur würde, darüber waren wir uns im Klaren, höchsten Scharfsinn erfordern. Nun, tröstete ich mich, wir würden es schon schaffen. Bald stellte sich heraus, dass alles etwas anders war, als wir es in unserer Naivität vermutet hatten. Im Laufe der nächsten Tage trafen in dem Dorf, in dem die Zensur-Einheit stationiert

23 Dort werden Briefe geöffnet und kontrolliert, bevor sie zugestellt werden – z.T. nur mit Einschränkungen (mit geschwärzten, unleserlich gemachten Stellen) oder auch gar nicht.
24 Die Aphorismensammlung, die 1960 auch auf Deutsch erschien, machte den Autor über die Grenzen seines Landes hinaus bekannt.
25 Siehe Seite 101, Fußnote 51.
26 Deutscher Schriftsteller (1895–1998).
27 Etwas, das verschlüsselt, in einer Geheimschrift abgefasst ist.

war, die ihr zugeteilten Soldaten ein. Wir waren verwundert und rasch nahezu sprachlos: Denn die jungen Bauernsöhne, die kamen, fielen durch schlichte Geistesart auf. Während der fünf Jahre deutscher Besatzung in Polen war eine Generation von Halbanalphabeten[28] herangewachsen, jedenfalls von Menschen, deren Allgemeinbildung minimal war – und gerade das hatten ja die deutschen Behörden gewollt.

Was sollten diese Burschen in einer so delikaten[29] Institution wie der Zensur? Es würden bestimmt auch Wachtposten benötigt werden. Nur gab es jetzt weit und breit immer bloß Wachtposten zu sehen. Tatsächlich – wir erfuhren es rasch – sollten diese simplen Soldaten als Zensoren fungieren[30]. Das war die erste Überraschung. Die zweite: Sie waren gar nicht so schlechte Zensoren. Denn für diesen Beruf sind Fleiß und Gewissenhaftigkeit nötiger als Bildung und Intelligenz. Die Zensur hatte vor allem zu prüfen, ob in den Briefen – sie stammten meist von jungen Soldaten, die nach Hause schrieben – Militärgeheimnisse verraten wurden, ob also Angaben über die verwendeten Waffen enthalten waren oder über den Standort der jeweiligen Einheit. Überdies sollten Briefe mit mysteriösen[31] oder unverständlichen Mitteilungen und Anspielungen nicht durchgelassen werden. Alles, was dem Zensor bedenklich vorkam, hatte er einem Oberzensor vorzulegen, der sich, wenn er nicht selber entscheiden konnte, an einen Inspektor wenden sollte.

Da in der polnischen Armee unter sowjetischem Oberbefehl Abiturienten nur sehr selten zu finden waren und nicht einmal von Offizieren das Abitur erwartet wurde, hat man uns, obwohl wir doch von dem Dienst in der Zensur keine Ahnung hatten, sofort befördert: Tosia wurde Oberzensorin, ich – In-

---

[28] Menschen, die kaum lesen und schreiben können.
[29] Delikat: empfindlich, fein, lecker (bei Speisen); hier: heikel, behutsam und nur mit Vorsicht zu behandeln oder auszuführen.
[30] Hier: eingesetzt werden.
[31] Geheimnisvoll, rätselhaft.

spektor. An der Spitze der Einheit standen, wie damals üblich, zwei von der sowjetischen Armee delegierte Offiziere, die polnische Uniformen trugen und sich zur Not auch polnisch verständigen konnten. Dass es besonders intelligente Offiziere waren, konnte man beim besten Willen nicht sagen.

Wenn ich mich recht entsinne, gab es in der Zeit, in der wir in der Militärzensur tätig waren, keinen einzigen Fall von ernst zu nehmendem Geheimnisverrat. An Kuriosem[32] fehlte es nicht. Da man in Moskau schon einen kommunistischen deutschen Staat plante – Ulbricht[33] und seine Leute bereiteten sich auf die Reise nach Berlin vor –, da Stalins[34] schöne Losung galt, dass die Hitlers kommen und gehen, das deutsche Volk aber bleibe, waren mitten im Krieg gegen Deutschland antideutsche Äußerungen in Feldpostbriefen, sogar die harmlosesten, strengstens untersagt. Die Soldaten durften nicht schreiben: »Der Teufel hole alle Deutschen« oder »Wir jagen die deutschen Banditen«, vielmehr »Der Teufel hole alle Nazis (eventuell alle Hitleristen)« oder »Wir jagen die nazistischen, die hitlerschen Banditen«. Verwendete ein treuherziger Soldat das Wort »deutsch« in einem geringschätzigen, gar bösartigen Zusammenhang, dann musste es von dem Zensor mit Hilfe von Tinte unleserlich gemacht werden. Das intellektuelle Niveau der Zensur und deren technische Hilfsmittel hielten sich die Waage.

Dunkle Formulierungen, die die Zensoren auf den Plan riefen, fanden sich besonders oft in Briefen weiblicher Angehöriger der Armee. Da las man: »Mein Indianer kommt nicht.«

32 Kurios: seltsam, sonderbar.
33 Walter Ulbricht (1893–1973): deutscher Politiker, nach dem Zweiten Weltkrieg einer der Gründerväter der Sozialistischen Einheitspartei Deutschlands (SED) und lange Zeit Vorsitzender des Staatsrats der DDR.
34 Josef Stalin (1879–1953): sowjetischer Politiker und Diktator, schloss zunächst mit Hitler 1939 einen Pakt und wurde 1941 zum Oberbefehlshaber der Roten Armee im Kampf gegen die deutschen Truppen, die in die Sowjetunion eingefallen waren.

Oder: »Ich bin sehr unruhig, denn der Chinese lässt sich nicht blicken.« Ferner: »Alle meine Anstrengungen sind vergeblich. Weißt Du nicht, wie man die Sache in Schwung bringen könnte?« Nach langwierigen Bemühungen wurde das Rätsel gelöst: Es ging immer um die ausbleibende Periode. Man konnte meinen, das größte Geheimnis der polnischen Armee sei die Menstruation. Dies habe ich damals gelernt: Die von Geheimnissen umwitterten Institutionen verdanken ihren Ruf in der Regel den Legenden[35], die über sie verbreitet werden und die sie selbst in Umlauf bringen. Lernt man sie von innen kennen, enttäuschen sie immer. Letztlich wird überall nur mit Wasser gekocht. Wenn die Postzensur der polnischen Armee Spürsinn und Kennerblick erforderte, dann höchstens von den Chefs. Bald war ich überzeugt, dass die Arbeit in der Zensur nicht nur stumpfsinnig und langweilig war, sondern auch ganz und gar überflüssig.

Nach einigen Tagen mussten die in der Militärzensur Beschäftigten eine Erklärung unterschreiben, dass sie ausnahmslos alles, was mit dem Dienst zusammenhing, geheim halten würden. Das war ein Routinevorgang ohne jede Bedeutung. Aber erst diesem hektografierten[36] Blatt konnte ich entnehmen, dass ich in eine Einheit geraten war, die zwar der polnischen Armee angehörte, jedoch der Aufsicht des Ministeriums (noch hieß es: Ressort) für Öffentliche Sicherheit unterstand. Dies machte auf mich überhaupt keinen Eindruck, ich unterschrieb die Erklärung, ohne zu zögern: Denn ob die Zensur von dieser oder jener Behörde beaufsichtigt wurde, schien mir eine bürokratische Angelegenheit und kümmerte mich nicht. Indes hatte die Sache für meine berufliche Laufbahn in den nächsten Jahren Folgen, die ich nicht geahnt habe und die von großem Interesse für mich waren.

35 Geschichten, die über eine Sache oder einen Menschen in Umlauf sind, unabhängig vom Wahrheitsgehalt, doch mit zumeist interessanten Einzelheiten.
36 Vervielfältigt.

Zunächst wurde ich, im Januar 1945, von der Militärzensur in jenem elenden Dorf endlich erlöst und in die Zentrale der Kriegszensur in Lublin versetzt und wenig später nach dem eben erst befreiten Kattowitz delegiert[37], wo ich die Zensur zu organisieren hatte. Ich tat dies zum Entzücken meiner Vorgesetzten so schnell, dass sie bald arbeitsfähig war, doch vorerst ohne Arbeit – denn die Post funktionierte noch nicht. Das trug mir den Ruf eines guten Organisators ein, weshalb ich, kaum nach Lublin zurückgekehrt, auf einen leitenden Posten in der Auslands-Postzensur der ebenfalls gerade befreiten Stadt Warschau kommandiert wurde.

Das Land war verwüstet, Warschau war zerstört – so furchtbar zerstört, dass verschiedene polnische Urbanisten[38] und namhafte ausländische Städtebauspezialisten empfahlen, Polens Hauptstadt an einer anderen Stelle des Landes neu aufzubauen. Freilich wollte niemand davon hören – weder die neuen Behörden noch die Bevölkerung. Sie war von den Deutschen aus der Stadt evakuiert[39] worden und kehrte nun von allen Seiten zurück: Die Menschen wollten Warschau, obwohl das Leben dort schwer, ja unerträglich war, auf keinen Fall aufgeben. Sie richteten sich in den wenigen einigermaßen erhaltenen Wohnungen ein, in Kellern und Baracken. Wie ungewiss und unklar die Zukunft Polens auch war, die Warschauer bewährten sich als unverbesserliche Optimisten.

Und wir, Tosia und ich? Wir konnten vorerst in der zerstörten Stadt keine Wohnung, nicht einmal ein Zimmer bekommen: Wir schliefen auf einem Feldbett, das für die Nacht in meinem Büro aufgestellt wurde. Aber wir beklagten uns nicht: Es war ja Krieg – und die Kriegsverhältnisse waren in Polen

---

37 Delegiert werden: jemand wird (etwa von einer Gruppe) beauftragt, etwas zu tun oder vorzutragen.

38 Wissenschaftler, die sich mit dem Phänomen der Stadt befassen.

39 Evakuieren: Bewohner mittels amtlicher Autorität auffordern, sich aus einem bestimmten Gebiet oder einer Stadt (etwa wegen einer drohenden Gefahr) zumindest vorübergehend zu entfernen.

nicht etwa im Mai 1945 beendet, sondern erheblich später. Überdies gehörten auch wir zu den Optimisten. Die alliierten Armeen rückten voran, das baldige Ende des Krieges war nun ganz sicher. Indes blieb uns zu unserer Überraschung die jetzt fällige Daseinsfreude versagt, von Glück konnte keine Rede sein. Wir hatten doch überleben wollen. Und wir hatten, um überleben zu können, Leid erfahren, das wir für unsagbar hielten. Wir hatten Erniedrigungen und Demütigungen erduldet. Wir hatten Hunger ertragen müssen, den wir nie vergessen würden. Wir schwebten in tausend Ängsten, die Todesangst gehörte jahrelang zu unserem Alltag. Je näher jetzt das Ende des Krieges kam, desto schwerer lastete auf uns, den Befreiten, eine einfache Frage: Warum? Warum durften gerade wir überleben?

Mein Bruder Alexander hatte ungleich bessere Chancen als ich gehabt, die deutsche Okkupation zu überleben. Er war in vielerlei Hinsicht ein anderer Typ als ich, vielleicht der Gegentyp: Etwas kleiner, zarter und schmächtiger, gewiss auch schüchterner und in höherem Maße gehemmt. Vor allem war er ein liebenswerter, ein überaus liebenswürdiger Mensch, er hatte ein gewinnendes Wesen, frei von Selbstbewusstsein, von Arroganz oder gar Aggressivität.

Man konnte vermuten, dass er über den Ring verfügte, nach dem ich mich ein Leben lang vergeblich gesehnt habe – den Ring, von dem der weise Nathan[40] erzählt, er habe die geheime Kraft, denjenigen vor Gott und Menschen angenehm zu machen, der ihn in dieser Zuversicht trage. So hatte mein Bruder, anders als ich, der ich erst kurz vor dem Krieg nach Warschau gekommen war, auch außerhalb des Gettos Freunde und Bekannte, die ihm wohl geholfen hätten.

Aber er fürchtete, aus dem Getto zu fliehen – und er konnte nicht im Getto bleiben: Denn bei der »Großen Selektion« im September 1942 hatte er, da er in keiner Institution tätig war,

---

[40] Hauptfigur in Lessings Drama »Nathan der Weise«.

keine »Lebensnummer« erhalten. Im November kam er aus dem Warschauer Getto in ein Lager bei Lublin und wenige Monate später in das Kriegsgefangenen- und Arbeitslager Poniatowa, ebenfalls im Distrikt Lublin gelegen. Er hat dort als Zahnarzt und als Leiter der Poliklinik gearbeitet. Am 4. November 1943 haben SS-Einheiten sämtliche Gefangene aus den Baracken getrieben und zu den in der Nähe dieses Lagers ausgehobenen Gruben gejagt. Dort wurden sie mit Maschinengewehren erschossen. Insgesamt hat die SS an diesem Tag im Lager Poniatowa 15 000 Gefangene ermordet. Unter ihnen war mein stiller, mein liebenswerter Bruder Alexander Herbert Reich.

Genau ein Jahr später, am 4. November 1944, traf ich in der polnischen Armee einen Soldaten, einen Nichtjuden, der es für richtig hielt, mir gleich zu erzählen, was mit den Juden in Poniatowa geschehen war. Er habe in der Nähe dieses Lagers in einer Baufirma gearbeitet, wo man, wenn ärztliche Hilfe nötig war, einen Passierschein bekam, um in die Poliklinik in Poniatowa gehen zu können. Davon habe er nur zweimal Gebrauch gemacht; er habe Zahnschmerzen gehabt. Ich ließ mir den Zahnarzt beschreiben. Er beschrieb ihn genau – und kein Zweifel war möglich. Er sprach auch von einer ziemlich großen, blonden Assistentin. Es war, wiederum ohne Zweifel, die Frau, mit der mein Bruder schon im Getto zusammengelebt hatte.

Der Soldat hatte sich später nach dem, wie er hinzufügte, so sympathischen Zahnarzt erkundigt: Dieser sei, zusammen mit seiner Freundin, zu den Gruben gejagt worden. Aber die Deutschen haben die beiden wohl nicht erschießen können. Denn sie hatten Zyankali. Warum, frage ich noch einmal, musste er sterben, warum durfte ich am Leben bleiben? Ich weiß, dass es hierauf nur eine einzige Antwort gibt: Es war purer Zufall, nichts anderes. Doch kann ich nicht aufhören, diese Frage zu stellen.

Als uns am 9. Mai 1945 in Warschau die Nachricht erreichte, dass im sowjetischen Hauptquartier in Berlin-Karlshorst die bedingungslose Kapitulation aller deutschen Streitkräfte

296

unterzeichnet worden sei und damit der Zweite Weltkrieg beendet war, forderten uns einige fröhliche und glückliche Kollegen auf, mit ihnen in den Hof zu gehen. Es sei Zeit, sagten sie, für einen Salut[41] gen Himmel. Wir entsicherten unsere Pistolen. Dann schossen meine aufgeräumten und übermütigen Kollegen gleichzeitig in die Luft. Einen Augenblick später richtete auch ich meine Pistole auf den blauen und sonnigen, den unbarmherzigen und grausamen Himmel, und dann drückte ich ab. Es war mein erster und letzter Schuss im Zweiten Weltkrieg, der erste und letzte in meinem Leben.

Tosia stand neben mir. Wir schauten uns schweigend an. Wir wussten genau, dass wir das Gleiche empfanden: Nein, nicht Freude empfanden wir, sondern Trauer, nicht Glück, sondern Wut und Zorn. Ich blickte noch einmal nach oben und sah, dass eine Wolke[42] aufgezogen war, dunkel und schwer. Ich spürte: Diese Wolke über uns, sie würde sich nie verziehen, sie würde bleiben, unser Leben lang.

[41] Militärische Ehren- bzw. Freudenbezeugung durch eine Salve von Schüssen.

[42] Anspielung auf Brechts Gedicht »Erinnerung an die Marie A.«, in dem sich ein Liebhaber später vor allem wegen eines scheinbar nebensächlichen Details an die Geliebte erinnert: wegen einer Wolke, die während der Liebesbegegnung hoch oben am Himmel dahinzog (siehe auch Seite 158, Fußnote 14).

Zeittafel

1920
In Włocławek an der Weichsel (Polen) als Marcel Reich geboren (2. Juni) – als drittes Kind von David Reich, einem polnischen Juden, und von Helene Reich, geborene Auerbach, einer deutschen Jüdin. Die Eltern werden 1942 im Vernichtungslager Treblinka ermordet, der Bruder Alexander Herbert, Jahrgang 1911, 1943 im Zwangsarbeitslager Poniatowa. Die Schwester Gerda, Jahrgang 1907, überlebt in England, wohin sie zusammen mit ihrem Mann (wenige Wochen vor Ausbruch des Zweiten Weltkrieges) aus Berlin geflohen war.

1927
Besuch der deutschsprachigen Volksschule in Włocławek.

1929
Übersiedlung nach Berlin. Besuch der Volksschule in Berlin-Charlottenburg, Witzlebenstraße.

1930
Werner von Siemens-Realgymnasium, Berlin-Schöneberg.

1934
Mitgliedschaft im Jüdischen Pfadfinderbund Deutschlands (JPD).

1935
Fichte-Gymnasium, Berlin-Wilmersdorf.

1938
Abitur am Berliner Fichte-Gymnasium. Ablehnung des Immatrikulationsgesuches durch die Universität Berlin. Lehrling in der Firma Juan Casparius, Export, Berlin-Charlottenburg. Ende Oktober Verhaftung und Deportation nach Polen.

1939
Nach der Einnahme der Stadt Warschau durch die Wehrmacht Anstellung in der Jüdischen Gemeinde als deutscher Übersetzer.

1940
Die Jüdische Gemeinde wird in den »Judenrat« umgestaltet. Gründung des »jüdischen Wohnbezirks«. Leiter des Korrespondenz- und Übersetzungsbüros des »Judenrats«.

1941
Mitarbeiter des Getto-Untergrundarchivs (Ringelblum-Archiv).

1942
Am 22. Juli Beginn der Deportation aus dem Warschauer Getto. Heirat mit Teofila, geborene Langnas.

1943
Teilnahme an Widerstandsaktivitäten. Zusammen mit der Ehefrau Flucht aus dem Getto (Februar).

1944
Befreiung durch die Sowjetische Armee (September). Zusammen mit der Ehefrau freiwilliger Eintritt in die Polnische Armee. Einsatz bei der militärischen Postzensur (Oktober).

1945
Leitender Posten in der militärischen Auslands-Postzensur in Warschau.

1946
Polnische Militärmission in Berlin (Januar bis April). Ab April im Polnischen Geheimdienst (Auslands-Nachrichtendienst). Beitritt zur Kommunistischen Partei Polens.

1947
Weiterhin im Auslands-Nachrichtendienst und zugleich im Außenministerium.

1948
Polnischer Vizekonsul in London (als Marcel Ranicki), später Konsul. Geburt des Sohnes Andrzej Alexander (30. Dezember).

1949
Abberufung aus London auf eigenen Wunsch (November). Rückkehr nach Warschau.

1950
Inhaftierung. Entlassung aus dem Auswärtigen Dienst und aus dem Geheimdienst. Ausschluss aus der Kommunistischen Partei (März). Anstellung beim Verlag des Verteidigungsministeriums als Lektor für deutsche Literatur.

1951
Erste Veröffentlichungen in der Warschauer Wochenzeitung *Nowa Kultura*.

1952
Freier Schriftsteller in Warschau. Beginn der regelmäßigen Zusammenarbeit mit der Monatszeitschrift *Twórczość*.

1953
Generelles Publikationsverbot ab März.

1954
Aufhebung des Publikationsverbots (Oktober).

1955
Aus der Geschichte der deutschen Literatur 1871–1954 (in polnischer Sprache).

1956
Erster Besuch in der DDR (Mai). Teilnahme an der Internationalen Heine-Konferenz in Weimar (Oktober).

1957
Die Epik der Anna Seghers (in polnischer Sprache). Erster Besuch in der Bundesrepublik.

1958
Reise in die Bundesrepublik (Juli) zu »Studienzwecken«. Neuer Wohnsitz: Frankfurt a. M. Name jetzt: Marcel Reich-Ranicki. Beginn der Zusammenarbeit mit der *Frankfurter Allgemeinen Zeitung,* der *Welt* und mehreren Rundfunksendern. Erstmalige Teilnahme an einer Tagung der »Gruppe 47«.

1959
Umzug nach Hamburg.

1960
Ab Januar ständiger Mitarbeiter der *Zeit* (bis Ende 1973). Anthologie *Auch dort erzählt Deutschland* (erste westdeutsche Sammlung der Prosa von DDR-Autoren).

1962
Anthologie *Sechzehn Polnische Erzähler.*

1963
Deutsche Literatur in West und Ost.

1964
Zusammen mit Hans Mayer Rundfunk-Serie »Das literarische Kaffeehaus« (bis 1967).

1965
Literarisches Leben in Deutschland. – Mitarbeiter der *Encyclopedia Britannica* (bis 1972).

1966
Wer schreibt, provoziert.

1967
Literatur der kleinen Schritte.

1968
Gastprofessur an der Washington University in St. Louis (USA).

1969
Gastprofessor am Middlebury College (USA).

1970
Lauter Verrisse.

1971
Ständiger Gastprofessor für Neue Deutsche Literatur an den Universitäten Stockholm und Uppsala (bis 1975).

1972
Ehrendoktor der Universität Uppsala. Vortragsreise nach Australien und Neuseeland.

1973
Über Ruhestörer. Juden in der deutschen Literatur. – Lehrauftrag für Literaturkritik an der Universität Köln. Umzug nach Frankfurt. Leiter der Redaktion für Literatur und literarisches Leben (bis Ende 1988) in der *Frankfurter Allgemeinen Zeitung.*

1974
Honorarprofessor an der Universität Tübingen. Start der wöchentlichen FAZ-Rubrik *Frankfurter Anthologie,* bis heute deren verantwortlicher Redakteur. Buchausgabe bisher 27 Bände.

1976
Heine-Plakette.

1977
Nachprüfung. Aufsätze über deutsche Schriftsteller von gestern. – Mitinitiator des Klagenfurter Wettbewerbs um den Ingeborg-Bachmann-Preis (Sprecher der Jury bis 1986). Sammelband: *Ludwig Börne.* Aufsätze über Literatur.

1979
Entgegnung. Zur deutschen Literatur der siebziger Jahre. Vortragsreise nach China.

1981
Ricarda-Huch-Preis. – Edition: *Wolfgang Koeppen: Die elenden Skribenten.*

1982
Sammelband: *Meine Schulzeit im Dritten Reich.*

1983
Edition: Alfred Polgar, *Kleine Schriften* (6 Bände – erschienen bis 1986). – Wilhelm-Heinse-Medaille der Akademie der Wissenschaften und der Literatur in Mainz.

1984
Zweiteiliges Fernseh-Gespräch als *Zeuge des Jahrhunderts.* Interviewer: Joachim Fest. – Goethe-Plakette der Stadt Frankfurt am Main.

1985
Lauter Lobreden.

1986
Mehr als ein Dichter. Über Heinrich Böll. – Edition: Wolfgang Koeppen, *Gesammelte Werke.* 6 Bände.

1987
Thomas Mann und die Seinen. – Thomas-Mann-Preis.

1988
»Literarisches Quartett« im Zweiten Deutschen Fernsehen bis Dezember 2001.

1989
»Bambi«-Kulturpreis. Dreibändige Sammlung: *Romane von gestern – heute gelesen* (erschienen bis 1990).

1990
Thomas Bernhard.

1991
Max Frisch. – Ohne Rabatt. Über Literatur aus der DDR. – Heinrich-Hertz-Gastprofessur an der Universität Karlsruhe. Bayerischer Fernsehpreis. *Reden auf Hilde Spiel.*

1992
Günter Grass. – Ehrendoktorwürde der Universitäten Augsburg und Bamberg. – *Der doppelte Boden.* Ein Gespräch mit Peter von Matt. *Goethe: Verweile doch.* Anthologie. 111 Gedichte mit Interpretationen.

1993
Titelfigur beim »Spiegel« (Titelseite: »Der Verreißer«).

1994
Die Anwälte der Literatur. – Martin Walser. – Sommerdebatte in deutschen Zeitungen über die Tätigkeit von Marcel Reich-Ranicki im polnischen Geheimdienst vor rund 50 Jahren. – *Rede über das eigene Land* (November). *Ohne Absicht.* Gespräch mit Wolfgang Koeppen.

1995
Ludwig-Börne-Preis. – *Vladimir Nabokov.*

1996
Cicero-Rednerpreis. – *Drei Reden.* – Anthologie: Rainer Maria Rilke: *Und ist ein Fest geworden.* 33 Gedichte mit Interpretationen. – *Ungeheuer oben.* Über Bertolt Brecht. – *Wolfgang Koeppen.*

1997
Rede auf dem Neujahrsempfang der Stadt Frankfurt am Main im Kaisersaal des Römers. – Ehrendoktorwürde der Heinrich-Heine-Universität Düsseldorf. – *Der Fall Heine.* Anthologie: *Heine: Ich hab im Traum geweinet.* 44 Gedichte mit Interpretationen.

1998
Über Hilde Spiel. Anthologie: *Frauen dichten anders.* 181 Gedichte mit Interpretationen.

1999
Mein Leben.

2000
Hölderlin-Preis. – *Enthusiasten der Literatur:* Golo Mann im Gespräch mit Marcel Reich-Ranicki. Ein Briefwechsel. – Anthologie: *Hundert Gedichte des Jahrhunderts.*

2001

Ehrendoktorwürde der Universität Utrecht. – *Vom Tag gefordert.* Reden in deutschen Angelegenheiten. – Anthologie: *Ein Jüngling liebt ein Mädchen.* Deutsche Gedichte und ihre Interpretationen.

2002

Ehrendoktor der Universität München. – Goethe-Preis. – Großes Verdienstkreuz mit Stern. – *Erst leben, dann spielen.* Über polnische Literatur. – *Sieben Wegbereiter.* Schriftsteller des 20. Jahrhunderts. – *Goethe noch einmal.* – Anthologie: *1400 deutsche Gedichte und ihre Interpretationen.* – *Der Kanon.* Die deutsche Literatur. *Romane.* – *Kritik als Beruf.* Gespräche mit Marcel Reich-Ranicki. – *Über Literaturkritik.* – *Lauter schwierige Patienten.* Gespräche mit Peter Voß über Schriftsteller des 20. Jahrhunderts. – Sendung im ZDF: *Reich-Ranicki Solo. Polemische Anmerkungen.* – Anthologie: *Bertolt Brecht: Der Mond über Soho.* 66 Gedichte mit Interpretationen.

2003

Meine Bilder. Porträts und Aufsätze. – *Meine Gedichte.* Von Walther von der Vogelweide bis heute. – *Meine Geschichten.* Von Johann Wolfgang von Goethe bis heute. – *Der Kanon.* Die deutsche Literatur. *Erzählungen.* – *Unser Grass.* – Jüdisches Museum Frankfurt, Ausstellung: *Die Sammlung Reich-Ranicki: Schriftstellerporträts aus zwei Jahrhunderten.*

2004

Capo-Circeo-Preis der Vereinigung für Italienisch-Deutsche Freundschaft. – Europäischer Kulturpreis: Medien- und Kommunikationspreis. – *Der Kanon.* Die deutsche Literatur. *Dramen.* – *Über Amerikaner.* Von Hemingway und Bellow bis Updike und Philip Roth.

Bibliografie

A. Selbstständige Veröffentlichungen

Deutsche Literatur in West und Ost. Prosa seit 1945. München 1963. – Taschenbuch-Ausgabe: rororo Nr. 1313-1314-1315, Reinbek bei Hamburg 1970. – Neuausgabe: Stuttgart 1983. – Taschenbuch-Ausgabe: <u>dtv</u> Nr. 10414, München 1985.

Literarisches Leben in Deutschland. Kommentare und Pamphlete. München 1965.

Wer schreibt, provoziert. Kommentare und Pamphlete. <u>dtv</u> Nr. 384, München 1966. – Fischer Taschenbuch Nr. 11395, Frankfurt/M. 1993.

Literatur der kleinen Schritte. Deutsche Schriftsteller heute. München 1967. – Erweiterte Taschenbuch-Ausgabe: Ullstein Buch Nr. 2867, Frankfurt/M.-Berlin-Wien 1971. – Abermals erweiterte Taschenbuch-Ausgabe: <u>dtv</u> Nr. 11464, München 1991.

Die Ungeliebten. Sieben Emigranten. Opuscula Nr. 39, Pfullingen 1968.

Lauter Verrisse. Mit einem einleitenden Essay. München 1970. – Erweiterte Taschenbuch-Ausgabe: Ullstein Buch Nr. 3009, Frankfurt/M.-Berlin-Wien 1973. – Erweiterte Neuausgabe: Stuttgart 1984. – Taschenbuch-Ausgabe: <u>dtv</u> Nr. 11578, München 1992.

Über Ruhestörer. Juden in der deutschen Literatur. Serie Piper Nr. 48, München 1973. – Erweiterte Taschenbuch-Ausgabe: Ullstein Buch Nr. 3335, Frankfurt/M.-Berlin-Wien 1977. – Erweiterte Neuausgabe: Stuttgart 1989. – Abermals erweiterte Neuausgabe: dtv Nr. 11677, München 1993.

Zur Literatur der DDR. Serie Piper Nr. 94, München 1974.

Nachprüfung. Aufsätze über deutsche Schriftsteller von gestern. München 1977. – Erweiterte Neuausgabe: Stuttgart 1980. – Taschenbuch-Ausgabe: dtv Nr. 10226, München 1984. – Erweiterte Taschenbuch-Ausgabe: dtv Nr. 11 211, München 1990.

Entgegnung. Zur deutschen Literatur der siebziger Jahre. Stuttgart 1979. – Erweiterte Neuausgabe: Stuttgart 1981. – Taschenbuch-Ausgabe: dtv Nr. 10018, München 1982.

Betrifft Goethe. (Zusammen mit der Rede des Kanzlers Friedrich von Müller von 1832). Zürich-München 1982 – Neuausgabe: Fischer Bibliothek, Frankfurt/M. 1995.

Nichts als Literatur. Aufsätze und Anmerkungen. Reclams Universal-Bibliothek Nr. 8076, Stuttgart 1985.

Lauter Lobreden. Stuttgart 1985. – Taschenbuch-Ausgabe: dtv Nr. 11618, München 1992.

Mehr als ein Dichter. Über Heinrich Böll. KiWi Nr. 109, Köln 1986. – Taschenbuch-Ausgabe: dtv Nr. 11907, München 1994.

Thomas Mann und die Seinen. Stuttgart 1987. – Taschenbuch-Ausgabe: Fischer Taschenbuch Nr. 6951, Frankfurt/M. 1990.

Zwischen Diktatur und Literatur. Marcel Reich-Ranicki im Gespräch mit Joachim Fest. Fischer Taschenbuch Nr. 46206, Frankfurt/M. 1987. – Fischer Taschenbuch Nr. 12097, Frankfurt/M. 1993.

Herz, Arzt und Literatur. Zwei Aufsätze. Zürich 1987.

Thomas Bernhard. Aufsätze und Reden. Zürich 1990. – Taschenbuch-Ausgabe: Fischer Taschenbuch Nr. 11396, Frankfurt/M. 1993.

Max Frisch. Aufsätze. Zürich 1991. – Taschenbuch-Ausgabe: Fischer Taschenbuch Nr. 11397, Frankfurt/M. 1994.

Ohne Rabatt. Über Literatur aus der DDR. Stuttgart 1991. – Taschenbuch-Ausgabe: dtv Nr. 11744, München 1993.

Reden auf Hilde Spiel. München 1991.

Der doppelte Boden. Ein Gespräch mit Peter von Matt. Zürich 1992. – Taschenbuch-Ausgabe: Fischer Taschenbuch Nr. 11894, Frankfurt/M. 1994.

Günter Grass. Aufsätze. Zürich 1992. – Taschenbuch-Ausgabe: Fischer Taschenbuch Nr. 12254, Frankfurt/M. 1994/1999.

Der romantische Prophet. Anmerkungen zu Friedrich Schlegels Literaturkritik. Heidelberger Universitätsreden, Band 5, Heidelberg 1993 und Jenaer philosophische Vorträge und Studien, Band 5, Erlangen und Jena 1993.

Die Anwälte der Literatur. Stuttgart 1994. – Taschenbuch-Ausgabe: dtv Nr. 12185, München 1996.

Martin Walser. Zürich 1994. – Taschenbuch-Ausgabe: Fischer Taschenbuch Nr. 13000, Frankfurt/M. 1996.

Vladimir Nabokov. Zürich 1995. – Taschenbuch-Ausgabe: Fischer Taschenbuch Nr. 13538. Frankfurt/M. 1998.

Die verkehrte Krone. Über Juden in der deutschen Literatur. Wiesbaden 1995.

Drei Reden. Sion 1995.

Ungeheuer oben. Über Bertolt Brecht. Berlin 1996.

Wolfgang Koeppen. Zürich 1996. – Taschenbuch-Ausgabe: Fischer Taschenbuch Nr. 14133, Frankfurt/M. 1998.

Der Fall Heine. Stuttgart 1997. – Taschenbuch-Ausgabe: dtv Nr. 12774, München.

Über Hilde Spiel. München 1998.

Mein Leben. Stuttgart 1999.

Enthusiasten der Literatur. Briefwechsel mit Golo Mann. Frankfurt/M. 2000.

Vom Tag gefordert. Reden in deutschen Angelegenheiten. München 2001.

Erst leben, dann spielen. Über polnische Literatur. Göttingen 2002.

Lauter schwierige Patienten. Gespräche mit Peter Voß über Schriftsteller des 20. Jahrhunderts. Berlin. München 2002.

Sieben Wegbereiter. Schriftsteller des 20. Jahrhunderts. München 2002.

Goethe noch einmal. München 2002. Taschenbuch-Ausgabe dtv Nr. 13283, München, 2004.

Über Literaturkritik. München 2002.

Kritik als Beruf. München 2002.

Meine Bilder. Portraits und Aufsätze. München 2003.

Wir sitzen alle im gleichen Zug (zusammen mit Teofila Reich-Ranicki). Frankfurt/M. und Leipzig 2003.

Unser Grass. München 2003.

Über Amerikaner. Von Hemingway und Bellow bis Updike und Philip Roth. München 2004.

B. Herausgegebene Bücher

Auch dort erzählt Deutschland. Prosa von »drüben«. List-Bücher Nr. 170, München 1960.

Sechzehn Polnische Erzähler. rororo Nr. 524–525, Reinbek bei Hamburg 1962.

Erfundene Wahrheit. Deutsche Geschichten seit 1945. München 1965.

Notwendige Geschichten 1933–1945. München 1967. – Taschenbuch-Ausgabe: dtv Nr. 1528, München 1980. – Serie Piper 1613, München 1994.

In Sachen Böll. Ansichten und Einsichten. Köln 1968. – Dritte, erweiterte Auflage: Köln 1968. – Taschenbuch-Ausgabe: <u>dtv</u> Nr. 730, München 1971.

Gesichtete Zeit. Deutsche Geschichten 1918–1933. München 1969. – Taschenbuch-Ausgabe: <u>dtv</u> Nr. 1527, München 1980. – Serie Piper 1612, München 1992.

Anbruch der Gegenwart. Deutsche Geschichten 1900–1918. München 1971. – Taschenbuch-Ausgabe: <u>dtv</u> Nr. 1526, München 1980. – Serie Piper 1547, München 1992.

Erfundene Wahrheit. Deutsche Geschichten 1945–1960. (Veränderte Neuauflage). München 1972. – Taschenbuch-Ausgabe: <u>dtv</u> Nr. 1529, München 1980. – Serie Piper 1614, München 1995.

Verteidigung der Zukunft. Deutsche Geschichten seit 1960. München 1972. – Taschenbuch-Ausgabe: Deutsche Geschichten 1960–1980. <u>dtv</u> Nr. 1530, München 1980. – Serie Piper 1615, München 1995.

Frankfurter Anthologie. Gedichte und Interpretationen (bisher 27 Bände). Frankfurt/M. 1976–2004.

Ludwig Börne: *Spiegelbild des Lebens.* Aufsätze über Literatur. suhrkamp taschenbuch Nr. 408, Frankfurt/M. 1977. – Erweiterte Neuausgabe: insel taschenbuch 1578, Frankfurt/M. 1993.

Klagenfurter Texte zum Ingeborg Bachmann-Preis 1977, 1978, 1979, 1980, 1981, 1982. (6 Bände; Mitherausgeber: Humbert Fink und Ernst Willner). München 1977–1982.

Wolfgang Koeppen: *Die elenden Skribenten.* Aufsätze. Frankfurt/M. 1981. – Taschenbuch-Ausgabe: suhrkamp taschenbuch Nr. 1008, Frankfurt/M. 1984.

Meine Schulzeit im Dritten Reich. Erinnerungen deutscher Schriftsteller. Köln 1982. – Taschenbuch-Ausgabe: <u>dtv</u> Nr. 10328, München 1984. – Erweiterte Neuausgabe: Köln 1988. – Taschenbuch-Ausgabe: <u>dtv</u> Nr. 11597, München 1993.

Alfred Polgar: *Kleine Schriften.* Band 1: *Musterung.* Reinbek bei Hamburg 1982. – Taschenbuch-Ausgabe: rororo 13506, Reinbek bei Hamburg 1994. – Band 2: *Kreislauf.* Reinbek bei Hamburg 1983. Band 3: *Irrlicht.* Reinbek bei Hamburg 1984. – Band 4: *Literatur.* Reinbek bei Hamburg 1984. – Band 5: *Theater I.* Reinbek bei Hamburg 1985. – Band 6: *Theater II.* Reinbek bei Hamburg 1986. – Neuausgabe: Reinbek bei Hamburg 2004.

Klagenfurter Texte zum Ingeborg Bachmann-Preis 1983, 1984, 1985, 1986. (4 Bände; Mitherausgeber: Humbert Fink). München 1983–1986.

Hundert Gedichte werden vorgestellt. Eine zeitgenössische Auswahl aus der Frankfurter Anthologie. Gütersloh o. J. (1983).

Über die Liebe. Gedichte und Interpretationen aus der Frankfurter Anthologie. Insel Taschenbuch Nr. 794, Frankfurt/M. 1985.

Wolfgang Koeppen: *Gesammelte Werke.* (6 Bände). Frankfurt/M. 1986.

Was halten Sie von Thomas Mann? Achtzehn Autoren antworten. Fischer Taschenbuch Nr. 5464, Frankfurt/M. 1986; Fischer Taschenbuch Nr. 12252, Frankfurt/M. 1994.

Erzählte Gegenwart. Zehn Jahre Ingeborg Bachmann-Preis. München 1986.

Johann Wolfgang von Goethe: *Alle Freuden, die unendlichen.* Liebesgedichte und Interpretationen. Insel-Bücherei Nr. 1028, Frankfurt/M. 1987/1989.

Romane von gestern – heute gelesen. Band 1: 1900–1918. Frankfurt/M. 1989. – Band 2: 1918–1933. Frankfurt/M. 1989. – Band 3: 1933–1945. Frankfurt/M. 1990. Taschenbuchausgabe: Fischer Taschenbuch Nr. 13091 (Band 1), Nr. 13092 (Band 2) und Nr. 13093 (Band 3), Frankfurt/M. 1996.

Horst Krüger – ein Schriftsteller auf Reisen. Materialien und Selbstzeugnisse. Hamburg 1989.

Johann Wolfgang von Goethe: *Verweile doch.* 111 Gedichte mit Interpretationen. Frankfurt/M. 1992. – Taschenbuch-Ausgabe: insel taschenbuch Nr. 1775, Frankfurt/M. 1997.

Wolfgang Koeppen: *Ohne Absicht.* Gespräch mit Marcel Reich-Ranicki in der Reihe »Zeugen des Jahrhunderts«. Göttingen 1994.

Hermann Burger: *Erzählungen.* Frankfurt/M. 1994.

Deutsche Erzähler des 20. Jahrhunderts. Von Arthur Schnitzler bis Robert Musil. Zürich 1994.

Deutsche Erzähler des 20. Jahrhunderts. Von Joseph Roth bis Hermann Burger. Zürich 1994.

1000 Deutsche Gedichte und ihre Interpretationen. (10 Bände). Frankfurt/M. 1994.

Rainer Maria Rilke: *Und ist ein Fest geworden.* 33 Gedichte mit Interpretationen. Frankfurt/M. 1996. – Taschenbuch-Ausgabe: insel taschenbuch 2611, Frankfurt/M. 2000.

Heinrich Heine: *Ich hab im Traum geweinet*. 44 Gedichte mit Interpretationen. Frankfurt/M. 1997.

Frauen dichten anders. 181 Gedichte mit Interpretationen. Frankfurt/M. 1998.

Hundert Gedichte des Jahrhunderts. Frankfurt/M. 2000.

Bertolt Brecht: Der Mond über Soho. 66 Gedichte mit Interpretationen. Frankfurt/M. und Leipzig 2002.

1400 deutsche Gedichte und ihre Interpretationen. (12 Bände). Frankfurt/M. und Leipzig 2002.

Der Kanon. Die deutsche Literatur. *Romane.* (20 Bände). Frankfurt/M. und Leipzig 2002.

Meine Gedichte. Von Walther von der Vogelweide bis heute. Frankfurt/M. und Leipzig 2003.

Meine Geschichten. Von Johann Wolfgang von Goethe bis heute. Frankfurt/M. und Leipzig 2003.

Der Kanon. Die deutsche Literatur. *Erzählungen.* (10 Bände). Frankfurt/M. und Leipzig 2003.

Erich Kästner: Ein Dichter gibt Auskunft. 121 Gedichte. Zürich 2003.

Der Kanon. Die deutsche Literatur. *Dramen.* (8 Bände). Frankfurt/M. und Leipzig 2004.

Der Kanon. Die deutsche Literatur. *Lyrik.* Frankfurt/M. und Leipzig 2005.

Sinn oder Unwert der Kritik? Ein Disput zwischen August Everding und Marcel Reich-Ranicki. CD Nr. 29901, MC Nr. 22952. TR-Verlagsunion, München 1990.

Kritikers Kummer – Kritikers Freud. Eine öffentliche Unterhaltung zwischen Joachim Kaiser und Marcel Reich-Ranicki. CD Nr. 28349, MC Nr. 28357. TR-Verlagsunion, München 1994.

Bertolt Brecht. Texte von und über Bertolt Brecht, gelesen von Marcel Reich-Ranicki. CD Nr. 3984-23129-2. eastwest records gmbh., Hamburg 1998.

Mein Leben. Gelesen von Marcel Reich-Ranicki. 2 MC (ISBN-3-89584-697-X) und 2 CD (ISBN 3-89584-797-6). Der Hörverlag/HR2, München 1999 und Audio-Books.

Mein Leben. Gelesen von Marcel Reich-Ranicki. Edition Literaturherbst 1999.

Ein Jüngling liebt ein Mädchen und andere Gedichte. Gelesen von Eva Gosciejewicz und Max Volkert Martens. Hörverlag 2003.

Musik im Warschauer Getto. Deutschlandfunk 2003.

Erich Kästner: Ein Dichter gibt Auskunft. Teil 1. Gedichte – ausgewählt von Marcel Reich-Ranicki. CD Nr. 441061-2. Goya LiT, Hamburg 2004.

D. Über Marcel Reich-Ranicki

Walter Jens: *Aufklärung und Polemik*. Laudatio aus Anlass der Verleihung der Heine-Plakette. Heine-Jahrbuch 1977. Herausgegeben von Joseph A. Kruse. Hamburg 1977.

Literatur und Kritik. Aus Anlass des 60. Geburtstages von Marcel Reich-Ranicki herausgegeben von Walter Jens. Stuttgart 1980.

Über Marcel Reich-Ranicki. Aufsätze und Kommentare. Herausgegeben von Jens Jessen. dtv Nr. 10415. München 1985. Bio-bibliografisch ergänzte Neuausgabe: München 1990.

Betrifft Literatur. Über Marcel Reich-Ranicki. Herausgegeben von Peter Wapnewski. Stuttgart 1990. – Taschenbuch-Ausgabe: dtv Nr. 12016, München 1995.

Reden anlässlich der Geburtstagsfeier für Marcel Reich-Ranicki am 8. Juni 1990. Herausgegeben von der Frankfurter Allgemeinen Zeitung. Frankfurt/M. 1990.

Frank Schirrmacher: *Über Marcel Reich-Ranicki und das »literarische Quartett«*. In: *Der Bayerische Fernsehpreis 89, 90, 91*. Herausgegeben vom Bayerischen Staatsministerium für Unterricht, Kultus, Wissenschaft und Kunst. München 1992.

Helmut Koopmann: *Die Wissenschaft der Literatur ist ihre Kritik*. Laudatio anlässlich der Verleihung der Ehrendoktorwürde durch die Philosophische Fakultät II der Universität Augsburg. In: *Schriften der Philosophischen Fakultäten der Universität Augsburg*. Sprach- und literaturwissenschaftliche Reihe. Herausgegeben von Helmut Koopmann und Henning Krauß. München 1992.

Thomas Anz: *Eine Studie über den Erfolg.* Laudatio auf Marcel Reich-Ranicki. In: *Kopfzeilen.* Bamberger Blätter zur Literaturkritik. Heft 5. Mai 1993.

Hansjakob Stehle: *Ein Mann mit Eigenschaften – von Reich zu Ranicki.* Reflexionen eines Freundes. In: *Europäische Rundschau* Nr. 4/1994.

Franz Josef Czernin: *Marcel Reich-Ranicki.* Eine Kritik. Göttingen 1995.

Lieber Marcel. Briefe an Reich-Ranicki. Herausgegeben von Jochen Hieber. Stuttgart 1995. Erweiterte Neuausgabe 2000.

Welch ein Leben. Marcel Reich-Ranickis Erinnerungen. Stimmen, Kritiken, Dokumente. Herausgegeben von Hubert Spiegel. dtv Nr. 30807, München 2000.

Volker Hage und Mathias Schreiber: *Marcel Reich-Ranicki.* Ein biographisches Porträt. Köln 1995. – Taschenbuch-Ausgabe dtv Nr. 12426, München 1997.

Frank Schirrmacher: *Marcel Reich-Ranicki.* Sein Leben in Bildern. Stuttgart. München 2000. – Taschenbuch-Ausgabe dtv Nr. 30828, München 2001.

Thomas Anz: *Marcel Reich-Ranicki.* dtv-portrait, München 2004.

Personenregister

Marcel Reich-Ranicki im dtv

»Man hat mir früher vorgeworfen, ich sei ein Schulmeister.
Man wirft mir heute vor, ich sei ein Entertainer. Beides
zusammen ist genau das, was ich sein will.«
Marcel Reich-Ranicki

**Deutsche Literatur in
West und Ost**
ISBN 3-423-10414-7

Nachprüfung
Aufsätze über deutsche
Schriftsteller von gestern
ISBN 3-423-11211-5

Literatur der kleinen Schritte
Deutsche Schriftsteller in den
sechziger Jahren
ISBN 3-423-11464-9

Lauter Verrisse
ISBN 3-423-11578-5

Lauter Lobreden
ISBN 3-423-11618-8
Am Beispiel von zwanzig
deutschen Autoren zeigt
Marcel Reich-Ranicki, wie
gut er loben kann.

Über Ruhestörer
Juden in der deutschen
Literatur
ISBN 3-423-11677-3

Mehr als ein Dichter
Über Heinrich Böll
ISBN 3-423-11907-1

Die Anwälte der Literatur
ISBN 3-423-12185-8
»Von allen meinen literatur-
kritischen Büchern ist mir
dieses das liebste.«
(Marcel Reich-Ranicki)

**Meine Schulzeit im
Dritten Reich**
Erinnerungen deutscher
Schriftsteller
Hg. v. Marcel Reich-Ranicki
ISBN 3-423-12365-6

Über Hilde Spiel
Reden und Aufsätze
Mit zahlreichen Fotos
ISBN 3-423-12530-6

Der Fall Heine
ISBN 3-423-12774-0
Eine leidenschaftliche Annähe-
rung an den Fall Heine.

Entgegnung
Zur deutschen Literatur der
siebziger Jahre
ISBN 3-423-13029-6

Vom Tag gefordert
Reden in deutschen
Angelegenheiten
ISBN 3-423-13145-4

Bitte besuchen Sie uns im Internet: www.dtv.de

Marcel Reich-Ranicki im <u>dtv</u>

»Immer erzählt Marcel Reich-Ranicki lebendig, lehrreich,
unterhaltsam – und vor allem klar und unverwechselbar.«
Heinz Ludwig Arnold in der ›Frankfurter Rundschau‹

Mein Leben
ISBN 3-423-**13056**-3

Marcel Reich-Ranickis große
Autobiographie ist »das
Dokument von der Schuld
und Niedertracht eines Jahrhunderts und das Zeugnis
einer dennoch unzerstörbaren
Liebe zur deutschen Sprache
und Literatur.« (Peter von
Matt in seiner Laudatio zur
Verleihung des Goethepreises
der Stadt Frankfurt)

»Dieses Buch gehört zu den
großen Geschichtserzählungen
unseres Jahrhunderts.« (Peter
von Becker im ›Tagesspiegel‹)

»Es ergreift durch die tonlose
Stille des Entsetzens, durch
subtile Andeutungen, polemi-
sches Verschweigen, durch
Lakonik und Zärtlichkeit …
Nur herzlose Leser werden
sich diesem Drama in Prosa
entziehen können.« (Mathias
Schreiber und Rainer Traub
im ›Spiegel‹)

Marcel Reich-Ranicki:
Mein Leben
Auswahlband für die Schule
Herausgegeben und kommen-
tiert von Volker Hage
ISBN 3-423-**13327**-9

Sieben Wegbereiter
Schriftsteller des
20. Jahrhunderts
ISBN 3-423-**13245**-0

Sieben Essays über Schnitzler,
Th. Mann, Döblin, Musil,
Kafka, Tucholsky und Brecht.

Goethe noch einmal
Reden und Anmerkungen
ISBN 3-423-**13283**-3

Über Marcel Reich-Ranicki:

Peter Wapnewski (Hrsg.)
Betrifft Literatur
Über Marcel Reich-Ranicki
ISBN 3-423-**12016**-9

Volker Hage, Mathias Schreiber
Marcel Reich-Ranicki
Ein biographisches Porträt
ISBN 3-423-**12426**-1

Hubert Spiegel (Hrsg.)
Welch ein Leben
Marcel Reich-Ranickis
Erinnerungen
Kritiken, Stimmen, Dokumente
ISBN 3-423-**30807**-9

Frank Schirrmacher
Marcel Reich-Ranicki
Sein Leben in Bildern
ISBN 3-423-**30828**-1

Bitte besuchen Sie uns im Internet: www.dtv. de

Volker Hage im dtv

Marcel Reich-Ranicki
Ein biographisches Porträt
ISBN 3-423-12426-1

Er ist ohne Zweifel der populärste, streitbarste und umstrittenste Literaturkritiker Deutschlands. Der Mann, der das Warschauer Getto überlebte, wurde spätestens durch das »Literarische Quartett« zum Star und kämpft als »Anwalt der schönen Literatur« gegen die Gefährdung des Lesens. Die ›Spiegel‹-Redakteure Volker Hage und Mathias Schreiber entwerfen in dieser Biographie ein umfassendes Porträt des großen Kritikers.

Marcel Reich-Ranicki: Mein Leben
Auswahlband für die Schule
Herausgegeben und kommentiert von
Volker Hage
ISBN 3-423-13327-9

Lesebuch für Schüler und Lehrer im Deutsch- und Geschichtsunterricht – sowie für historisch und literarisch Interessierte. Mit ausführlichen Kommentaren und umfassendem Apparat.

Propheten im eigenen Land
Auf der Suche nach der deutschen Literatur
ISBN 3-423-12692-2

»Wird die deutsche Literatur am Ende des Jahrhunderts noch einmal munter?« Volker Hage schaut zurück und nach vorn: Von der Wende und den letzten Tagen der Bonner Republik spannt er den Bogen bis in die unmittelbare Nachkriegszeit und fragt nach den Zeichen für das neue Jahrhundert. Ein Lesevergnügen von analytisch-anschaulicher Erzählkraft, ein Kompendium der deutschen Gegenwartsliteratur.

Alles erfunden
Porträts deutscher und amerikanischer Autoren
ISBN 3-423-19032-9

Volker Hages Begegnungen mit Harold Brodkey, Richard Ford, Max Frisch, John Irving, Ernst Jandl, Wolfgang Koeppen, Joyce Carol Oates, Philip Roth, Botho Strauß, John Updike, Martin Walser und anderen.

Bitte besuchen Sie uns im Internet: www.dtv.de

Ruth Klüger im <u>dtv</u>

»Jeder Tag ist wie ein Tor, das sich hinter mir
schließt und mich ausstößt.«
Ruth Klüger

weiter leben
Eine Jugend
ISBN 3-423-11950-0

»Mir ist keine vergleichbare Biographie bekannt, in der mit solcher
kritischen Offenheit und mit einer dichterisch zu nennenden
Subtilität auch die Nuancen extremer Gefühle vergegenwärtigt
werden.« (Paul Michael Lützeler in der ›Neuen Zürcher Zeitung‹)

Frauen lesen anders
Essays
ISBN 3-423-12276-5

Frauen lesen anders als Männer, weil sie anders leben. Daher kann
der weibliche Blick, in der Literatur wie im Leben, manches ent-
decken, woran der männliche vorübersieht. Ruth Klüger beweist
dies in elf ebenso ungewöhnlichen wie klugen Essays. Deutsche
Literatur in anderer Beleuchtung.

Katastrophen
Essays
ISBN 3-423-12364-8

»Ein sehr empfehlenswertes Buch, es sollte, muß aber nicht, im
Anschluß an ›weiter leben‹ gelesen werden, und es spricht nicht
nur zu den Fachwissenschaftlern, sondern zu allen, die, und vollkommen zu Recht, von der Literatur Aufschluß über die Katastro-
phen der Gegenwart erhoffen.« (Burkhard Spinnen in der
›Frankfurter Allgemeinen Zeitung‹)

Bitte besuchen Sie uns im Internet: www.dtv.de

Bücher gegen das Vergessen

Bitte besuchen Sie uns im Internet: www.dtv.de

Bücher gegen das Vergessen

Bitte besuchen Sie uns im Internet: www.dtv.de

Enzyklopädie des Nationalsozialismus

Herausgegeben von
Wolfgang Benz, Hermann Graml
und Hermann Weiß
Mit zahlreichen Abbildungen,
Karten und Grafiken
900 Seiten

ISBN 3-423-33007-4

Ein unentbehrliches Hilfsmittel für alle, die sich mit Nationalsozialismus und Drittem Reich beschäftigen. In ca. 1000 Stich-
wörtern werden Informationen über Institutionen und Organisationen, Ereignisse und Begriffe, Fakten und Daten, über die nationalsozialistische Ideologie und ihre Verwirklichung im NS-Staat
vermittelt.
Der Leser wird sachkundig und zuverlässig auch über spezielle
Sachverhalte informiert. Ergänzt und vertieft wird das lexikalische
Wissen mit 26 großen Darstellungen über Außenpolitik und andere
Themen. Mit Beiträgen u. a. über Technik, Jugend, Medizin, Sport
und Emigration – alle auf dem aktuellen Stand der Forschung –
erweitert sich das Sachlexikon zur Enzyklopädie. Die Artikel ver-
weisen auf weiterführende Literatur, ein eigener Beitrag zur
Quellenkunde bietet Informationen über Archivbestände und
Sammlungen, ein biographisches Personenregister schließt den
Band ab.

Inge Deutschkron im <u>dtv</u>

Das Lebensschicksal einer engagierten Journalistin – ihre Kindheit als jüdisches Mädchen in der Nazizeit und ihr Leben nach dem Überleben.

Ich trug den gelben Stern

ISBN 3-423-30000-0

Ein unprätentiöser Bericht über das verzweifelte Leben und Überlebenwollen eines jüdischen Mädchens in Berlin. Entrechtet und verfolgt, befürchtet die Familie jeden Moment Deportation und Tod. Ein Leben in der Illegalität beginnt, unter fremder Identität, lebensbedrohend auch für die Freunde, die ihnen Beistand gewähren. Nach Jahren quälender Angst vor der Entdeckung haben Inge Deutschkron und ihre Mutter den bürokratisierten Sadismus des nationalsozialistischen Systems überlebt: zwei unter den 1200 Juden in Berlin, die dem tödlichen Automatismus entronnen sind.

Mein Leben nach dem Überleben
Die Fortsetzung von ›Ich trug den gelben Stern‹

ISBN 3-423-30789-7

Wie richtet sich Inge Deutschkron ihr Leben nach 1945 ein? Wie geht ihre Geschichte weiter? „Ich malte mir ein Idealbild vom neuen Deutschland aus – ein Deutschland, in dem es einen neuen Geist geben würde. Erfahrung hatte ich zwar im Kampf ums Überleben, aber, wie sich bald zeigen sollte, war ich sehr naiv, was des Lebens Wirklichkeit betraf." Die streitbare Journalistin gibt in diesen Aufzeichnungen ein spannendes Zeitzeugnis der fünf Jahrzehnte vom Kriegsende bis in die Gegenwart, die gerade auch in ihren persönlichen Erlebnissen und durch ihre unbestechliche, ungewöhnliche Sichtweise begreifbar werden.

Bitte besuchen Sie uns im Internet: www.dtv.de